カシオペアの丘で　㊤

重松清

講談社

カシオペアの丘で　上●目次

装幀　大久保伸子
装画　本村加代子

カシオペアの丘で　上

序章

子どもたちは丘の上にいた。

名前のない丘――この街でいちばん見晴らしのいい場所だった。

こんもりと盛り上がった形の丘ではない。かつて、そこは炭鉱だった。何十年もかけて山を削り取り、地面をえぐった窪みの、へりにあたる部分だった。何年か先には、その窪みはダム湖になる。すでに土木工事は始まっていて、国道から丘へは無断で出入りできないようになっていた。四人の子どもたちは立ち入り禁止のフェンスをこっそり乗り越えて、丘に入ったのだ。

秋の夜だった。北海道の真ん中あたりにあるこの街では、十月はもう晩秋だ。あと半月もすれば、空は重い色の雲に覆われ、標高二千メートル級の山々から冷たい風が吹きわたる。さらに半月がたてば初雪が降り、何度目かの雪が、春まで融《と》けない根雪になって、長い冬が始まる。

雪が降る前に行こう、と二学期が始まった頃から話し合っていた。ただし、次の日が休みでないと夜更かしはできないし、なにより夜空が晴れていなければならない。九月は天気の悪い週末がつづき、十月に入って最初の土曜日も空振りで、ようやくその夜――十月九日、計画を実行に移すことができた。

日曜日だった。翌日は体育の日で学校が休みだ。夜空は雲一つなく晴れわたっていて、風もほとんどない。待ちわびた甲斐《かい》があった最高の条件だった。

四人は丘を進む。炭鉱だった頃に木はすべて伐採されているので、視界をさえぎるものはなにもない。それでも、四人は懐中電灯で照らした足元だけを見つめ、顔を上げない。

みんなでそろって空を見る、という約束だった。いち、にぃ、さん、で空を見上げて、誰が最初にボイジャーを見つけるか競争しよう、と決めていた。

その年の夏の終わり、アメリカのケネディ宇宙センターから二機の惑星探査機が打ち上げられた。八月二十日にボイジャー2号、九月五日にボイジャー1号——ともに太陽系の惑星を観測し、さらに太陽系の外の宇宙へと旅をつづけることになっている。

夜空を飛んでいるはずのボイジャー1号と2号は、家の窓から眺めても見えない。外に出てもだめだ。

だが、もっと広いところだったら見えるかもしれない。まだ間に合う。地球からそれほど離れていないうちなら、きっとボイジャーを見つけられる。

「ミッチョ、そこ、切り株があるぞ」

先頭を歩く男の子が振り向いて、すぐ後ろにいる女の子の足元を懐中電灯で照らした。

「……ありがと、トシ」

女の子が礼を言うと、後ろからもう一筋の明かりが足元を照らす。

「暗くないか?」

心配そうに訊く二人目の男の子に、ミッチョは「うん、だいじょうぶ」と応え、「ひとの心配してると、シュンが転んじゃうよ」と笑う。

しんがりを歩く男の子が「ミッチョ、ミッチョ、これ見て」と懐中電灯の光を顎《あご》から顔にあて、「おーばーけーっ」とおどけた声をあげ、トシとシュンの二人から同時に「うるさいよ、ユウちゃん」「明かり振り回したらバレちゃうだろ」と叱られた。

時刻は夜九時を回っていた。こんな時間に子どもたちだけで外にいるのは初めてのことだ。街はずれの丘から自転車を全力でとばしても、家に帰り着くのは十一時近くになるだろう。母親が夜勤で家にいないトシ以外の三人は、間違いなく親に叱られる。グループ学習のグラフ作りでトシの家に集まるからという嘘がばれたら、さらに大変なことになってしまうはずだ。

それでも、四人はここに来た。親に叱られるおっかなさよりも、夜道の肌寒さや心細さよりも、はてしなく広い夜空を往《ゆ》くボイジャーの姿に胸が躍った。

一九六九年のアポロ11号の月面着陸のときには四人とも一歳や二歳だったので、記憶にはなにも残っていない。おとなたちが大騒ぎしたものの結局空振りに終わった一九七二年のジャコビニ流星群も、ほとんど覚えていない。ボイジャーは、四人にとって初めての宇宙のできごとということになる。

一九七七年。

四人は、小学四年生だった。

丘の端まで来ると、「このへんでいいか」とトシが言った。

「俺はいいけど」とシュンが応える。

「よし……じゃあ、ここだ。立ったままでいいかな」

「座ったほうがいいんじゃないか?」

「だよな。懐中電灯も切っちゃおうか」

「うん……」

四年一組の教室と同じだった。トシが言ってシュンが応え、シュンが言ってトシが応える。学級会で交通安全の標語を決めるときも、昼休みになにをして遊ぶかを決めるときも、二人の意見がそろえば結論はすぐに出るし、食い違えば話し合いが長引く。ふだんはもめることのほうが多い二人だったが、その夜はあっさりと話がまとまった――「いい? こんなところでケンカなんかしないでよ」とミッチョに何度も釘を刺されていたから。

四人は歩いてきた順番に横に並び、東西南北それぞれの方角を向いて、枯れ草の上に座った。まだ顔は上げない。ユウちゃんが「カウントダウン、ミッチョでいいよな」と言うと、トシもシュンもうなずいた。

ミッチョがゆっくりと数をかぞえる。

テン、ナイン、エイト、セブン……。

南を向いたトシも、北を向いたシュンも、胸をどきどきさせていた。西を向いたミッチョに横顔を見つめられる格好になったトシも、膝を抱えて座ったミッチョの背中がすぐ横にあるシュンも、胸の高鳴りはカウントダウンの緊張のせいだけではなかった。

シックス、ファイブ、フォー……。

ボイジャーに最初に夢中になったのはトシだった。教室でボイジャーのカッコよさをみんなに教えていると、じつはシュンのほうが宇宙の話にくわしいんだと知った。太陽系の惑星をまだ覚えきっていないユウちゃんも、俺も俺も、とボイジャーの仲間に入った。そして、クラスの女子のおしゃべりの話題――アイドルと少女マンガにうんざりしていたミッチョも、やがてボイジャーの話に付き合うようになって、ここにいる。

スリー、ツー、ワン……ゼロ！

四人はいっせいに顔を上げた。

「おおーっ」とユウちゃんが声をあげて、その勢いでひっくり返った。

トシも「すげえ……」とつぶやき、ミッチョの声も「うそぉ……」とつづいて、シュンはただ黙って息を呑んだ。

無数の星が、夜空の隅から隅まで、見わたすかぎりにちりばめられていた。

まばゆい光を放つ星もあれば、ほのかに光る星もある。天の川がくっきりと見える。たしかに夜空を流れる光の川だ。星が降ってきそうなほど空が近い。けれど、逆に、すうっと引き上げられ、吸い込まれてしまいそうな奥行きも感じる。

「おい、すげえよ、寝ころんだほうがよく見える、ほんと、やってみろよ」

ユウちゃんの言葉に、トシが真っ先に応じた。勢いをつけて仰向けに寝ると、ほとんど間をおかずに「ほんとっ、すげえーっ」と叫ぶように言った。

ミッチョとシュンも寝ころんだ。ミッチョは、今度は言葉のかわりに――言葉よりももっと感情のこもったため息をついた。シュンはまた息を呑む。胸の高鳴りはいつのまにか消えていたが、すぐに気づいた。それは消えたのではなく、鳥肌に形を変えて全身に広がっていたのだ。

トシも寝ころんだまま、足をばたばたと踏み鳴らした。じっとしていられない。「すげえ、す

げえ、すげえ、すげえ……」と繰り返し、「なんか俺、泣いちゃいそう」とまで言った。

いつもと変わらないはずの夜空なのに、いつもとは違う。夜空に星が光っているのはあたりまえのことなのに、特別だった。

空が広い。星の粒の一つひとつが、街なかで見るときよりも大きく、明るい。

ボイジャーは、1号も2号も見えなかった。だが、四人はがっかりすることも忘れて、夜空を見つめつづけた。

ミッチョがぽつりと言った。

「ねえ、星座っていくつ知ってる？　わたし、北斗七星しかわからないけど」

ほら、あそこ、あそこのひしゃくみたいな形のが北斗七星、と手を伸ばし、空を指差した。

「あ、わかるわかる、あれだろ？」

ユウちゃんが応えると、トシにすぐさま「適当に言ってるだろ、おまえ」とからかわれ、ユウちゃんも素直に「ばれた？」と白状したので、みんな笑った。

「俺はミッチョに教えてもらわなくても知ってるけどな、北斗七星ぐらい」

トシが言うと、今度はミッチョが「すぐいばるんだから」とあきれた声で言って、また四人で笑う。その笑い声がおさまるのを待って、シュンはさっきのミッチョのように手を伸ばし、空を指差した。

「あそこにあるのが、はくちょう座。十字架みたいに星が並んでるだろ」

星座の形に指を動かして、さらにその指を北の空のてっぺんに向ける。

「カシオペア座も見えるよ、あそこ」

はくちょう座のときには、ふうん、とうなずくだけだったミッチョが、「どこ、どこ？　わたし、カシオペアって見たことないけど大好き」と起き上がって、シュンに体を寄せた。

「ほら……あそこ……」

「え？　え？　どんな形してる？」

「英語のWみたいな、ほら、北斗七星の下のほう」

「えーっ？　どこぉ？」

ミッチョはシュンの指差す向きに視線を合わせようとして、さらに身を乗り出した。寝ころんだままのシュンに覆いかぶさるような格好になった。シュンの胸はまたどきどきしはじめる。

トシが「俺、オリオン座見ーつけたっ」と言った。

ミッチョはトシを振り向いて「ほんと？」と声をはずませる。「わたし、オリオン座も大好き。どこなの？」

「自分で探せよ」

「ケチ」

「ケチでけっこうでーす」

トシはすねた声色をつかって言って、体を起こした。トシの背中にミッチョは「あっかんべえ」をして、またシュンに向き直る。

「ねえ、シュン、オリオン座もわかる？」

「……わかんない」

ほんとうは知っている。この季節のこの時刻、オリオン座はまだ東の地平線の下に隠れているはずだ。見えるわけがない。

なーんだシュンも知らないんだ、と苦笑したミッチョは、カシオペア座を探すのも忘れて、シュンのそばから離れた。

シュンの胸の鼓動はようやくおさまった。半分ほっとして、半分がっかりして、全然がっかりなんかしてないって、と自分に言い聞かせながら起き上がると、トシと目が合った。

トシはへへっと笑い、ミッチョと入れ代わりにシュンのそばに来て、耳元でささやいた。

「オリオン座、ほんとに知らないのか?」

「……知ってるけど、見えないんだ、この時間は」

「そうなのか?」

「うん、もっと遅くならないと」

トシは一瞬ひやっとした顔になったが、「まあ、俺もそんなの知ってたけど」と頰をもごもごさせながら言った。「わざと噓ついてみたんだ。言っとくけど、自分のために噓ついたんじゃないからな、ミッチョがべたべたして、シュンが困ってたから助けてやったんだ」

今度はシュンが、あ、そう、と笑う。

いつものことだった。二人はしょっちゅうぶつかり合う。けれど、ほんとうはクラスでいちばん仲がいいコンビでもある。ライバルなのだと、お互いに思う——いろいろな意味で。

「みんなにも見せてあげたいね」

ミッチョが空を見上げて言った。

「でも、もうすぐダムの工事が始まって、入れなくなっちゃうだろ」

ユウちゃんは悔しそうに言って、シュンを振り向いた。

「ダムができたあと、ここはどうなる?」

「……わかんない」

数年がかりの工事になる。それを手がけるのは、シュンの祖父が経営する建設会社だった。地元ではシュンの家の苗字をとって「倉田」とだけ呼ばれる企業グループが、昭和初期の炭鉱経営から始まって、昭和五十二年のいまに至るまでずっと、この街——北都《ほくと》市の発展を支えてきた。シュンの祖父はそのグループの総帥として君臨し、いずれはシュンの父があとを継ぐ。そして遠い将来、シュンは兄の健一《けんいち》とともに「倉田」を率いることになっていた。

仕事のことは、小学四年生のシュンにはなにもわからない。ただ、国道に面した広大な丘をこのまま放っておくわけはないだろう、とは思っていた。

「なにができたらいいと思う? みんなで、せーの、で言おう」

トシの言葉に、ミッチョが「さんせーい」と応じ、「じゃあ十秒間、考えタイム」と決めたユウちゃんは、みんなが返事をする間もなく腕組みをして、うーん、と考えはじめた。

十秒たって、トシの「せーの」とともに、四人は答えを口にした。

遊園地——。

声も、言葉も、きれいに重なった。

四人は顔を見合わせて、プッと噴き出した。そうだよな、そうだよね、これしかないよ、絶対遊園地だと思ってた、と笑顔でうなずき合った。

「ほんとにできるといいけどね、遊園地……」とミッチョが言った。

トシは「できる」と、きっぱり言い切った。「俺たちがおとなになったら、遊園地をつくればいいんだ」

「おとなになるまで待てないよ」ユウちゃんが口をとがらせる。「おとなになってからできたって、もう遊べないし」

「そんなことないって。おとなも遊べる遊園地にすればいいんだ」

トシが強い声で言う。

「昼間は遊園地で遊んで、夜は星を見るんだよ」

シュンのアイデアに、うわあっ、とミッチョは歓声をあげて、トシも、うん、まあ、それもいいな、とうなずいた。

「シュンが『倉田』の社長になったら、ほんとのほんとに遊園地つくってくれよ。な、社長だったらできるだろ?」

ユウちゃんが気の早いことを言うと、ミッチョも「トシが市長になって、シュンが『倉田』の社長になったら、ほんとにできちゃうかもね」とうれしそうに言った。

トシの将来の夢は政治家だった。ケネディかリンカーンみたいな総理大臣になる、と作文にも書いていた。ボイジャーに夢中になったきっかけも、それを打ち上げた場所がケネディ宇宙センターだったからだ。

「じゃあ、ミッチョはなにになってるの?」とユウちゃんが訊いた。

トシとシュンは二人同時に、ちらりとミッチョに目をやった。

「わたしはねえ、学校の先生か看護婦さんになるの。一生結婚しないで、そのかわり、家でヒツジやウサギをたくさん飼うの」

トシはさりげなくそっぽを向き、シュンは黙ってうつむいた。

「ユウちゃんは？　みんな言ったんだから、あんたも教えてよ」

「俺？　俺は……テレビに出て、有名人になれるんだったら、なんでもいい」

なにそれ、無理無理、自分の顔見てみろよ、と三人から笑われたユウちゃんは、真顔で「流れ星が見えたらお祈りしよう」と言った。「ここで待ってたら見えるよ」

そんなに簡単に流れ星が見えるのかどうか、誰も知らない。だが、この丘にいれば、ほんとうに——数えきれないほどの星のどれか一つは、すうっと流れ落ちそうな気がした。

四人はまた座り直して、夜空を見つめた。

流れ星を待ちながら、誰からともなく、おとなになってからの話をぽつりぽつりとした。教室でしょっちゅう話している、友だちの噂話やテレビやマンガの話は、なにも出てこなかった。

話はまた遊園地のことに戻る。おとなになったら絶対にこの丘に遊園地をつくろう、と約束した。指切りげんまんもした。最初は一人ずつ、最後に四人で指切りをした手をつないで輪になって、「嘘ついたら、針千本飲ーます」と手を振った。ミッチョの右手はシュン、左手はトシ。向かい合わせになったシュンとトシは、へへっと笑い合った。

流れ星は、結局、見えなかった。

かわりに、丘の向こうに見える大きな観音像——北都観音に、みんなで手を合わせた。

「よし、そろそろ帰ろう」

トシにうながされて、四人は来たときと同じ順番で、来たときとは違って、何度も何度も夜空を名残惜しそうに振り返りながら、ひきあげていった。

丘の名前を決めた。

カシオペアの丘――と名付けた。

フェンスを乗り越えてカシオペアの丘をあとにする四人を、観音像は動かない微笑みをたたえて見つめていた。

そして、四人はおとなになった。

第一章　真由ちゃん

1

その家族のことは、いまでもよく覚えている。

両親と幼い女の子の三人家族だった。夏休みを使った二泊三日のドライブで、ここに立ち寄ったのだと言っていた。八月の終わり——この街では、もう季節は秋だった。空が高くて、青くて、涼やかな風がそよぐ、ほんとうに気持ちのいい日に、わたしたちは出会ったのだ。

三人は、まず最初にコーヒーカップに乗った。それから花壇のまわりを一周するファミリートレインに乗り、チェーンでつないだブランコがぐるぐる回るウェーブスインガーに乗って、メリーゴーラウンドは、女の子がとても気に入ってくれて、三回つづけて乗った。

女の子は眼鏡をかけていて、ちょっとおとなしそうな子で、父親と母親のどちらかといつも手をつないでいた。名前は真由《まゆ》ちゃんという。一年後、わたしはテレビのニュースで、その名前を知った。

メリーゴーラウンドのサークルから出た三人は、次はなにに乗ろうかと周囲を見回した。もっとも、そんなに迷うほどの遊具はない。小さな遊園地だ。行列の待ち時間を気にする必要もない。その日のその時刻、お客さんはほとんどいなかった。

真由ちゃんはキッズドライブの乗り場を指差して「あれがいい！」と言った。クラシックカーを模したデザインの車がガイドレールの上をゆっくり走るキッズドライブは、幼い子どもでも運転気分を味わえるので、遊園地の中では人気の乗り物だった。

真由ちゃんの手を引いて乗り場に向かいかけた父親は、わたしに気づくと、真由ちゃんを母親に預け、小走りに近づいてきた。

「すみません、あの、ウサギさん……」

わたしはウサギの着ぐるみ姿だった。

「ちょっとですね、申し訳ないんですけど、お願いがあるんです」

父親の名前は、川原隆史《かわはらたかし》さんという。職業は銀行員。テレビのニュースで——いや、新聞か週刊誌だったかもしれない。とにかく、あとになってから知ったことだ。

「もしできれば、カメラのシャッターを押してもらえませんか。あそこで、こう、僕たちが乗ってきますから、そこを撮ってもらいたいんですけど」

川原さんは身振り手振りを交えて言った。キッズドライブの車はおとなが早足で歩く程度のスピードしか出ないけど、なだらかな丘やアーチ橋がつくられたコースは子どもの冒険心をくすぐってくれる。川原さんがリクエストしたのは、コースの終盤、トンネルをくぐって外に出てくるときの一枚だった。フェンスによりかかってカメラをかまえれば、ちょうど正面から撮る角度になる。

デジタルカメラを受け取った。仕事中はウサギの頭を脱ぐわけにはいかなくても、モニターが付いているし、シャッターボタンも大ぶりだったので、ミトンの手袋でもなんとかなりそうだった。

「うまく撮れるかどうかわかりませんけど……」

ウサギの鼻の下に空いた呼吸用の穴から、わたしは言った。くぐもった声でも、性別と年格好は伝わった。「いえいえ、それはもう、写ってればいいんですから」と笑った川原さんは、ワンテンポずれたタイミングで怪訝《けげん》そうな顔になった。

「ウサギさん……女の子なんですか？」

「バイトなんです、学校が夏休みだから」

「高校生？　あ、でも、声の感じだと大学生ですか？」

えへっ、と笑ってごまかした。よく考えたら着ぐるみの中で笑っても意味がなかったけど、川原さんはそれ以上はくわしく訊《き》いてこなかった。

「すみません、ほんとに。でも、ウサギさんに記念撮影してもらったら、娘も大喜びすると思うんです」

そう言う川原さんのほうが、すでに、にこにこと笑っている。いかにもお人好しそうな、気持ちのいい笑顔だった。母親も同じ。川原さんが両手で大きな○をつくると、おだやかでのんびりとした微笑みを浮かべて、わたしに会釈をしてくれた。母親の名前は典子《のりこ》さんという。一年後にその名前を知ったとき、典子さんはテレビの画面の中で、憔悴《しょうすい》しきった顔で——親戚のひとに体を支えられながら、小さな白木の位牌《いはい》を抱いていた。

「どちらからいらっしゃったんですか?」

わたしは訊いた。たぶん札幌か旭川――想像していたのは、同じ北海道の、そのあたりの街だったから、川原さんが「東京なんです」と答えたとき、思わず「東京からわざわざ来てくれたんですか?」と声をはずませてしまった。

川原さんは申し訳なさそうな顔になって、「偶然っていうか、たまたま看板を見て寄ってみただけなんです、すみません」と言った。「あ、でも、ほんとうにいいところですね、ここ。空が広いし、見晴らしもいいし……とにかく空気がさわやかですよ」

しゃべる言葉に合わせて空を見上げ、四方を見渡して、深呼吸をする。「寄り道してよかった、大正解です」と指でOKマークをつくって笑う。

気をつかわせてしまって恐縮していたら、川原さんはまた申し訳なさそうに眉を寄せ、「すみません、ここ、なんていう遊園地でしたっけ」と訊いた。

あはっ、と笑った。今度はずっこけるジェスチャーも付けた。

「……すみません、失礼なこと訊いちゃって」

いいひとだ。ほんとうに。わたしたちの遊園地は、こういうひとを迎えるために、ある。

「カシオペアの丘です」とわたしは言った。「星座のカシオペア」

「カシオペアの丘遊園地、ですか?」

「いえ、『遊園地』は付けずに、カシオペアの丘。この丘をひとまとめにして、そう呼んでるんです」

わたしはミトンをはめた手をぐるりと回した。広大な緑の丘だ。あと三ヵ月もすれば一面の雪景色に変わって、丘の広さはさらに際立つだろう。

「丘の下は湖なんです。北都湖っていって、ダムの貯水湖ですけど、ボートもあるし、コテージやオートキャンプ場もあるんです」

「コテージか、いいなあ」

「今度は、泊まりがけでゆっくり遊びに来てください」

「そうですね」と笑ってうなずいた川原さんは、微妙に困惑した顔で丘のてっぺんを指差した。

「あれは……なんなんですか?」

観音像だった。

遊園地からだと、観音さまの姿を斜め後ろから見上げる格好になる。

「北都観音っていうんです。高さが七十メートルもあって、観音さまの目のところが展望台になってて、街が端から端まで見渡せるんですよ」

「のぼれるんですか?」

「ええ。胎内《たいない》めぐりってご存じですか? 縁起がいいんです。御利益があるんです。スロープでものぼれますけど、エレベータもありますから……よかったら、あとでいかがです?」

ウサギになっていなければ、しゃべれない。

北都観音が観光スポットになりえないことは、この街のひとなら誰でも知っている。

川原さんは少し困ったように笑って、「そこまで回る時間はないかなあ」と言った。「夕方までに新千歳空港に戻ってなきゃいけないから」

それでいい。カシオペアの丘のきれいなところや楽しいところだけ思い出に残してくれれば、うれしい。東京に帰ってから「カシオペアの丘っていうところがあってさ……」と宣伝してくれれば、もっとうれしい。

「じゃあ、写真、よろしくお願いします」

「うまく撮れなかったら、ほんと、ごめんなさい、です」

川原さんは「たいしたモデルじゃないですから」と笑って、乗り場に向かう。

わたしは肩に提げた大きなポシェットからトランシーバーを取り出した。エントランス脇の、入場券売り場を兼ねた事務所に無線をつなぐ。

応答したのは、窓口担当の小川《おがわ》さんだった。

「すみません、園長に代わってもらえますか」と取り次いでもらった。

すぐに園長が出た。学校の教室の半分ほどの広さしかない、ほんとうに小さな事務所なのだ。

「おう、どうした？」

「あのね、ちょっとお願いがあるんだけど」

言葉づかいがくだけた。家にいるときと同じ——夫婦の会話になった。

「園長の帽子、お客さんに貸してあげてくれない？　東京から来てくれたお客さんなんだけど、記念撮影するっていうから、園長さんの帽子、サービスでかぶらせてあげたいの」

「いますぐ？」

「そう。キッズドライブに乗ってるから、一周するまでに持ってきてほしいんだけど」

「えこひいきになっちゃうんじゃないか？」

「だいじょうぶだって。お客さん、ほとんどいないんだし」

川原さん一家を乗せた赤いT型フォードが出発した。運転席に真由ちゃん、助手席に典子さん、川原さんは後ろの席から身を乗り出して、真由ちゃんのハンドルさばきをうれしそうに見守っている。手を振って見送ったわたしに、真由ちゃんも手を振り返してくれた。得意そうに胸を張って、ハンドルを左右に切りながら、ラッパ形のクラクションも鳴らした。

「時間ないから、小川さんか高野《たかの》くんに持ってきてもらっていい？」

話を強引に先に進め、「そういうことで、よろしく」と無線を切った。

T型フォードはゆっくりゆっくりカーブを曲がり、ウインチの助けを借りてアーチ橋を渡って、森を抜けた。トンネルまでは、あと少し。

トランシーバーをポシェットにしまった。呼び出し音は鳴らなかったので、OKということなのだろう。あのひとは、そういうひとだ。ルールを守ることを大切にしていても、最後の最後はわたしの「だいじょうぶだって」を苦笑交じりに受け容れてくれる。子どもの頃からずっと――あの頃のように「トシ」「ミッチョ」と幼いあだ名で呼び合うことは、もう何年もないけれど。

T型フォードがトンネルに入る。わたしは急いでフェンスに張りつき、デジタルカメラをかまえた。撮影は成功。ばっちり。真由ちゃんと典子さんの間から、川原さんもうまく顔を出してくれた。トンネルの中では緊張していたのか、外に出た直後は少しこわばった顔をしていた真由ちゃんも、わたしに気づくとにっこり笑った。その瞬間に合わせてシャッターを押した。モニターで確認する前に、最高の笑顔が撮れたという手応えがあった。

川原さんたちが戻ってくる少し前に、高野くんが園長の帽子を持ってきてくれた。駅長さんのかぶるような、腰の高い帽子だ。事務所から駆けてきた高野くんは、軽く息を整えてから、「あと、トシさんがこれも持って行けって……」とキーホルダーも差し出した。キタキツネが「カシオペアの丘」のプレートを抱いたオリジナルグッズ。定価三百円。在庫、たっぷり。敏彦《としひこ》が企画リーダーをつとめる市の福祉センターでつくった。夏休みの販売目標は、今年もクリアできなかった。

「暑くないですか、美智子《みちこ》さん」

「暑さは平気、頭がちょっと重いけどね」

「首に来るんですよ、筋肉痛。あと、肩こりも。休憩のときタオルで冷やしたほうがいいし、ほんと、いつでも交代するんで言ってください」

わかってるわかってるとうなずくと、ウサギの頭の重みが首の後ろにかかって、そのまま前につんのめりそうになった。

高野くんは帰るときもダッシュした。元気のよさを持て余している。いつもはウサギになるのは高野くんの仕事だ。たまには事務所でのんびりすごさせてあげようと思って、代わってもらった。でも、まだ二十歳そこそこの彼にとっては、着ぐるみ姿で外を動き回る方が楽なのかもしれない。

わたしと敏彦の歳は、高野くんの倍近い。四十代を目前に控えてウサギになるのは、やっぱり無謀だっただろうか。わたしのことを女子大生だと勘違いしていた川原さんは、わたしがウサギの頭を脱いで「三十九歳、小学校の教師です。学校が休みだから、ダイエットのつもりで今日だけ臨時のアルバイトしてるんです」と正体を明かすと、いったいどんな顔になるだろう。

戻ってきた川原さんに、「もう一枚、撮っていいですか」と訊いた。「今度は三人で並んで、記念撮影しましょう」

ウサギさーん、と抱きついてきた真由ちゃんにキーホルダーを渡し、園長の帽子は川原さんにかぶってもらった。典子さんは「うわあ、ありがとうございます！」と、こっちが恐縮するほど大喜びしてくれた。真由ちゃんの顔は母親似だ。

最初の一枚は、家族三人で並んだところをわたしが撮った。真由ちゃんにせがまれて、わたしと真由ちゃんの二人でもう一枚。園長の帽子をかぶった真由ちゃんを抱っこした。帽子が大きすぎて顔が半分隠れてしまったけど、川原さんは「よかったねえ、真由、似合う似合う、カッコいい」とうれしそうに言ってシャッターを押した。その隣で、典子さんもにこにこと微笑んで、わたしたちを見つめていた。

ウサギに抱っこされた真由ちゃんの写真は、一年後に、他の何枚かの写真とともにテレビのワイドショーで紹介された。

〈殺害された真由ちゃん〉と、画面の下にはテロップが入っていた。

2

事件は、今年の八月――夏休み最後の日曜日に起きた。

四月に小学校に入学していた真由ちゃんは、その日、近所のショッピングセンターに典子さんと一緒に買い物に出かけた。新学期に備えて文房具をいろいろ買いそろえたあと、典子さんが夕食の買い物をする間、一人で本屋さんに入って時間をつぶした。好きな本を一冊買ってあげるからと典子さんに言われて、真由ちゃんはとても喜んでいた、という。

でも、買い物を終えた典子さんが戻ってくると、真由ちゃんの姿はなかった。フロア中を探しても見つからず、館内放送をしてもらってもだめだった。途方に暮れて、もしかしたら一人で家に帰ったのかもしれないとも思いながら、念のために警察に連絡しようかと警備室の係員と話していたとき、外を巡回していた警備員から緊急連絡が入った。

ショッピングセンターに付設するタワー式の駐車場の裏――駐車場の建物と塀に挟まれた狭い空き地に、真由ちゃんは倒れていた。頭から血を流し、全身を強く打っていて、救急車で病院に搬送されたときには、すでに心肺停止の状態だった。

警察の調べで、真由ちゃんは駐車場の六階から転落したことがわかった。落ちたのではなく、落とされたのだということも。

六階の防犯カメラに、真由ちゃんの手を引いた男の姿が映っていた。後ろ姿がちらりと、ほんの一瞬――犯人の手がかりはそれだけだった。

事件はマスコミで大きく報道された。もっとも、最初のうちは「川原隆史さんの長女、真由ちゃん」と聞いても、あの川原さんと真由ちゃんにはつながらなかった。真由ちゃんの小学校入学のときの写真をテレビで観ても、わたしがウサギになって抱っこした真由ちゃんだとは思わなかった。

一年前の真由ちゃんの笑顔が報道に重なったのは、たまたま家で観ていたテレビのワイドショーで、生前の真由ちゃんの姿が紹介されたときだった。朝だった。カシオペアの丘に出勤する前の敏彦と二人でテレビを見ていた。

真由ちゃんはおとなしくて優しい女の子だったらしい。学校では国語と音楽が得意で、二学期が始まるのを楽しみにしていたらしい。モーツァルトのレクイエムをＢＧＭにした女性のナレーションは、悲しみをこっちにも押しつけてくるような感じで、あまり気持ちのいいものではなかった。

「チャンネル、替えてくれよ」

敏彦が吐き捨てるように言った。もともとワイドショーが嫌いで、事件や事故のコーナーを観ていると必ず不機嫌になってしまう。同情するのもされるのも嫌いなひとだ。まだ幼い頃からそうだったし、小学五年生のときに大怪我をして車椅子の生活になってからは特に。

リモコンを手に取ったら、画面に一枚の絵が映し出された。幼稚園を卒園する直前に真由ちゃんが描いた『おとなになったわたし』の絵だった。掲示板に貼られた子どもたちの絵を幼稚園の先生が撮影したビデオが、幼稚園を通じて公開されたのだ。

「真由ちゃんは、遊園地が大好きで、大きくなったら遊園地の園長さんになるんだと言っていたそうです……」

そのナレーションを聞いて、画面に映る遊園地の絵を目にした瞬間、一年前の記憶がよみがえった。背筋を冷たいものが走り、「うそ……」とつぶやきも漏れた。

園長の帽子をかぶった真由ちゃんがいた。にっこり笑っていた。観覧車やジェットコースターやメリーゴーラウンドが描いてある。カシオペアの丘には観覧車もジェットコースターもないけど、少し離れたところに、大きなボウリングのピンのような形の観音さまがいた。

番組がコマーシャルに切り替わってから、やっとわれに返った。振り向くと敏彦も呆然とした顔のまま、黙ってうなずいた。

「思いだした、あの子……去年、抱っこしてあげたんだ、わたし……あと、ほら、園長の帽子、貸してあげたでしょ」

「……あのときの子か」

「そう……」

まいったな、と敏彦はため息交じりにつぶやいて、車椅子のハンドリムを回した。わたしの胸の高さにある顔が、すうっと横に流れる。「どこに行くの？」と訊くと、「仕事に決まってるだろ」と怒った声で答え、両親の仏壇に軽く手を合わせてから玄関へ向かう。

「どうするの？」

思わず玄関まで追いかけて訊いた。「なにが？」と訊き返されて初めて、答えられない問いを口にしたんだと気づいた。

「だから……あの子、カシオペアの丘に来てくれて……あんな絵を描いたほどだから、すごく気に入ってくれて……」

敏彦は、わかるよ、と苦笑してくれた。「でも、それとこれとは関係ないっていうか、べつに俺らが気にすることもないっていうか……弔電送ったりするのもヘンだろ」――そうじゃなくて、とわたしは言いかけてやめた。敏彦にも私の言いたいことは伝わっている。だから、声はそっけなくても、顔はとても寂しそうで悲しそうだった。

「まあ、あんまり気にするなよ。事件とは全然関係ないんだし、楽しい思い出だったんだから、よかったんだよ」

敏彦は玄関のドアを開けて外に出た。いい天気だ。ああ、もう朝の空は秋だよなあ、と敏彦は肩を回しながら言って、最後にわたしを振り向き、念を押すように「気にするなよ、カシオペアの丘と事件とは関係ないんだから」と笑った。


でも、真由ちゃんの事件は、意外なところからわたしたちにかかわりあうことになった。

その日の午後、カシオペアの丘に電話がかかってきた。敏彦を「園長」ではなく「トシ」と呼ぶひとからだった。

びっくりしたよ——仕事を終えて帰宅した敏彦は、玄関からリビングに入ってくるなり言った。

「雄司《ゆうじ》だよ。ユウちゃんがかけてきたんだ」

東京に住んでいる雄司も、わたしたちと同じワイドショーを観て、真由ちゃんの絵に観音さまを見つけたのだ。

「ユウちゃん、それで懐かしくなったわけ？　里心がついたんだったら、帰ってくればいいのに」

「帰ってきても就職先がないだろ」

「……まあね」

「それに、そんなことで電話してきたわけじゃないんだ、あいつ」

　仕事の電話だった。

「仕事ってなにやってるんだっけ。旅行代理店のあと、また転職したんだよね、どこかに」

「いまはテレビのディレクターなんだってさ」

「はあ？」

「テレビ局じゃなくて、制作プロダクションっていうのか？　下請けみたいなものだって言ってたけど」

「だって……ユウちゃんはそんな才能なかったでしょ、なにも」

「俺もびっくりしちゃったんだけど、才能は関係ないって言ってたぞ。必要なのは、体力と根性と、人生を棒に振ってもかまわないっていう投げやりな性格だけだ、って」

　いかにも雄司らしい言い方だった。それが百パーセントの冗談ではないというところも含めて。敏彦も「いい歳して、ふらふらしてるよなあ」と苦笑する。

　雄司の会社は、民放のワイドショーや情報番組をつくっている。真由ちゃんの事件も、雄司を含めて数人のディレクターが取材をつづけているのだという。

「あの絵を見つけてきたのは別の会社なんだけど、そうなると雄司としても、なにか対抗してネタを探さないとまずいんだ」

　向こうは、絵に描かれた遊園地がカシオペアの丘だということを知らない。こっちは知っている。先制点は向こうに奪われたものの、逆転はじゅうぶんに狙える、らしい。

「でも、お父さんやお母さんに訊いたら、すぐにわかるんじゃないの？」

「だから、時間がないって言ってた。いまはどこのマスコミもまったく両親には接触できない状態だけど、明日のお通夜とあさってのお葬式が終わると、独占インタビューとか手記とか、取材が殺到するはずなんだ、って」

その前に、動く。敏彦に電話をかけたのは、遊園地の撮影許可を取るためだった。

「明日の朝イチの便で来るっていうんだ。午前中に着いて、二時間ぐらいロケして、夕方には東京に帰ってお通夜を取材する、って」

「ＯＫしたの？」

「だって……断れないだろ、幼なじみが困ってるんだし、撮影したテープをダビングして真由ちゃんにお供えしたいって言われて、真由ちゃんも喜ぶからって言われたら……やっぱり、断れないよ」

敏彦は冷蔵庫から麦茶のピッチャーを取り出し、車椅子をＵターンさせた。左手にピッチャーを持っているので、右手一本の操作になる。体を横に倒して重心の位置を移し、片方の車輪を浮かせて、器用にくるっと回る。体格に比べてずっと太い両腕を見るたびに、まだ車椅子に慣れない子どもの頃、歯をくいしばって車輪を回していた敏彦の顔を思いだす。

「それに」敏彦は言った。「名前も出るんだ、カシオペアの丘の。不謹慎は不謹慎なんだけど、ＰＲにはなると思うんだよな」

「ユウちゃんが言ってたの？」

「ああ。できるだけ大きなテロップを出して、リポーターにもたくさん名前を呼ばせるからって言ってた」

わたしは黙ってため息をついた。敏彦もそんなに喜んでいるふうには見えない。でも、それは、カシオペアの丘にとってはありがたい——必要なことだった。札幌から車で四時間、旭川からでも二時間かかるわたしたちの遊園地は、累積赤字が市の財政を圧迫して、オープンからわずか五年で閉園の危機を迎えている。

「その番組って、いつ放送なの？」

「あさっての朝のワイドショーから流れるって言ってたな」

「じゃあ、みんなにも教えとかなきゃ」

笑って言うと、敏彦も、よろしく、と笑い返して、少し言いづらそうに話をつづけた。

「一緒に写真を撮ったことも話したら、なんでもいいから真由ちゃんのことミッチョに聞きたいって。明日、ちょっとだけ学校を抜けて、カシオペアの丘に来られないか？」

まだ八月でも、冬休みの長いこの街の小学校は、明日から二学期が始まる。一学年一クラスの小さな学校とはいっても、始業式当日から仕事は山積みだった。

「昼休みに五分か十分でいいし、もしアレだったら学校に寄ってもいいって雄司は言ってるんだけど」

少し考えて、「じゃあ、昼休みに行くから」と答えた。

「雄司と会うのって何年ぶりになるんだっけ」

「四年じゃない？　遊園地のできた最初の年に来てるもん、日帰りでちょっとだけだったけど」

ああ、そうか、と敏彦は微妙に顔をしかめた。「あいつ、ほんとに黒字になるのかとか、無理なんじゃないかとか、ケチばっかりつけてたんだよな」と舌打ちも交じる。

「心配してくれてたんだってば」

「まあ……結局、雄司の言うとおりになったわけだけど」

「違うよ、それ。忘れちゃったの？　ユウちゃん、遊園地の将来のことを心配したあと、ちゃんとフォローしてたんだよ」

大変だと思うけど、トシならできるよ、だいじょうぶだよ――。

敏彦は黙って麦茶を飲んだ。忘れていたわけじゃないんだと、それで気づいて、よけいなことを言ったのを少し悔やんだ。

3

翌朝のニュースも、真由ちゃんの事件をトップで報じていた。犯人はまだ捕まっていない。警察では防犯カメラの映像の分析を進めているらしいが、犯人に結びつく手がかりはつかめていないという。

捜査は、通り魔的な犯行と、最初から真由ちゃんを狙った犯行の二つの線で進められている。真由ちゃんを狙った場合、線はさらに二つに分かれる。一つは変質者による犯行、もう一つは川原さん一家に対する怨恨――「これまでのところ川原さんの家族をめぐるトラブルなどは確認されていません」と所轄の警察署前から中継したリポーターは言っていた。あたりまえだ。川原さんも典子さんも、ひとから恨みを買うようなひとではない。ほんの小さな接点しかなくても、断言できる。雄司と会ったら、そのことはしつこいほど念を押して言おう、と決めた。

でも、怨恨の可能性がないとしたら、通り魔か、真由ちゃんにゆがんだ欲望を抱いた変質者の犯行ということになる。そのほうが、むしろ怖い。こういう事件は報道で刺激を受けた模倣犯が出てくるものだとスタジオで解説する精神科医も言っていた。

始業式前の職員会議でも、そのことが話題になった。校長まで含めても総勢十三人の、会議というほど形式ばっていない話し合いでも、だからこそ、なににつけても他人事みたいに傍観できる余裕はない。

警察との窓口になっている副校長が、防犯課から定期的に送られてくる防犯情報を報告した。

人口三万人を割り込んだ小さな街でも、変質者や不審者はいないわけではない。住民だけが相手ならなんとかなっても、街の外から車で入ってくる連中については、正直に言ってお手上げの状態だ。一学期の終わりには、学校帰りの五年生の女の子が、ワンボックスカーに乗った若い男に声をかけられていた。夏休み中は、中学三年生の男子がバイクに乗った暴走族ふうの男にお金を脅し取られたらしい。

これからの季節、夕暮れはどんどん早くなる。冬が来て雪が積もってくれればまだいいけど、そこまでの三ヵ月が怖い。

「東京の事件なんだから、そこまで心配しなくてもいいんじゃないですか」と苦笑する先生がいる一方で、「いや、万が一のことを考えておかないと」と登下校中の防犯対策を強めるべきだと主張する先生もいる。

わたしの意見は、中立。いままでどおり集団登下校はつづけても、それ以上の手だては打てないんじゃないか、と——夏休み前の職員会議でも同じことを言った。

実際、この街は広すぎる。そして人口が少なすぎる。集団登下校も、正直に言えば、ただの気休めにすぎない。途中までは数人のグループで帰っていても、みんなと別れてから一人で歩く時間のほうがずっと長い。けもの道のような細い道を通って森を抜けなければ家に帰れない子どもが何人もいる。保護者にはなるべく途中までで出迎えてもらうよう頼んでいるし、下校時間に合わせてパトカーも巡回している。でも、とにかく、街は広くてひとは少ない。それがすべてだ。乏しい学校の予算をやり繰りして防犯ブザーを児童全員に持たせても、ブザーの音が届く距離に人家があれば幸運だと思うしかない。

肝心の子どもたちは、あんがいのんきなもので、一人で帰る時間を寄り道したり遠回りしたりと楽しんでいるようだ。街のあちこちにある廃屋や錆び付いた「売物件」「入居者募集中」の看板を、学校の行き帰りに毎日目にする子どもたちは、この街のことを——自分たちのふるさとのことを、どう思っているのだろう。一度作文でも書かせてみたいと思いながら、まだやっていない。子どもたちにあらためてこの街について考えさせるのが、なんとなく怖いから。

結局、職員会議では「今後とも児童の安全を最優先するように」ということが確認されただけだった。なんの意味もない取り決めに誰も納得はしていない。でも、ほかにはなにもできない。

カシオペアの丘にテレビの取材が来ることは、迷ったすえ伝えないことにした。タイミングが悪すぎる。いまの状況を変えるために最もてっとりばやいのはスクールバスの運行で、それについては市内にある四つの小学校と二つの中学校が合同の推進委員会をつくり、三年越しで市に陳情をつづけている。でも、市の答えはずっとNOのまま——「ない袖は振れない」という理屈を持ち出されたら、なにも言えない。おととしと去年はスクールバス運行の署名活動もしていたけど、今年はそんな動きは出ていない。みんな、あきらめた。ない袖は振れない。それは、もう、どうしようもない事実で、もともと貧相だった袖をちぎり取ってしまったのは、巨額の赤字を市に背負わせたカシオペアの丘だった。

昼休み、車をとばしてカシオペアの丘へ向かった。敏彦のために介護仕様にしたワンボックスカー――当然、割高な寒冷地仕様でもある。北海道の中でも豪雪地帯で知られるこの地方では四輪駆動以外の車はほとんど使いものにならないし、一年の半分以上はスタッドレスタイヤを履かなければならない。なにをやるにも不経済なのだ、雪国の暮らしは。

空は高く、青い。真由ちゃんと会った日のように、空はもう秋だ。

遊園地の駐車場に車を入れた。二百五十台ぶんのスペースを確保した駐車場に停まっている車は、二十台そこそこ。それも、半分近くは従業員の車だった。

平日だから、と自分を納得させてエントランスのゲートをくぐった。事務所の中から、小川さんが「メリーゴーラウンドの前にいるから、テレビのひと」と教えてくれた。六十歳を超えた小川さんは、開園以来の唯一のスタッフだった。市の嘱託《しょくたく》職員という立場で、「わたしみたいなおばあちゃんが受付だと営業妨害だよねえ」と笑いながら、安い給料でがんばってくれている。去年、園長帽を持ってきてくれた高野くんは、いまはもういない。札幌に就職先を見つけて、生まれ育ったこの街を去ってしまった。

雄司がいた。半袖のポロシャツにジーンズ姿で、カメラを肩にかまえて、メリーゴーラウンドの前でマイクを持つ女性リポーターを撮影していた。

撮影が終わる。カメラを肩から下ろした雄司は、こっちを振り向いて、よお、と笑顔で手を振った。顔の下半分が髭で覆われ、そのかわり髪はずいぶん薄くなっていた。でも、笑ったときに目が線を引いたみたいに細くなるのは変わらない。それがうれしかった。

4

取材クルーは、二人きり——雄司は「いまはカメラの性能がいいから、地方ロケはほとんど一人なんだ」と言い訳するように言って、「リポーターが付くだけでもたいしたものなんだぜ」と、もっと言い訳めいた口調で付け加えた。

リポーターは、札幌の民放がつくるローカル番組にときどき出ているという若い女のひとだった。神内美唄——ジンナイ、ミウ、と読む。まったくの無名。いまの本職は札幌のタウン誌の編集なんだと雄司が教えてくれた。

「ミウちゃん、ちょっと休憩ってことで」

雄司に声をかけられたミウさんは、「はーい」と軽く応え、携帯電話を操作しながらぶらぶらと歩きだした。脚が長い。体も細くて、子どもを産むには不向きでもおしゃれな服を着こなすにはうってつけのスタイルだった。無惨に殺されてしまった少女の生前の夢を伝えるリポーターとしてふさわしいかどうかは、わたしにはよくわからないけれど。

「いくつなの？　あのひと」

ミウさんの背中を見送りながら小声で訊くと、雄司は「二十五、六だったかな」と答え、「雑誌の世界は知らないけど、テレビで本格的にやっていくんなら、もう遅いよ」と少し冷ややかに言った。

「ミッチョ、時間ないんだろ?」

「うん……」

「俺も一本でも早い飛行機で東京に帰りたいから、そこで話を訊いていいかな」

荷物を置いたベンチを指差して、「ジュースぐらいはおごるから」と言う。そんなのいいよ、と返す前に自動販売機に向かって足早に歩きだし、背中を向けたまま「ウーロン茶でいいか?」と訊く。昔から、せっかちな性格だった。東京で職を転々としたのも、見切りをつけるのが早いからだと笑っていた。

ベンチに並んで座り、いつもお客さんに申し訳ないと思っている二十円増しのウーロン茶を一口飲んだ。喉がきゅっとすぼまるほどよく冷えていた。ちっとも売れないので、自動販売機の中の商品はなかなか入れ替わらない。このウーロン茶も、もしかしたら夏休み前に入れたものかもしれない。

「取材を受けてくれて助かったよ。こういうチャンスでもないと、なかなか北海道まで来られないからな」

「旭川に寄ったの?」

苦笑交じりに首を横に振る。雄司の両親は、旭川で雄司の妹の家族と同居している。ふらふらしている長男に頼るつもりは、今後ともないみたいだ。

「だって、最近お正月にも全然帰ってないでしょ。おばさん寂しがってたよ」

「こういう仕事だからお盆とか正月とかも関係ないし、なかなか予定が立たないし……愚痴や小言を聞かされるのもアレだしさ」

「まだ結婚しないの？」

「……おふくろみたいなこと言うんだな」

「おばさんの愚痴、お母さんが電話でしょっちゅう聞いてるから」

わたしの両親は五年前に札幌の終身ケア付きマンションに入居した。一人娘の世話にはなれない、と――わたしが敏彦と結婚した時点で覚悟を決めていた。

まあいいや、と雄司はバッグからメモ帳を取り出した。

「びっくりしたよ、テレビ観て。遊園地の絵があるってことは知ってたんだけど、まさかここだとはなあ……」

「どこでわかったの？」

「観音」

やっぱりね、とうなずいた。

「観音さまに見守られてる遊園地なんて、そうざらにあるものじゃないからな」

「……だよね」

「真由ちゃんの思い出に強烈に残ってたってわけだから、それはそれでたいしたもんだよな、北都観音も」

皮肉とも本音ともつかない口調で言って、「ひさしぶりに見たけど、やっぱりデカいよ」と丘の上の観音さまに目をやる。

「遊園地、あんまりうまくいってないらしいな」

「トシから聞いたの？」

「うん、さっき事務所で……あいつが自分からそういうのを認めるって、やっぱり、かなりヤバいってことだろ」

「トシが悪いんじゃないけどね」

わかってるわかってる、と雄司は二、三度うなずいて、「ガキの頃の夢がかなったんだって、俺もうれしかったんだけど、やっぱり現実は厳しいよな」と言った。

炭鉱の跡地の再開発が決まり、その中心に遊園地がつくられることになったときは、ほんとうにうれしかった。おまけに、だめでもともとのつもりで応募した「カシオペアの丘」が遊園地の名前に選ばれて、市役所の福祉課にいた敏彦が園長になるなんて、小学四年生のときにみんなで星空に祈ったおかげだとしか思えなかった。

でも、わたしたちは、夢がかなったという夢を見ていたのかもしれない。現実はやっぱり厳しかった。完成した遊園地は思い描いていたのよりずっと小さく、お客さんの数は開業前の目標には一度も達していない。敏彦が園長に抜擢《ばってき》されたのも、企画力が認められたのではなく、「車椅子の園長」がマスコミで話題にならないかという浅はかな目論見から――去年、市役所のひとが敏彦にぽろりとそれを漏らした。敏彦は家に帰って、悔しそうに泣いた。わたしが敏彦の涙を見たのは、あとにも先にも、そのときだけだった。

「ごめんな、ミッチョ。なんにもしてやれなくて」

雄司は言った。言葉だけでなく、ほんとうに申し訳なさそうな顔と声になる。かえってわたし

だよなあ」
「気にはなってたんだよ、でも……やっぱり東京は遠いからさ、俺たちには、なにもできないん
のほうが「しょうがないって」と励ますように笑った。

「俺」ではなく「俺たち」と言った。聞き逃したふりをして「ね、仕事でしょ、仕事の話しよう
よ」とうながすと、雄司は少し間をおいて、そうだな、うん、とメモを取り出した。

「真由ちゃんと両親の写真を撮ったときのこと、教えてくれ」
雄司はキッズドライブのT型フォードに乗っていたときの真由ちゃんの様子をくわしく訊いて
きた。わたしの話が終わると、メモに走り書きした「T型フォード」を何度も丸で囲みながらつ
ぶやく。

「それが去年の夏ってことだな」

「そう。真由ちゃんのお父さんもお母さんも、ほんとうに仲が良さそうだったの」

雄司は黙ってうなずいて、メモを閉じた。

話が途切れ、ふと気づくと、雄司はまた北都観音を見つめていた。

「ミッチョ」

「なに？」

「いまさらこんなこと言うのって悪いんだけど、カシオペアの丘、ひょっとしたら紹介できない
かもしれない」

今日のロケ映像は、明日の早朝の情報番組から流れることになっている。午前中のワイドショ
ーでも、おそらくだいじょうぶ。新しいニュースが飛び込んでこなければ午後のワイドショーで

も流れて、うまくいけば夕方のニュースでも使ってもらえる。

「でも……」と雄司は話をつづけた。

「さっきケータイに連絡が入ったんだけど、ちょっと大きな動きがありそうなんだ、真由ちゃんの事件」

「犯人がわかったの？」

「明日が真由ちゃんのお葬式だろ、警察としては、なんとか霊前に報告したいんだよ。だから……遅くとも明日の午後にはなにかがあると思うし、場合によっては今日中に状況が変わるかもしれない」

「通り魔だったの？」

雄司はその問いには答えず、カメラを肩に掛けて立ち上がった。北都観音と北都湖を撮って、不意にカメラをわたしにも向ける。ちょっとやだあ、と手をかざして顔をそむけるわたしに、「地元のおばさん」と笑って、今度はわたしににらまれる。

「まあ、こういう情報っていいかげんなのも多いから、俺としてはオンエアされることを信じてベストを尽くすしかないんだけどな。北都から出て行った奴らだって、カシオペアの丘を見れば懐かしがるに決まってるんだから、やっぱり見せてやりたいしな」

「だよね……」

「シュンも、見るかもしれないし」

懐かしい名前に、胸が小さく鳴った。さっきは宙に浮いたまま消えた「俺たち」が、もう一度、今度はごまかしようもなく迫ってきた。

「ユウちゃんはシュンに会ってるの？」

「五、六年前までは年賀状が来てたんだけど、俺も引っ越しが多いし、あいつもマンションを買ったとかなんとかで……結局、連絡がつかなくなったんだ。会社はわかってるけど、まあ、わざわざ電話をかけて会うとか、そういうのもちょっと面倒だしな」

逆に、雄司に「そっちには年賀状とか来てるのか？」と訊かれた。苦笑して首を横に振ると、雄司も、だよな、と同じように苦笑いを浮かべた。

シュン——倉田俊介《くらたしゅんすけ》と、雄司と、敏彦と、わたし。子どもの頃いつも一緒だった四人のうち、敏彦を除く三人が、東京に出た。わたしと俊介は四年制の大学に現役で入学して、大学受験に二年つづけて失敗した雄司は、専門学校に入った。そして上京の四年後、ふるさとに帰ったのはわたしだけ、だった。

「ユウちゃんと違ってテレビを見てもわかんないんじゃないかな、シュンは」

「だいじょうぶだよ、わかるよ。観音さまを見れば絶対にわかるし、それに……」

雄司はそこで言葉を切って、丘ぜんたいを感慨深そうに見渡して、「カシオペアの丘は、俺たちの丘なんだから」と言った。わたしを振り向いて「そうだろ？」と笑う、その笑顔には、確かに子どもの頃の面影が残っていた。

ミウさんが戻ってきた。わたしのほうも、五時間目の授業に間に合うには、そろそろ出なければいけない。

雄司は「じゃあ、俺たちはキッズドライブ撮ってから帰るから」と言って、ミウさんを先に行かせ、「オンエアできること、祈っててくれよ」と笑った。

「それはいいけど……ねえ、真由ちゃんの事件で大きな動きがあるって、犯人が逮捕されるってことなの？」

「いや、いまは……ちょっと、俺からは言えないんだけどさ、ミッチョの話聞いてると、川原さんって、ほんと、いいひとなんだな」

「そうよ、いかにもお人好しっていう感じ」

「いつか……真由ちゃんのことが一区切りついたら、遊びに来てほしいな、川原さんに」

「取材しちゃうの？」

「違うよ、そうじゃなくて……今度はゆっくり遊びに来てほしいよ。カシオペアの丘のこと、もっと知ってほしい気もするし」

雄司はそう言って、「じゃあな」と歩きだした。「今度また連絡するよ」

遠ざかる雄司の背中を見送っていると、話したいことや訊きたいことがもっとたくさんあったような気がした。でも、雄司が黙っているのなら、わたしも訊けない。それは、もう十八年も前、東京を去るときに、わたし自身が決めたことだった。


雄司は、川原さんにいつかカシオペアの丘に来てほしい、と言っていた。奥さんと二人で、とは言わなかった。そのときには気にとめずに聞き流してしまった微妙な言い回しの理由を、わたしは翌日になって知った。

カシオペアの丘の映像は、早朝の情報番組から午後のワイドショーまで三つの番組でオンエアされたが、夕方のニュースでは流れなかった。雄司が話していた「大きな動き」が起きたのだ。

犯人逮捕――真由ちゃんのことだけで言うなら、事件は解決した。でも、それが川原さんと典子さんにとってうれしいことだったのかどうかは、わからない。

第二章　俊介

1

祈ることは嫌いだ。

神さまの力など、信じない。

家族で初詣に出かけても、運試しのおみくじまでは付き合うが、参拝はしない。妻の恵理《えり》の実家に顔を出して墓参りをするときも、おざなりに手を合わせるだけで、恵理にいつも「心がこもってないいんだから」とにらまれる。結婚式も断固として無宗教にこだわった。一人息子の哲生《てつお》のお宮参りや七五三は、やむなく——恵理に泣かれたせいで、人並みのことはしたものの、参殿してお祓《はら》いを受けている間はずっと落ち着かなかった。

「ガキの頃に一生ぶんの手を合わせたから、もう、俺はなにもしなくてもバチは当たらないって」

ときどき恵理に言う。冗談交じりの口調でも、本音だ。

小学生の頃、僕は毎朝、丘の上の観音さまに手を合わせていた。コンクリート造りの白く大きな観音さまは、まるで丘の上に立つロウソクみたいだった。朝陽や夕陽を浴びてオレンジ色に染まると、ロウソクの炎だけがぽつんと灯《とも》っているようにも見えた。

僕はいつも、僕の会ったことのないひとたちのために祈っていた。すでにこの世にはいないひとたちに安らかに眠ってもらうために、そのひとたちに見守ってもらうために、観音さまに向かって手を合わせ、心の中で「ありがとうございました」を言いつづけていたのだ。

哲生にはなにも話していない。恵理も、まだ実際にあの観音像を見たことはない。そもそも北都を訪ねたことすらない。一度だけ、まだ新婚間もない頃に「行ってみたい」と恵理が言いだしたときも、僕は首を横に振った。ぞっとするほど怖い顔をしていたと、あとで恵理に言われた。

小学六年生に進級するときに札幌に転校してからは、神さまにも仏さまにも手を合わせなくなった。祈りは現実から逃げる、ひきょうなことだとそう思って三十九歳まで生きてきた。四十歳から先の日々も同じように生きていくつもりだった。

だが、今朝、夜明け前に目を覚ました僕は、ベッドの中で、祈った。神さまでも仏さまでもいい、願いをかなえてくれるのであれば、いくらでも手を合わせるし、頭だって下げる。難しい願いではない。祈るにも価しない願いごとだと、ほんの半月ほど前までは思っていた。だから祈る。すがりつくというより、むしろ怒りながら、祈りつづける。

簡単なことなのだ、ほんとうに。中学生の頃に夢中になっていた走り高跳びで譬《たと》えるなら、まわりの誰もが軽々とクリアする高さのバーを、俺にも飛び越えさせてくれ――そんなことを祈らなければならない自分が悔しい。だが、それは、もう僕自身の努力ではどうにもならないことでもあった。

僕は枕に顔を埋めて一心に祈りつづけた。いつのまにか、祈りは涙交じりになっていた。隣のベッドで寝ていた恵理が体を起こすのが、気配でわかった。恵理は僕のベッドに移り、そっと背中に手を置いて、「だいじょうぶよ」と言った。僕はなにも応えない。口と目を開けると、声をあげて泣きだしてしまいそうだった。

悲しいのではない。悔しいのだ。怖いのでもない。いや、怖くないと言えば嘘になってしまうが、それ以上に、むしょうに腹立たしい。

三十九歳だ。平均寿命を考えれば、いまようやく人生の折り返し点を過ぎたかどうか、というところだろう。先は長い。じゅうぶんに長い。誰だってそう思い、誰だって実際に、それをあたりまえのようにして、三十九歳から先の長い人生を生きていく。

違うんだ——と、いまは思う。あたりまえのように歳を重ねていくことは、じつはあたりまえでもなんでもないんだと、いまの僕は知っている。

肺に腫瘍《しゅよう》が見つかった。会社の健康診断でレントゲン検査をしたときに、写真に白い影が出た。すぐに再検査を勧められ、会社が契約している関東医科大学の付属病院で肺のヘリカルＣＴ検査を受けた。腫瘍は確かにあった。それが良性なのか悪性のものなのか、生体検査の結果を、あと数時間後に知らされる。

「だいじょうぶよ、ほんとに」

ベッドの縁に腰かけた恵理は、僕の背中を撫でながら繰り返す。枕に顔を伏せたまま黙っていると、ため息交じりに寝そべって、僕に後ろから抱きついた。

「腫瘍って、けっこう見つかること多いんだけど、ほとんど良性なんだって。なにかに書いてあ

った の読んだことある」

首筋に息が触れる。かすかに震えているのがわかる。万が一の場合にも告知はきちんとしてもらうよう、主治医の井上《いのうえ》先生には頼んである。恵理と二人そろって検査の結果を聞くことも、検査前から決めていた。

「それに、もしも、万が一の話だけど、もしも良くないタイプだったとしても……ほら、自覚症状が全然なかったわけだから、すっごく初期っていうか、早期発見だよね。だったら治るわけだし、考えてみれば、早めに見つかってラッキーって……」

健康診断で再検査を指示されて以来、二人きりでいるときの恵理はよくしゃべるようになった。そのくせ、話はいつも——こんなふうに尻切れトンボで終わってしまう。

恵理は黙って僕の背中を抱く。僕も黙って、姿の思い浮かばない神さまと仏さまに祈る。僕も恵理も三十九歳なのだ。家族の日々は、まだこれから、なのだ。哲生は小学四年生、十歳の誕生日を迎えたばかりだ。こんなところで終わってしまうわけにはいかない。

ささやかな願いごとだ。欲とも野心とも無縁の、小さくて簡単な望みだ。それすらかなえてくれないのだとしたら——神さまなんて、もう二度と信じない。

朝食は、ごちそうが並んだ。なにも知らない哲生が「すげーっ、なに、これ」と声をあげて驚くほどのメニューだった。小さな鯛の尾かしら付き、赤飯、ステーキ、トンカツ。最初の二つは、要するに腫瘍が良性だということを信じての前祝いだろう。残り二つは、「敵に勝つ」の縁起かつぎ。そして、がんもどきの煮物——ガンではないから、がんもどき。子どもじみた駄洒落の意味がわかったとき、笑ったりあきれたりする前に、胸が急に熱くなって、涙が出そうになった。

朝食はきれいにたいらげた。がんもどきも、ゆっくりと嚙みしめた。染み出てくる煮汁は、優しい甘辛さだった。

だいじょうぶ。空になった茶碗や皿をぼんやりと見つめて、自分に言い聞かせた。食欲はじゅうぶんにある。体重が減ったわけでもない。息苦しさや胸の痛みも感じないし、咳《せき》がつづいたこともない。なにしろ半年前――今年二月の青梅マラソンでは、三十キロを二時間四十五分で完走したばかりなのだ。参加五年目にして自己ベストを更新した。来年こそは二時間三十分の壁を突破することを目指して、早朝ジョギングをつづけてきた。

そんな俺が、肺ガン――？

ありえないありえない、と頰をゆるめた。

その笑顔のまま、サッカーの練習に行く哲生を見送った。

「変身！　ガキューン！　ダッシュ！」

僕の知らないアニメのヒーローを真似て、哲生は玄関から駆け出した。

「男子ってガキなんだよなあ、俺たちもそうだったけど」

「でも、夏休みの宿題もまだ全然終わってないのよ。塾の夏期講習に行ってる子だっているのに、ほんと、のんきなんだから」

「いいんだよ、それで」

「ウチはパパが甘いから……。でも、中学受験を本気で考えてるんだったら、二学期から塾に行かせるのがふつうらしいわよ」

「まあ、本人がその気にならなきゃ意味がないからなあ」

「違う違う、中学受験は、まず親から、なんだから」

恵理に軽くにらまれて、僕は肩をすくめる。あたりまえの夫婦の会話がうれしい。結論を出すためでも、相手を言い負かすためでもない、ふわふわと漂うような言葉のやり取りがなによりも幸せなことなんだと、いまは心から思う。

テレビでは、朝のワイドショーが悲しいニュースを報じていた。三日前に起きた、少女の誘拐殺害事件の続報だった。被害者の少女は、母親と買い物に出かけたショッピングセンターで何者かに連れ去られ、立体駐車場の六階から落とされた。犯人がまだ捕まらないまま、ゆうべ、少女のお通夜が営まれたのだという。

「真由ちゃんでしょ、かわいそうよね……」

「犯人、通り魔なのかな」

「そういうのってつらいよね。殺される理由がなにもないんだもん、真由ちゃんには」

三日前までは縁もゆかりもなかった少女のことを、まるで昔からの知り合いのように語る。テレビの力とは大きいものだと思う。何度も映し出された生前の真由ちゃんの顔は、決して人目をひく美少女というわけではなかった。教室ではおとなしくて、数少ない友だちと静かに遊ぶ、そんな姿が目に浮かぶ。だからこそ胸が波立つような身近さを感じて、やりきれなさがつのる。

「親もつらいよな。自分の子どもの葬式を出すって、いちばんつらいことだもんな」

なにげない一言のあと、ふと、僕自身のことを思った。札幌にいる両親の顔が浮かんだ。二人は、四つ上の兄の家族と暮らしている。地元では「倉田」と言うだけで通じる企業グループの、オーナー一族だ。老後の生活は、なにも心配しなくていい。それでも――俺に万が一のことがあれば、親父やおふくろは悲しむだろうな、と思う。親孝行な息子ではなかった。倉田の姓を捨てて恵理の実家に婿養子で入った僕は、もう二人の息子ですらないんだ、と思っていた。

恵理はリモコンでテレビを切った。「朝から暗いニュースを観ることないよね」と言い訳するように笑って、キッチンに入る。

「ねえ、煮物、まだちょっと残ってるんだけど……食べてくれない？」

おなかは一杯だったが、少し考えて「食べるよ」と答えた。

がんもどきを、もう一つ。嚙みしめて口の中に広がる煮汁は、少し冷めたぶん味が染みて、うまかった。

2

井上先生は、腫瘍が悪性だったことを静かに告げた。

ショックはあった。だが、思っていたよりもずっと冷静に受け止めることができた。恵理が隣にいてくれたおかげだ。膝の上でハンカチを握りしめる恵理の手に、手のひらを重ねた。だいじょうぶ。心配は要らない。だいじょうぶ。ゆっくりと拍子をとって、ぽんぽんと恵理の手の甲を叩いた。しょうがないさ、と苦笑いも浮かんだ。俺は意外と強がりが利くタイプなんだな。初めてわかった。苦笑いが自然と深くなった。

告知を選んで正解だった。孤独な悲しみ――それが悲しみなのだと僕に悟られることすらゆるされない、二重の意味で孤独な悲しみを恵理に背負わせずにすんだ。せめてそのことだけでも幸運だったと思いたい。

「ご夫婦で乗り越えていきましょう」

井上先生は説明を終えると、僕と恵理を交互に見て言った。数日中に検査入院して、ガンの進行を調べる。その結果しだいで手術になるか、抗ガン剤や放射線を使うか、それとも手のほどこしようがないんだとわかってしまうのか……いずれにしても、つらい生活が始まる。

「がんばります」と僕は応え、恵理は椅子から立ち上がり、深々とおじぎをして「よろしくお願いします」と言った。恵理の声は震えていたが、しっかりとした芯が確かにあった。

「それで……告知されるご家族ですが、柴田さんのご両親や奥さまのご両親には、どうされますか？　もし必要であれば、僕のほうからご説明をすることもできますが」

今度は、恵理が先に「わたしの両親には、折りを見て伝えます」と答えた。「入院中は親にもいろいろ助けてもらうと思うので、やっぱり黙っておくわけにはいきませんし」

恵理の両親はわが家から車で一時間足らずの街に住んでいる。マンションを買ったときにはその距離の近さが微妙に気になっていたが、こうなってみると、素直にありがたいと思う。

「柴田さんのご両親は？　札幌にお住まいでしたっけ」

僕は井上先生からも恵理からも目をそらして、「いまは黙っておくつもりです」と言った。「婿養子で柴田の家に入ってますし、もう関係ないですから」——それこそ関係ない話だったな、と口に出してから気づいた。

恵理はなにか言いたそうな顔になったが、黙ってうなずいた。

井上先生も「了解しました」と感情を交えずに応え、「あと……」と話をつづけた。

「息子さんには、どうなさいますか」

僕も恵理も言葉に詰まる。

「もちろん、今日明日に決めてもらうような話ではないんです。小学四年生ですよね、息子さん。それを考えると、お二人で、慎重に話し合ってお決めになったほうがいいと思うんです」

「あの……」うつむいていた顔を上げて、僕は訊いた。「四年生というのは、事実を受け止めるには幼すぎるでしょうか」

先生はあっさりと答えた。

「ひとそれぞれですね、こればっかりは」

「……でしょうね」

「ですから、僕が横から口を挟むことはできないんです。柴田さんと奥さんとで、じっくり考えて、決めていただいて……結論をお出しになったら、なるべく早く、僕にも教えていただけますか。他の医師や看護師にも話を通しておきますし、場合によっては治療法も変わってきますから」

「治療法が変わる、というのは？」

抗ガン剤の副作用で髪が抜けたりしないよう――要するに外見になるべく変化が出ないような治療法を選ぶのかと思っていた。

だが、井上先生の言う「治療法」は、もっと深いところまで見据えてのものだった。

「柴田さんがお父さんとして、どんなふうに息子さんと向き合うか、ということです。いままでと同じ親子の生活をいつまで、どんな状態になるまでつづけるか、ということなんです」

僕は黙ってうなずいた。

「いまの時点でのお考えはいかがですか？」と先生は訊いた。

答えたのは、恵理だった。

「あの子には……黙っているつもりです」

震える声に、うっすらと涙が交じった。

先生はカルテに短い言葉を書き込んで、「わかりました」と言った。


三階の診察室を出て、外来患者でにぎわう一階のロビーを抜け、玄関から外に出る間際になって、恵理が「トイレに行ってくる」と言った。外はよく晴れていて、陽射しがまぶしい。そのまぶしさから逃げるように、恵理は「ごめんね、ちょっと待ってて」と小走りにフロアの奥に引き返してしまう。

僕はしかたなく、外来患者用のベンチに腰かけて、音を消した大型のテレビモニターにぼんやりと目をやった。

番組は午後のワイドショーだった。午前中に営まれた真由ちゃんのお葬式の様子が映し出される。両親がいた。真由ちゃんの遺影を抱いた父親も、白木の位牌を胸に掲げた母親も、憔悴しきった様子だった。二人とも、僕とそれほど年格好は変わらない。三十代半ばから後半といったところだろう。白い百合の花に飾られた、祭壇の真由ちゃんの遺影がアップになった。誰かがテレビの消音を解除すれば、きっとレクイエムの悲しいメロディーと沈痛な声のナレーションが聞こえてくるだろう。

真由ちゃんが暮らし、事件の舞台にもなったニュータウンは、僕にとっては馴染みのある街だった。不動産会社の営業マンとして、その街の物件をいくつも仲介してきた。真由ちゃんの家族と同世代のお客さんも何組もいた。お葬式に参列した同級生の家族の中には、僕の担当した家族もいたかもしれない。もしも犯人が通り魔なのだとしたら、被害者は、あの街に住む子どもたちの誰でも——たとえば僕のお客さんの子どもでもよかったことになる。

ニュータウンで通り魔による事件が起きるたびに、そんな、なんとも言いようのない居心地の悪さに襲われる。真由ちゃんは運が悪くて、ほかの子どもたちは運がよかった——それで話をまとめてしまうと、いつか取り返しのつかないしっぺ返しをくらってしまいそうな気がしてしかたなかった。

「考えすぎじゃない?」と恵理にはよく言われる。「やっぱり、こういうのは運命だったんだと割り切るしかないでしょ。そうしないときりがないし、どんなに考え込んだって、事実として殺された子は殺された子で、無事だった子は無事だったんだから、それはもう、どうしようもないことじゃないの?」

理屈としては、それが正しい考え方なのだと思う。

だが、恵理はいまも同じことを言うだろうか。僕がガンに冒されてしまったのは運命なんだと、だからどうしようもないことなんだと、割り切ってくれるだろうか。

僕には無理だ。なぜだ、と訊きたい。なぜ僕がガンになってしまったのか、誰か教えてくれ。「運が悪かったから」「運命だから」という答えでは、とても納得できない。

それでも――自分に言い聞かせる。希望はある。絶望するにはまだ早い。腫瘍の切除手術が成功して、ガンが転移していなければ、だいじょうぶ。再発におびえながらではあっても、僕はまだ、ずっと生きていられる。希望はあるんだと信じる希望が、かろうじて、いまの僕にはある。それだけで、じゅうぶんに幸せなことなのだと思いたい。

僕は絶望の物語を知っている。小学五年生のときに聞かされた、観音さまの立つあの街にまつわる話だ。父も母もその言葉はつかわなかったけれど、間違いなく、それは――希望をすべて奪い去られた絶望の物語だった。

だいじょうぶだ。目を閉じて、息を整える。あのときの苦しみに比べれば、いまはずっとましだ。僕はおとなになった。子どもの頃よりもたくましくなった。あの街で過ごした日々は、もう、忘れた。

目を開けた。テレビモニターに目をやった。いつのまにかコマーシャルが終わった画面には、遊園地の風景が映っていた。広い敷地に遊具が点在する、東京の感覚ではちょっと間の抜けたレイアウトの遊園地だった。周囲は緑の丘陵地だった。空が広く、高く、青い。

見覚えのある空だ、と思った。東京ではどんなに晴れていても、決して空はそこまで広くならないし、こんなに鮮やかな青にはならない。

画面に〈真由ちゃんが大好きだった遊園地〉とテロップが出た。無人で回るメリーゴーラウンドに重なって、〈真由ちゃんの夢は遊園地の園長さんだった……〉とテロップが切り替わる。カメラはゆっくりと空に向かって滑り、何本もの筋を引いたような秋の雲を画面に収めて止まった。

〈撮影協力『カシオペアの丘』（北海道・北都市）〉

テロップが出る前に、わかった。

雲の下に、大きな観音像の横顔が見えたから。

嘘だろう？　と最初は思った。動揺もしたし、困惑もした。リモコンが手元にあったら、すぐさまスイッチを切っていたかもしれない。

だが、コメンテーターの居並ぶスタジオに画面が戻ったときには、苦笑いが浮かんだ。落ち着きを取り戻し、ひどい偶然だな、とため息をつくと、結局すべてがそういう巡り合わせだったような気もした。

ひさしぶりに目にした北都観音は、画面から姿を消したあとも、まだくっきりとまぶたの裏に残っている。たったいま、おまえのことを思いだしてたんだぞ、と言ってやりたい。俺はやっぱりおまえからは逃れられないんだな、と負けを認めてもいい。

あの街に刻み込まれた絶望の物語は、北都観音が無言で語り継いできた。高さ七十メートルの巨大な観音像を私財を投じて建立したのは、僕の祖父だ。絶望を抱いて亡くなったひとたちの鎮魂のために建てた。贖罪《しょくざい》のため——でもあってほしいと思う。

番組は次のコーナーになった。芸能人の離婚の話題だった。恵理がやっと戻ってきた。「ごめんね、トイレが混んでたから」と言い訳をする目は赤く潤《うる》んでいた。僕の視線から逃げるようにテレビを見て、「なんだ、やっぱりあの二人離婚しちゃうんだね」とぎごちなく笑う。

「俺、わかったよ」

「なにが？」

「ガンになるのは、しょうがなかったんだな、って」
「……はあ？」
「運命ってあるんだよ、やっぱり」
きょとんとする恵理の顔がゆがむ前に、僕は立ち上がる。一人で玄関に向かって歩きだす。病院の中から見る外の景色は、あいかわらず陽射しと照り返しでまぶしい。色が白く抜けた玄関前のロータリーは、なんだか雪が一面に降り積もっているようにも見えた。

3

病院からはタクシーで帰った。検査の結果が良性だったらお祝いに外で食事をする約束をしていて、家を出る前には「たとえアウトでも、体力をつけなきゃいけないんだから、焼肉でも食おうぜ」と言っていたが、実際にそうなってみると、やはり外食をする気にはなれなかった。

車の中では、僕も恵理もほとんどしゃべらなかった。僕は入院中の仕事の引き継ぎを頭の中で組み立てて、携帯電話で何本かメールを送った。自分が死んでしまうかもしれないということは、無理に振り払っていたわけではないのだが、なにも考えなかった。恵理はどうだったのだろう。沈黙の中でなにを思っていたのか、見当がつかない。二十六歳で結婚して十四年目、こんなに近くにいて、こんなに遠く恵理のことを感じるのは初めてだった。

家に着いたのは、夕方四時前だった。遅い昼食に冷麦をつくって食べた。冷蔵庫にはラップをかけた小鉢にがんもどきの煮物が三つ残っていた。「晩ごはんに、三人で一つずつ食べようと思ってたんだけど……」と恵理は少し悔しそうに言って、「もういいよね」と流し台に捨てようとした。

「俺、食べるから」

「いいわよ、無理しなくて」

「無理じゃなくて、旨かったから食べるよ、三つとも」

温め直すのを断って、一つずつ、それぞれ一口で頬張った。冷たい煮汁は奥歯にキンと染みるだけで、味はほとんどしなかった。

がんもどきが意外と腹に溜まって、冷麦は食べ切れそうになかったが、残して恵理に心配をかけたくなかったので、がんばって最後の一本まできれいにたいらげた。冷麦を一口か二口食べただけで、「ごめん……ちょっと、キツいから」と箸を置いた恵理のほうが、よほど素直にふるまっている。

「食欲、ふつうにあるのにね」

向かいの席から僕の顔をじっと見つめて、恵理は言う。

「……痩せてもいないし、夜もふつうに寝てるよね」

「めしのあと、ちょっと昼寝するよ」

「ねえ、別の病院で検査受けてみる？　ほら、セカンド・オピニオンっていうんだっけ、いま多いんでしょ、二つか三つの病院で検査受けるひとって」

井上先生からも言われていた。検査は万全の態勢でおこない、その結果も医局の検討委員会にかけ、ほかの医師の目も加えて所見を出す。それでも、と井上先生は言ったのだ。「いちばん大切なのは、柴田さんご自身が納得して治療を受けるかどうかなんです。その納得を得るために別の病院を回られるんでしたら、僕も紹介状を書く用意はいくらでもありますから」――だからこそ逆に、井上先生の所見を信じるしかないんだろうな、と思う。それに、先生はつづけて、こんなことも言っていたのだ。「検査を受ければ受けるほど、治療を始める時期は遅くなります。そのぶんリスクも増すんだということだけは、ご理解ください」

「ねえ」恵理はテーブルに身を乗り出して、口調を強めた。「わたし本気で言ってるの、別の病院で検査したほうがいいんじゃない？」

「関東医大より大きな病院なんてないだろ」

「でも、小さくても、もっとていねいに検査してくれる病院はあるでしょ」

「井上先生、ちゃんと検査してくれたぞ」

「だって、そんなの、ほかと比べてないんだからわからないじゃない」

「比べなくてもわかるって」

関東医大は、ガン治療の分野では世界的なレベルにある。それは恵理も知っているはずで、検査を受ける前には「あそこだったらだいじょうぶよね」とも言っていたのだ。

だが、恵理はいまになって「あの病院、なにか信用できない感じがするの」と言い出した。

「井上先生も頼りない感じしなかった？　ああいう大学病院のお医者さんって、よく性格がゆがんでるとか言うじゃない」

「そんなことないって」

「手術したいだけなのかもしれないでしょ、ああいう先生は。お金儲けしか考えてないんだから、ガンでもないのに、なんでもガンにしちゃって、手術しちゃって……」

「やめろよ」

「わたしは信じてないからね」

やれやれ、とテレビのリモコンを手に取った。昼寝はあきらめた。ベッドに横になっても、どうせ眠れないだろう。僕はそこまで強くない。一人になったとたん、大声をあげて部屋中を転げまわるかもしれない。布団をかぶって泣きだすかもしれない。それとも、張り詰めていたものが切れて、ただ放心するだけだろうか。

恵理にそばにいてほしい。けれど、もう、検査の結果にまつわる話はしたくない。こういうとき、テレビはとても便利だ。

画面にニューススタジオが映し出された。

「あれ?」恵理が声をあげた。「この時間、ニュースだったっけ?」

報道センターの中――カメラの前にいるのはアナウンサーではなく報道局の記者だった。その後ろをスタッフがあわただしく行き交い、ひっきりなしに鳴り響く電話の音もマイクは拾っていた。

「臨時ニュース?」

恵理の声を追いかけて「真由ちゃん」という言葉が聞こえ、さらに「容疑者」、つづけて「逮捕」と言葉が切れ切れに耳に流れ込む。リモコンでボリュームをあげた。画面の右上に、ちょうどいま、〈真由ちゃん殺害　容疑者逮捕〉のテロップが出た。

逮捕された容疑者は、二十代の男だった。

警察の記者会見がＶＴＲで何度も流れた。容疑者の名前は、植田《うえだ》雅也《まさや》。住所は、真由ちゃんと同じニュータウン。動機については取り調べ中だと警察は発表したが、テレビ局の報道部はもっとくわしい状況をつかんでいた。

インターネットの掲示板に、犯行声明を出していたらしい。ショッピングセンターの書店にいた真由ちゃんを連れ出したときの様子や、駐車場の六階から突き落としたときの様子が詳細に書いてあった。そして、そこにはさらに、真由ちゃんの母親——典子さんと三ヵ月前から交際していて、別れ話がもつれた、ということも、記者の言葉によれば「人格をおとしめるような」典子さんの写真を添えて書き込んであったのだという。

報道スタジオからのリポートは、そのまま夕方の定時ニュースに引き継がれた。画面のテロップは〈怨恨？　植田容疑者と母親との接点〉になって、いつのまにか「川原真由ちゃん」という名前が「女の子」に変わっていた。ＶＴＲでお通夜やお葬式の模様が流れた。典子さんの顔には、昼間のワイドショーにはなかったモザイクがかかっていた。

「ねえ……これって、要するに……」

恵理はつぶやく声を途中で呑み込んだが、僕はうなずいて「まいっちゃったな」と苦笑した。

「そういうこと……なんだよね？」

「ああ、そういうこと」

「……なんなの、それ」

「知らないよ、俺に言われても」

力が抜けた。僕も、おそらく恵理も。

キャスターや記者は遠回しな言葉を選んでいたが、明日の朝のワイドショーではもっとストレートな表現で、典子さんと植田の関係が報じられるだろう。植田が掲示板に書き込んだ文章の内容も紹介されるだろうし、写真も――いや、写真は、紹介すらできないと強調することで、僕たちの想像力をかきたてるのだろうか。

週刊誌も動く。二人の関係を徹底的に書く。もしかしたら、万が一の可能性として、典子さんと植田が共謀して真由ちゃんを殺したのではないかというシナリオをつくりあげる雑誌もあるかもしれない。

「お母さんって、どんなひとだったっけ。あなた覚えてる?」

「ふつうのひとだったけどな。特に美人とか、悪そうだとか、そんな感じじゃなくて、ほんと、ふつうの顔してたけど」

はっきりとは思いだせない。今日の昼間まであれほどテレビに映っていた顔なのに、結局はただ目を素通りしていただけなのだろうか。

「逮捕されちゃうの?　お母さんも」

「されるわけないだろ」

被害者なのだ、間違いなく。ついさっきまでは日本中の同情を浴びていたひとなのだ、典子さんは。恵理も「だよね……」とうなずき、「でも、本人は逮捕されちゃったほうが楽かもね」と寂しげに笑った。

キャスターの「この事件の続報については、新しい情報が入りしだいお伝えします」の言葉をしおに、ニュースは政治ネタに切り替わった。

窓の外の陽射しは、五時を回ってようやく少し翳《かげ》ってきた。そろそろ哲生が帰ってくる頃だ。こめかみに汗の乾いた痕の白い筋をつけ、また一日ぶん陽に焼けて、玄関のドアを開けるなり言うのは「腹減ったーっ」なのか「喉かわいたーっ」なのか、とにかく元気いっぱいに帰ってくるだろう。

僕は寝室に入り、服を着替えた。タンクトップのシャツに、スウェットのハーフパンツ、ソックスもくるぶしから下だけのランニングシューズ用のものに履き替えた。

リビングに戻ると、恵理が「なに？　それ」と驚いて訊いた。

「ちょっと走ってくるよ」

首に掛けたタオルの端をシャツの中に入れた。恵理がなにか言おうとしたのをさえぎって、「そのほうが気が紛れていいんだ」と笑った。井上先生は運動禁止とは言わなかったし、体のどこかが痛いわけでもない。ほんとうに、自覚症状はなにひとつないのだ。

「……哲生、もうすぐ帰ってくるわよ」

「近所をグルッと回ってくるだけだから」

「いてよ、ここに」

「すぐ帰るって」

「じゃあ、哲生が帰ってきてからにして」

恵理は僕の前に回り込んで、戸口を体でふさいだ。僕をじっと見つめるまなざしには、困惑と悲しみとが交じり合っていた。

「なにも言わなくてもいいんだよ。まだ、だめだって決まったわけじゃないんだから」

「どんな顔すればいいの？」

「哲生に話すときは、俺がちゃんと話すから。ふつうにしてればいいんだ。なにもしなくていいし、言わなくていいから」

恵理はまだ納得のいかない顔をしていたが、「ちょっと一人になって、頭をからっぽにしたいんだ」と僕がつづけると、黙って戸口の脇に体をよけてくれた。

一人になど、なりたくない。なにをしても頭がからっぽになるはずがない。わかっているのに、ほかに言いようがない。僕はこれから少しずつ、嘘つきになっていくような気がする。

4

膝と足首の屈伸運動を終えて、ゆっくりと走りだす。アップダウンの多い丘陵地のニュータウン——僕たちのマンションは小さな丘のてっぺんにある。引っ越しを機にジョギングを始めた七年前には、駅まで走っても、帰りはほとんど歩いていた。途中の公園でベンチに座って休むことも多かった。陸上競技で鍛えた中学や高校時代を振り返っては、なんだかなあ、情けないよなあ、とため息交じりにつぶやいていたものだった。

いまは違う。整然と区画整理されたニュータウンのワンブロックを一周、二キロ走ったぐらいでは息は切れない。引っ越しと同時に始めた禁煙の甲斐あって、ねばりけのないさらりとした汗が流れるようになった。三十キロを二時間三十分――来年の青梅マラソンで目標を達成したら、ホノルルマラソンに挑戦するつもりだった。タイムは狙わない。フルマラソンの完走を目指して参加したかった。四十二・一九五キロを走り抜くことができたなら、これからの人生の後半戦をしっかりがんばれるんじゃないか、とも思っていたのだ。

走りながら胸を拳で叩いた。ふざけるなよ、と何度も強く。

僕はまだ走れる。胸はちっとも痛くないし、息苦しくもない。

煙草もやめたのだ。酒も三十代半ばを過ぎてからは適量に抑えるようになったのだ。なるべくエレベータやエスカレータは使わず、歩くときも意識して背筋を伸ばしてきた。ジョギングを始めてから体脂肪率は面白いように下がり、血圧や血糖値や尿酸値も黄信号すら灯らなくなった。体はこんなに軽い。吸い込む息も、吐き出す息も、なめらかに胸の中を流れていく。仕事は順調で、私生活も平凡ではあっても幸せで、これからもずっと幸せでいられると信じていたのだ。

車の行き交う大通りに出ると、すれ違うひとが増えた。前を歩くひとたちを何組も追い越した。平日の夕方なのでサラリーマンの姿はほとんどなかったが、長く伸ばした髪を後ろで束ねた若い父親がベビーカーを押しているのを見かけたとき、不意に真由ちゃんの父親の顔が浮かんだ。やっと思いだせた。うろ覚えの印象は間違っていなかった。川原さんはとても優しそうな、おっとりとした雰囲気のひとで、典子さんの不倫になど気づいているはずがなくて、真由ちゃんが殺されるまでは、家族三人の幸せな暮らしがいつまでもつづくと信じていたのだろう。

僕たちは同じだ。同じように不運で、同じように間抜けで、同じように……川原さんは、いま、どんな気持ちで家にいるのだろうか……。

胸を叩く。なんでだ、と拳を握りしめて叩く。なんで俺なんだ、と叩く。上体が揺れるほど強く叩いても、足は止めない。立ち止まりたくない。走りつづけたい。僕は走れる。こんなに速く走れる。まだ、どこまででも走っていけるのだ。

大通りから住宅街に入る。一戸建て住宅で埋め尽くされた丘のてっぺんを目指して、坂を上る。膝と太股に力を込めて、スピードをゆるめずに一気に上りきる。道の両側にマンションはなく、電柱もすべて地中に埋まった区域なので、歩道を走っていても窮屈さは感じない。顔を上げると、夕方の空が視界いっぱいに広がる。雲が夕陽を浴びて赤く染まっていた。昼間はうだるような暑さでも、陽が翳りだすと、たしかにもう夏は終わりなのだと実感する。

丘のてっぺんは小さな公園になっている。遊具はブランコと滑り台があるだけだったが、眺めがいい。山の稜線をなぞるように並んだ鉄塔と高圧電線を、端から端まで見渡すことができる。公園には誰もいなかった。クールダウンして、足踏みをしながら呼吸を整え、高圧電線をたどって、ゆっくりと一つずつ鉄塔を眺めていった。

出勤前のジョギングはもっと平坦なコースを選ぶ。週末に走り込むときには大通りをずっと進んで、多摩川のサイクリング道路まで出る。この公園に来るのは、三ヵ月に一度あるかないか――たいがい、仕事のことを一人で考えたいときだった。

タオルで顔の汗を拭いて、足踏みを止めた。体が上下するのに合わせて揺れていた鉄塔の動きも止まる。

鉄塔を見ていると、気分が落ち着く。会議室の中やパソコンの前では出てこないアイデアが、ここだとすんなりと浮かぶ。

いままでは、遠くを見ることが気分転換になるのだろうと思っていた。

だが、今日、気づいた。ああそうか、そうだったのか、とため息交じりに認めた。

鉄塔は、北都観音の代わりだったのだ。

子どもの頃、丘の上に立つ北都観音は、ふるさとの街のどこにいても見えた。鉄塔は観音像に比べるとはるかに小さい。それでも、ぽつんとたたずんで、街を見下ろしていることは同じだ。

僕は、あの街とよく似た風景を無意識のうちに探していたのだろうか。あの街に帰りたかったのだろうか。決して帰りたくないあの街に？

夕陽が沈みかけた西の空は、炎が燃え上がるようなオレンジ色に染まっていた。その色が夜の暗さと混じり合うあたりに、小さく光る星が見えた。宵《よい》の明星《みょうじょう》――金星だ。

顎を上げて、空に目をやった。北北東の空、夏の終わりなら、天頂よりも低い位置。夜になれば、そこにカシオペア座が浮かぶ。夜空を見上げることは最近はほとんどなくなっていたが、アルファベットのWを横に倒したような形のカシオペア座は、いまでもすぐに見つけられる自信がある。

丘に上ったのだ。みんなで手をつないで、夜空に祈ったのだ。あの丘が遊園地になったことは、両親や兄から聞いて知っていた。敏彦が市役所から出向して園長になったことも、市内の小学生が投票で決めた遊園地の名前に、美智子が応募した「カシオペアの丘」が選ばれたことも。

敏彦と美智子――トシとミッチョ。

二人は、たまには僕を思いだすことがあるのだろうか。いまの僕でなくてもいい。ミッチョだけが知っている大学時代の僕のことも、忘れてくれてかまわない。小学五年生の僕のことは、トシには思いだしてほしくない。

小学四年生の秋、丘の上でボイジャーを探し、カシオペア座を見つけた夜の僕だけを——僕が死んでからも忘れずにいてほしい。

まだ星が光ってはいない空が、ほのかに光って揺らぐ。タオルで目元を何度ぬぐっても、空は濡れて揺れ動く。歯をくいしばって嗚咽《おえつ》をこらえ、息を詰めると、やっと胸の奥がうずくように痛んだ。ここか。拳で胸を叩く。ここがガンになったのか。何度も叩く。

やがて、胸の痛みは、ひりつくような懐かしさに変わる。帰りたい。会いたい。帰れないし、会えない。謝りたい。二人に。拳が胸を打つたびに、ずっと閉じこめられていた思いが切れ切れに外に出てくる。二人は、もう忘れてしまっただろうか。あの丘を最初に「カシオペアの丘」と名付けたのは、僕だったのだ。

ユウちゃん。三人目の幼なじみの顔が浮かぶ。ユウちゃんにも会いたい。ふるさとから逃げてしまった僕と最後まで付き合ってくれたユウちゃんとも、もう何年会っていないだろう。

会いたい。帰りたい。帰れなくても会えなくてもいいから、謝りたい。トシにも。ミッチョにも。会いたい。会えない。ひとつだけ、訊きたい。

二人は僕のことをゆるしてくれるだろうか。

第三章　美智子

1

遊園地の事務所にミウさんから電話がかかってきたのは、金曜日の午後だった。

明日、カシオペアの丘を取材する。テレビではなく、本業の編集者の仕事——札幌で出している タウン誌で特集を組みたいのだという。

「なんで?」

わたしはそれを夜になって知らされた。

電話でミウさんと話した敏彦も、「市役所の観光課や広報課にも話を通してるって言ってたけど……」と要領を得ない顔で言って、「気に入ったのかな、ここが」と小首をかしげた。

「気に入るほど長居しなかったじゃない」

「まあな……」

火曜日、わたしが小学校に戻ったあとのロケは、ばたばたと終わったらしい。いまにして思えば、すでにその時点でマスコミは植田逮捕の情報をつかんでいたのだろう。一本でも早い便で帰京したい雄司は、必要な場所だけ大急ぎでカメラを回し、事務所で小川さんがいれてくれた紅茶も飲まずに、ミウさんをせかして帰ってしまった。

「彼女、怒ってなかった?」

「怒るって?」

「だって、半日がかりで仕事しても、全然意味がなかったわけだし」

水曜日のワイドショーでオンエアされた映像には、ミウさんはいっさい映っていなかった。

「さばさばしてたけどな。編集で出番がカットされるのはよくあることですから、なんて言ってたし」

「わたしならアタマに来ちゃうけどね」

実際、アタマに来ていた。カシオペアの丘の映像が流れた時間は予想よりずっと短く、ひそかに期待していた問い合わせの電話も、結局一本もかかってこなかった。雄司が画面に電話番号を入れてくれなかったせいだ、と思う。

敏彦は、まあまあ、と苦笑いでいなして、話を先に進めた。

遊園地だけでなく北都の街の取材もしたい、とミウさんは言っている。

「それで、美智子に相談なんだけど……」

ミウさんは、取材のガイドにわたしを指名した。敏彦も、わたしに訊くだけは訊いてみるから、と応えた。「観光課や広報課の連中におざなりに案内されるのって、やっぱり嫌だろ、美智子も」――それは確かにそうだった。

「彼女、車の運転できないんだってさ。札幌からはＪＲで来て、とりあえずタクシーでカシオペアの丘まで来るっていうんだけど」

「免許持ってないの？　雑誌の記者なのに？」

「ペーパードライバーらしい。ふだんの取材は札幌市内だけだし、遠出の取材でもカメラマンの車があるからいいんだけど、明日は一人で、記事にする前の下調べに来るっていうんだよ。遊園地は彼女一人で回れるから、街をぐるっと一周するだけでいいんだ」

「でも、なんでわたしなの？」

「雄司の推薦らしいぞ」

「はあ？」

「ミッチョはいい奴だから、って」

あのお調子者。こういうときに浮かぶのが、いまの髭づらではなく子どもの頃のいたずら坊主の笑顔だというのが、幼なじみならでは、なのだろうか。


ミウさんとお昼過ぎに遊園地で待ち合わせることにして、話は終わった。

「お風呂入る？」

「うん……」

「今日はどんな感じ？　調子よさそう？」

「ああ、平気だと思う」

敏彦は脊髄《せきずい》損傷によるマヒで、両脚をうまく動かせない。それでも、小学五年生のときにケガをして以来二十九年、病院の先生が学会で報告したほどの厳しいリハビリに耐えて、一度は失われた機能を徐々に取り戻してきた。マヒの重さを示す改良フランケル分類でも、ケガをした当初はB群の1――排泄《はいせつ》の感覚以外の下肢《かし》の知覚はなく、両脚を動かすことはまったくできなかった。それが、いまはC群の2――仰向けになって両膝を立てることが可能で、室内の平らな場所で補助器を使えば二、三メートルは歩けるようになった。

すごいひとだと素直に思う。ポパイのように太くなった両腕や、きれいに段が浮き出た腹筋、それから車椅子のハンドルをずっと握りしめてきたゴワゴワの手のひらや指……敏彦の体のすべてに、二十九年間の苦しい努力の跡が刻まれている。

最近では、調子のいいときには入浴の介助も不要になった。介護用浴槽のすぐ外側まで車椅子を寄せて、高さを揃えた浴槽内の椅子に体操競技の鞍馬《あんば》のような格好で移る。椅子の昇降ボタンを自分で押してお湯に浸かり、浴槽の中で体や髪を洗って、いったんお湯を抜いてからシャワーを浴びて上がり湯にする。昔はわたしが抱きかかえて浴槽から洗い場に移して、体を洗ってあげていた。そうすればお湯をいちいち入れ替えずにすむ。でも、一人でお風呂に入って、自分の体を自分で洗う――ほんのそれだけのことが敏彦をどんなに喜ばせて、どんなに自信をつけさせているか、お風呂あがりのビールをおいしそうに飲む敏彦を見ていると、胸がじんと熱くなるほどよくわかる。

もっとも、まだ敏彦は満足していない。室内を十メートル以上歩けるD群の1を目指し、補助器付きで屋外も歩けるD群の2になることも夢見て、週に一度、仕事の合間に旭川の病院に通ってリハビリをつづけている。

たぶん、いまも、敏彦はお湯に浸かりながら膝や脛《すね》のマッサージをしているはずだ。万が一に備えて脱衣室の外にいるわたしは、がんばれ、がんばれ、と心の中で声援を送る。

がんばれ、トシ——。

車椅子の生活になった頃からずっと応援してきた。尊敬もしてきた。敏彦の知らない「あの頃」の四年間を除いて、ほんとうに、ずっと。それが男女の思いに変わったのはいつ頃からだったろう。きっかけはなんだったのだろう。よく覚えていない。気がつくと、わたしたちは誰よりもそばにいる二人になっていた。これからも変わらない。わたしたちは二人で、この街で生きる。

敏彦が浴室から出てきた。「手伝おうか?」とドア越しに声をかけると、「いい、だいじょうぶ」と元気な声が返ってきた。今夜はほんとうに調子がよさそうだ。

結婚したばかりの二十八歳の頃は、支えがあっても自分一人の力では立てなかった。パンツを穿くときも、車椅子に座ったまま、足首に通したパンツを膝の付け根まで持ち上げることはできても、最後にお尻を浮かせられないので、仕上げはいつもわたしが手伝っていた。本人はそれがほんとうに悔しかったらしく、「絶対に立てるようになるからな、自分で着替えぐらいできなきゃだめだもんな」と口癖のように言って、結婚から五年がかりで立てるようになった。いまでは、三日に二日は自分で服を着換えられる。

「よし、いいぞ、お待たせ」

ドアを開けると、パジャマに着替えた敏彦が、ゆっくりと車椅子を漕《こ》いで外に出てきた。パジャマのズボンはかろうじて腰にひっかかっているだけで、パンツの引き上げ方も左右不揃いだったけど、それは寝る前に直せばすむことだ。

「はい、お疲れさまでしたあ」

笑顔と拍手で迎え、敏彦が拭き残した車椅子のフレームやシートについた水滴をタオルで軽くぬぐってから、戸口を敏彦のために譲った。

「ちょっと、悪い、床がけっこう濡れちゃったけど」

「平気平気。ビール飲むでしょ？　出しといてよ」

「おっ、いいねえ、ビールビール」

キッチンへ向かう敏彦を見送って、わたしは浴槽に栓をして新しいお湯を張る。敏彦はチェーンを引っ張って栓を抜くことはできても、かがんではめなおすことはできない。脱衣室の床がお湯でびしょびしょになっていても、自分では拭けない。

体が不自由なひとと一緒に暮らすことは、テレビドラマで描かれるほど美しいものではない。でも、ふつうのひとがふつうに想像するほど、悲しみばかりというわけでもない。

わたしたちの暮らしに特別なものがあるとすれば、「できること」と「できないこと」がはっきりと区別されているというだけだ。できることはやればいいし、できないことはできない。「あきらめる」とか「しかたない」というような湿っぽいものではなく、わたしたちはそれを当然のこととして受け容れている。たとえばサッカーが手を使わないというルールに基づくスポーツであるように、わたしと敏彦の暮らしには、ほかの家とは違うルールがある——ほんとうに、ただそれだけのことなのだ。

2

缶ビールを一本、二人で分けて空けると、トウキビを焼いたのをおつまみに、ワインをちびちび飲んだ。わたしも敏彦もお酒はあまり強くない。結婚して十二年にもなると、お酒を飲んで二人で盛り上がるという感じでもない。いつも夜は静かに更けていく。

「八月も、あっという間だったなあ」

敏彦はノートパソコンを操作しながら、ふと思いだしたように言った。パソコンの画面に表示されているのは、カシオペアの丘のホームページだった。トップページの画像を秋の風景に交換し、ときどき書いている園長のブログを更新して……ついさっきまで、「なにも書くネタないよ」とぼやいていた。

「なんか、毎年どんどん夏が早く過ぎちゃって、冬が長くなってる気がするんだけどな」

「園長になってから?」

「うん……そうだな、この四、五年だよな」

遊園地の開園期間は、ゴールデンウィークを控えた四月の第三日曜日から十月の最終日曜日まで――書き入れ時の八月、ゆうべ集計した月間入場者数は延べ二千五百人だった。七月はそこそこ埋まっていたオートキャンプ場やコテージも、八月の頭に台風が上陸したせいもあって、期待していたほどの伸びはなかった。五年前に開業したときのシミュレーションでは八月だけで二万人のお客さんが訪れることになっていたけど、今年もその数字をクリアできなかった。去年も、おととしも、その前も……開業以来五年間、ずっと。

「来月は定例議会があるからな」

「うん……」

「また、針のむしろだよ」

市議会が開かれるたびに、遊園地の存続問題が議題にのぼる。六月の定例議会では「夏の営業成績が出てから検討する」と中途半端に結論が先延ばしされた。でも、今度はもう逃げられない。来年二月の市長選で三選を目指す現職の市長にも、立候補が噂される古株の市議会議員にも、遊園地を残すつもりはなさそうだった。

「でも、これは現場の責任じゃないよね。もともとの計画が無謀だったんだから、どうしようもないんだもん」

敏彦は「まあな……」と気のない声で応えるだけだった。つまらないことを言った。わたしも思う。経営不振を現場のせいにされたら、敏彦は顔を真っ赤にして怒り出すだろう。それでも、現場にはなんの責任もないんだと言われても、悔しさが残ってしまう。敏彦はそういう性格の持ち主なのだ。

「明日のミウさんの取材で、大逆転しちゃったりして」

敏彦は「だよな」と笑った。無理して付き合ってくれた。負けず嫌いでも、冷静なひとだ。「できること」と「できないこと」は、ちゃんとわかっている。だから——この五年間、敏彦は悔しい思いばかりしてきたんだろうな、と思う。

トウキビをかじった。茹《ゆ》でたトウキビに醤油をつけて軽く焼いた、その焦げ目のところが香ばしくておいしい。でも、トウキビの旬もそろそろ終わりだ。今年もまた秋が来て、長い冬が訪れる。敏彦は福祉センターに戻り、遊園地のゲートは閉ざされて、雪に埋もれる。来年の春になってゲートが開くのかどうかは、わからない。

敏彦の仕事が終わったのを見計らって、テレビを点けた。NHKのニュースは真由ちゃんの事件を報じなかった。水曜日に犯人が捕まって二日、事件はすでに過去のできごとになっていた。ワイドショーや週刊誌は典子さんと植田の関係をしつこく掘り返していたけど、それもあと数日というところだろう。

「真由ちゃんの顔なんて、みんな忘れてるよね」

「うん……俺も、思いだせないな」

「直接会ってないんだもんね、あなたは」

わたしは覚えている。真由ちゃんも、川原さんも、これからもずっと忘れることはないだろう。三人の中ではいちばん印象が薄かった典子さんの顔も、もう忘れられなくなってしまった。

「あの夫婦、どうなっちゃうんだろうね」

「元に戻るのはキツいかもな」

「……だよね、裏切られてたわけだもんね、お父さんも真由ちゃんも」

「いや、でもさ、ダンナのほうにも悪いところがあったのかもしれないし」

「そんなふうには全然見えなかったんだけどね、二人とも」

「夫婦のことは外からじゃわかんないんだよ」

同じ会話を、水曜日以来、日本中で数え切れないほどの夫婦が交わしているはずだ。たんに興味本位で面白がっているだけのひとたちもいれば、典子さんの不倫をゆるさない、と夫婦そろって怒るひとたちもいて、後ろめたさに声を微妙にうわずらせて話すひとたちだって、きっとどこかにいるのだろう。

「ユウちゃんがね、川原さんにもう一度カシオペアの丘に来てほしいって言ってたの」

「うん、俺も聞いた、それ。ドキュメンタリー撮りたいって」

「そのとき、もう知っていたと思うんだよね、犯人と典子さんのこと。だから川原さんの名前しか出さなかったんだよね……」

敏彦はいったんうなずいたあと、少し考えてから、「二人で来ればいいんだけどな」と言った。

「奥さんと二人で来てくれたら、なんか、俺はうれしいけどな、そういうの」

「そうなの?」

思わず聞き返した。意外だった。自分に厳しい敏彦は、他人に対しても厳しいところがある。川原さん一人ならともかく、典子さんまで一緒というのは、はなから考えていないと思い込んでいた。

「優しいじゃない、典子さんに」

笑って言うと、照れくさそうに「やっぱりな、被害者は被害者なんだし」と言って、「これで夫婦までおしまいになったら、あのダンナさん、家族をぜんぶ失っちゃうことになるんだし」と付け加える。

「でも……」と言いかけたとき、屋根の上から音が聞こえた。小さな生き物が足早に屋根を駆け抜ける音——エゾリスだ、たぶん。

「そろそろ里に下りてきたかな、あいつらも」

敏彦はうれしそうに頰をゆるめた。秋になって森が冷え込んでくると、冬越しのための食べ物を求めて、さまざまな動物が姿を見せるようになる。ふだんの年なら九月の終わり頃からだから、気象庁の長期予報どおり、今年は冬の訪れが早いのかもしれない。

「これ、差し入れしてやるか」と敏彦はトウキビの皿を指差した。かじったあとのトウキビの芯に、まだ少し実が残っている。エゾリスには思いがけないごちそうということになる。

勝手口のドアを開けると、夜の冷気に肩がすくんだ。吐き出す息が白い。夏は、もう、ほんとうに終わってしまったのだ。いまは途切れることなく聞こえるコオロギの音も、お彼岸が過ぎると、ぱたりとやんでしまう。スズムシは北海道にはいない。東京にいた頃に初めてスズムシの音を聞いた。そのときわたしのそばにいて、わたしの肩を抱いてくれていたひとは、敏彦ではなかった。

家の裏の雑木林にトウキビを放り投げて、よく晴れた夜空を見上げた。

北北東の空――カシオペア座を見つけた。

特に意識しなくても、自然と目がWの形を探し出す。

東京にいた頃は、空気が澄んだ真冬のほんの短い間しか見えなかったカシオペア座が、ここでなら毎晩のように見える。ふるさとに帰るわたしを見送って、自分はふるさとを捨てることを決めたひとは、いま、東京で夜空を見上げることはあるのだろうか。雄司のせいだ。雄司がひさしぶりにカシオペアの丘を訪ねてきたから、忘れていたひとのことを思いだしてしまった。

ほんとうだ。嘘じゃない。ずっと忘れていた。北極星から上にゲンコツ六個半、小学四年生のときにあのひとが教えてくれたカシオペア座の見つけ方は、まだ覚えているのに。

3

約束の時間より少し早めに遊園地に着くと、ミウさんはもう駐車場にいた。「乗り物、ぜんぶ三回ずつ乗っちゃいました」と笑う顔は、テレビ用のメイクをしていたときよりずっと地味だった。でも、印象は今日のほうがずっといい。スカートよりもジーンズのほうが似合うし、マイクを持つよりも一眼レフのデジタルカメラを提げているほうがしっくりくる。

おかげで、「がら空きだった?」と敬語抜きで話しかけることができた。

ミウさんもひとなつっこそうな笑顔になって、「予想以上でした」と素直に打ち明けた。

「このまえは平日だったからしかたないと思ってたんですけど、土曜日でも変わらないんですね」

「明日は団体さんが来るんだけどね」

敏彦のために小さな嘘をついて、「わたしの車で回ろうか」と乗ってきたワンボックスカーを指差した。

「リクエストしていいですか?」

ミウさんはショルダーバッグから観光課がつくったパンフレットを取り出して、「ここに載ってるような話は、要らないんです」と言った。

スキー場や、観光牧場や、さくらんぼ農園や、手作りハムの体験工房や、渓流に沿ったトレッキングコース……ぜんぶ、要らない。

「ロケの帰りに、ディレクターの高橋《たかはし》さんにいろんなこと聞いたんです。この街の歴史とか、昔あったこととか、北都観音のこととか」

雄司はおしゃべりだ、ほんとうに。

「もっと知りたいんです、北都のこと」

いつのまにか、ミウさんの顔から笑いは消えていた。

「知るだけだったら本とかで調べればいいんですけど……そうじゃなくて、自分で感じるっていうか、実感したいんです」

真剣な目で、わたしを見つめる。ただの好奇心というのではなさそうだった。

わたしもミウさんをじっと見つめ返して、「なんで?」と訊いた。

「高橋さんからちょっと聞いたんです、炭鉱の事故のこと」

「……どんなふうに?」

「くわしいことは高橋さんもよく知らないって言ってたんですけど」

雄司はおしゃべりなくせに、言いづらいことはひとまかせにする。ミッチョ、悪い、よろしく。両手拝みをする子どもの顔が浮かんだ。

「一九六七年なんですよね?」

わたしは小さくうなずいた。昭和で言ってもらったほうがわかりやすい。昭和四十二年——わたしたちが生まれた年。

「北都が炭鉱の街だったたっていうの、このまえのロケで初めてわかったんです」

ミウさんは申し訳なさそうに言って、自分を指差した。

「ミウっていう名前……街の名前なんです。おじいちゃんとおばあちゃんが住んでて、お父さんもそこで生まれたんです」

美唄――ビバイ、と読む。わたしも知っている。かつて石炭で栄えた街だ。返事はしなくても、表情で伝わったのだろう、ミウさんは、そうなんです、というふうにうなずいた。

「ウチは炭鉱で働いてたわけじゃなかったし、お父さんが子どもの頃に札幌に引っ越したから、わたしは美唄のこと全然知らないんですけど……」

「美唄の炭鉱でも、ここと同じような事故があったんだよ。知ってた?」

ミウさんは「本に出てました。昔の、炭鉱の写真集に」と言って、「でも、おじいちゃんもおばあちゃんも、その話、なにもしないんですよ」とつづけた。

それはわかる。わたしの両親もそうだった。昭和四十二年にこの街でおとなだったひとは誰もが、自分から事故のことを話そうとはしない。

「じゃあ、美唄を取材したほうがいいんじゃないの?」

「でも……」

ミウさんは「カシオペアの丘があるのは、ここだけですから」と笑った。

わたしは黙って車に乗り込み、内側から助手席のドアを開けた。

「取材とか、そういうのは考えずに案内するから」

助手席に座ったミウさんに言った。

「初めて北都に遊びに来た友だちを案内するつもりでいいよね」

怪訝《けげん》そうなミウさんにかまわず、つづけた。

「わたしは見せたいものを見せるから、それを記事にするかどうかは、あなたが決めて」

ミウさんはワンテンポ置いて、「はい」と応えた。

車をUターンさせて、駐車場の一方通行を無視して出口へ向かう。北都観音が右に見える。街を一周して、ゴールは北都観音になる。そこは、炭鉱の街だったわたしたちのふるさとの歴史の終着点でもある。


国道に出た車がスピードを上げると、ミウさんは張り詰めた空気をほぐすように、「すみませーん」と軽く笑った。「なんか、暗い話っぽくなっちゃってましたね、さっきのわたし」

「美唄って有名だよね」わたしも肩の力を抜いて言った。「北都炭鉱よりずっと大きかったはずだよ、そっちのほうが」

「人口も十万人近かったんですよ、お父さんが生まれた頃って。でも、いまは三万人割っちゃったんですけど」

「北都も似たような感じだよ」

「美智子さんは、でも、炭鉱のあった頃なんて知らないんですよね？ 高橋さんと同い年なんだから」

「そんなことないよ。山奥のほうにあった最後の小さな炭鉱が閉山したのって、わたしが高校生のときだから」

「そうなんですか？ そんな頃まで炭鉱ってあったんですか……」

なにも知らない。でも、それがあたりまえかもしれない。この街の子どもたちでさえ、石炭に触ったことのない子のほうがずっと多い。

「まあ、でも、実質的には昭和四十年代で終わりだよね。小学校に上がった頃には、もう市内の大きな炭鉱はぜんぶ閉山してたし」

「ゴーストタウンとかもあったんですか？」

「うん……」

炭住――と言いかけて、「炭鉱の住宅とかね」とわかりやすい言い方にした。

子どもの頃からずっと、二十代の半ばあたりまで、北都の街は二つの世代に大きく分かれていた。炭鉱でにぎわっていた頃の街を知っている世代と、知らない世代。でも、いまは、さらに下の世代が生まれた。炭鉱が閉山するたびにさびれていく街の姿を見てきたわたしたちと、もはや炭鉱がここにあったんだということすら知らない世代。札幌のひとにとってはなおさら遠い話だろう。

「あそこも炭鉱の住宅だったんですか？」

ミウさんが指差した先に、雨戸に板を打ち付けた古い民家があった。家のまわりは雑草が生い茂って、錆び付いた小型トラクターが捨ててある。

やれやれ、と苦笑した。ほんとうに新しい世代なのだ、この子たちは。

「閉山したあとのゴーストタウンなんて昭和の頃だからね。あれは離農した家だよ」

「リノウって？」

「農業をやめちゃって、家や土地も捨てて……」

「夜逃げですか?」

「土地を処分しようと思っても、買い手がつかないことも多いからね」

「あそこの家もそうなんですか?」

ミウさんがまた指差した廃屋は、中学の頃の同級生の家だった。旭川に自宅を構えた同級生が数年前に年老いた両親を引き取ったので、住むひとのいなくなった家は荒れ果ててしまった。正確に言えば離農ではない。でも、その違いやいきさつを説明するのが面倒になって、「まあね」と受け流した。「そういう家ってたくさんあるから、いちいち見つけてたらきりがないよ」と先回りして釘も刺しておいた。

市街地を南から北へ抜ける。家並みが途切れかけた頃、ミウさんは「まだ遠いんですか?」と訊いてきた。

「遠いよ、北のはずれだから」

「そっち側にいろんなものがあるんですか?」

「ううん。その次は、またこの道を戻って、南のはずれのほうに行くから」

「はあ……」

「わたしが見せたいものを、見せたい順番に見せるから」

それでいいでしょ、と少し投げやりに言うと、ミウさんは意外にも面白がって、「なんか、どきどきしちゃいますね」と笑った。

「そんなに楽しい場所じゃないと思うけど」

「そうなんですか?」

「楽しい場所なら、さっきのパンフレットに出てるから」

自分でもわかる。わたしはしだいに不機嫌になっていた。この街の歴史をたどるときは、いつもこうなってしまう。

「楽しくなくても、たいせつな場所だから」

ミウさんにというより、むしろ自分自身に、言った。

「たいせつな場所をきちんと回らないと、ほんとうのことはなにもわからないんだから」

ミウさんは黙ってうなずいた。

4

市街地を抜けると、国道の右側に北都川が見えてくる。ゆるやかに蛇行《だこう》する川に沿って国道もカーブを繰り返し、少しずつ標高を上げていく。

河岸段丘のつくる小高い丘にさしかかる。「そろそろだから」とわたしは言って、ミウさんが「ここですか？」と返す間もなく、丘のてっぺんで車を停めた。道路脇——路肩を広げただけの、空き地とも呼べない狭い場所に、おとなの背丈よりも高い石碑が建っている。

車から先に降りたミウさんは、石碑の正面に立って、「開拓記念碑……」と碑に彫られた文字を読んだ。

「明治二十六年だよ、西暦で言ったら一八九三年に、初めての移住者がここに来たの」

岩手県出身のひとだった。どんな事情があってふるさとを離れ、どんな道のりをたどってこの土地にたどり着いたのかは知らない。でも、そのひとが凍てついて痩せた大地に最初の鍬《くわ》を打ち込んだとき、この街の歴史は始まった。

「この石碑、開基百周年で、一九九三年に建てたの」

「開拓、大変だったんでしょうね」

「木の根っこを一本掘り起こすだけでも何日もかかったんだって」

「このあたりだと雪もハンパじゃないですよね」

「降雪量が四メートル。街なかでも一メートルは積もるから。昔はもっと降って、除雪なんかもできないから、もっと積もってたんじゃない?」

「くわしいですね、美智子さん」

「学校で教えてるから。四年生の総合学習、自分たちの街のことを調べてるの」

「炭鉱のこともですか?」

「……そこは、さらっとね」

ミウさんは石碑の写真を何枚か撮影した。わたしは一人で車に戻る。「もう行くんですか?」と振り向いたミウさんは、また驚いた顔になった。

「観音さま……ここからでも見えるんですね」

さっき走り抜けてきた山並みの向こうに、観音さまの白い頭が覗《のぞ》いている。

「市内なら、どこからでも見えるよ」

北都の街のすべてを見守るように、というのが観音像を建立したひとの願いだった。でも、それは見張られていることと同じなんだと、わたしに教えてくれたひとがいる。祖父が私財を投じて建立した観音像を、孫なのに――孫だから、嫌って、憎んできたひとだ。

「写真、もういい？　行くよ」

エンジンをかけた。「すみません、最後にあと一枚だけ」とかがみ込んで、石碑を仰ぎ見る角度で撮影するミウさんにかまわず、狭いスペースで車の向きを変えた。

遠くに二千メートル級の山が連なる西の空に、雲が出てきた。天気がくずれそうだ。先は長い。この街の歴史は、まだ始まったばかりだ。


街の南端に近い朝来《あさき》地区は、大正時代には街の中心地だった。

「ここがですか？」

ミウさんは走る車の中から左右を見回して、「畑ばっかりですけど……」と首をかしげた。確かにいまはそうだ。昭和に入って開拓が進み、近隣の村を合併していくにつれて、街は北側に広がった。さらに炭鉱が次々に開坑し、鉄道や国道が通って、街の中心はここよりずっと北に移ってしまった。

「歴史は古いんだよ。明治の頃から家があったっていうし、開拓時代は朝が来るのが恋しくてしかたないから、この名前にしたんだって。ヒグマもいたし、まだエゾオオカミも絶滅してなかったしね。夜はほんとに、すごく怖かったんだと思う」

国道から細い道に入り、信号のない交差点で何度か右折と左折を繰り返して、広い水田地帯に出た。

「美智子さん、あれ、なんですか？」

あぜ道の交差するところに、背の高い木造の建物がある。「楼閣《ろうかく》」と言っても、たぶんミウさんにはわからないだろう。

「火の見やぐら」

「消防署の?」

「昔は消防署なんてなかったけど、集落のひとたちが交代で毎晩見張ってたみたい」

車をあぜ道の手前で停めて、火の見やぐらに向かいながら話をつづけた。

「火事があったの、大正十一年に」

「ここで?」

「五百軒ぐらい焼けちゃったって」

「はあ……」

あいまいにうなずく様子からすると、ピンと来ていないのだろう。無理もない。いまの朝来地区は田んぼや畑の中にぽつんぽつんと家があるだけで、五百軒の家を焼き払うには山の向こう側まで火が燃え広がっても足りない。

「昔は小さな家が密集してたの、このあたりは」

当時の写真を見ると、家というより小屋と呼んだほうが近い。牧舎も吹きさらし同然で、セピア色の乾板《かんぱん》写真の中では、ひとも牛も馬も凍えかけたように身を縮めていた。

そんな集落が、大正十一年二月五日、一夜にして焼け野原になった。

「北都が『村』になった明治三十三年の人口は千四百人足らずだったんだけど、二十年後には一万五千人になってたって。世帯数も三千近かったんだけど、そのときの火事で街なかはほとんど全部焼けちゃって……。三年後に調査したら人口は一万二千人に減ってて、世帯数も二千五百ほどになってたんだよ」

火の見やぐらは、火災の二年後に建てられた。老朽化して昭和三十年代に取り壊されたのを、バブル景気の頃、教育委員会が復元した。

「ちょっと雰囲気が札幌の時計台に似てるでしょ。でも、田んぼの真ん中にぽつんとあるだけじゃ、観光地にはならないから」

「ですね……」

ミウさんはやぐらの階段を上り、火の見台に立った。ビルの三階ぐらいの高さだから、眺めはたいしたことはない。その高さから見渡すことができるほどの小さな、肩を寄せ合うような街並みだったわけだ。

「鐘、鳴らしてもいいんですか?」

手すりから身を乗り出して訊いたミウさんは、わたしが「どうぞ」と応えると、撞木《しゅもく》を鐘に軽くぶつけた。お寺の鐘よりも甲高い音にびっくりして、田んぼの上を飛び交っていた赤とんぼが、遠くに逃げ出した。とんぼの季節も、もうじき終わる。八月の台風で痛めつけられた稲も、いまは黄色に色づいて、今月中の稲刈りを待つばかりになった。このあたり一帯にかつては小さな家々が並んでいたんだと授業で話しても、子どもたちはきょとんとした顔をするだけだ。

「ねえ、美智子さん」

ミウさんはまた身を乗り出して、わたしを見た。

「ばれて怒られちゃう前に白状しちゃっていいですか?」

「……なに？」

「幼なじみの四人のこと、もう雄司さんから聞いてます。ミッチョさんと、トシさんと、ユウさんと、あと、シュンさん。みんなでカシオペアの丘で星を見たことも、トシさんのケガや、お父さんのことも、それから……シュンさんの実家のことも」

黙り込むわたしに、「ごめんなさい」と肩をすぼめる。

「雄司さんを怒らないでください、わたしが北都やカシオペアの丘に興味があるって言ったら、野次馬根性で覗き見されても困るんだ……って」

「昔から、内緒話が苦手だったの、あのひとは」

見上げてしゃべると、なかなか怒った声を出せない。ミウさんは、この距離の、このタイミングを狙って打ち明けたのだろう。

「炭鉱の事故のことは聞いたわけだよね？」

「はい……」

「トシが車椅子になった理由も」

「ええ……」

「シュンが、北都を出て行って、『倉田』の家からも出た理由も」

「ごめんなさい……ぜんぶ聞いてます」

大サービスじゃない、ユウちゃん――ため息をついた。でも、雄司は秘密を胸に隠し持ちつづけるのは苦手でも、誰彼なしに話すようなひとではない。

「ユウちゃんは、あなたのどこが気に入ったんだろうね」

ミウさんはまた肩をすぼめて「北都観音に行けよ、って言ってくれたんです」と答えた。「そうすれば、ちょっとは楽になるから、って」

「楽になるって？　あなたが？」

ミウさんは、ふふっ、と笑うだけで、なにも言わない。ただ、その笑顔からは、さっきまでの無邪気な明るさは消えていた——逆光で顔が影になっているせいかもしれないけれど。

「あとはどんなこと聞いてるの？」

わたしの声も、慎重に、不安とともに、探るような低い響きになった。

「それだけです」

ミウさんは言った。嘘をついているような様子ではなかった。ほっとすると、信じろって、と雄司の笑う声が聞こえた。俺だってちゃーんとわかってるんだからさ。

「怒ってます？」

「そんなことないから……早く次に行こう」

「あー、よかった」

笑顔は、また元の明るさを取り戻した。

やぐらから下りる前に、ミウさんはもう一度鐘を鳴らした。いつのまにか雲のほうが多くなった空に、鐘の音が響き渡る。遠くに見える北都観音は、ここからだと後ろ姿になる。街の歴史から見捨てられた地区は、観音さまにも目を向けてもらえない。子どもの頃、雄司が「夜中になると観音さまの首がグルッと回るんだ」とつまらない嘘をついて年下の子を怖がらせていたことを、ふと思いだした。

国道をまた北に向かって市街地に入った。ＪＲの踏切を渡る。「本線」と名前はついていても、上り下り合わせて一日に二十本ほどしかディーゼル車が走らない赤字路線だ。もちろん単線——昭和の頃にはホームが三面あり、引き込み線まであった北都駅も、いまは改札とつながったホームだけで、引き込み線のレールは赤く錆び付いたまま、雑草に覆われている。

北都駅から西に二キロほどいって、小さな駅の前で車を停めた。

「あれ？　北都って、ＪＲの路線、二本あるんでしたっけ？」

「ここは違うよ。軽便《けいべん》鉄道の駅」

「軽便鉄道って、トロッコ列車みたいなやつですか？」

「そう。もともとは石炭を運ぶ貨物専用だったんだけどね。ここが始発で、駅も途中に五つあって、終点が北都第一炭鉱。いまは北都湖になってるあたり」

『北都本町驛』——黒い板に白のペンキで、右から左に書いてある。「都」「駅」も旧字。昭和十五年、鉄道が開通したときに掲げられた看板だ。木造だった駅舎が昭和四十六年にコンクリートで建て替えられたあとも、看板だけはずっと、昭和六十年に廃線になるまで、昔のものを使いつづけてきた。

駅のホームには、小さな蒸気機関車が停まっている。でも、機関車が動くことはない。総延長が十キロ以上あった線路は本町駅のホームの前を残してすべて撤去され、駅舎だけ、軽便鉄道の資料館として保存されている。

駅舎の中に入った。埃《ほこり》と黴《かび》の入り混じったにおいが澱んでいた。資料館といっても職員は誰もいない。かつて待合室だったスペースに写真のパネルや年表が掲げられ、ガラスケースの中には、市内に大小合わせて七つあった炭鉱の立体模型や、握り拳ほどの大きさの石炭や、炭鉱で働くひとが使っていた軍手やツルハシなどが展示してある。それだけだ。市役所のつくった観光パンフレットには紹介されていないし、たとえ入場料は無料でも、地元のひとがわざわざ立ち寄るような場所でもない。要するに、廃屋同然の駅舎に、この街の昭和の歴史が無造作に放り込まれているだけなのだ。

火の見やぐらからここに来るまでの十五分ほどの間で、空は重たげな雲に覆われてしまった。駅舎の中も薄暗い。壁のスイッチで明かりを点けても、八灯ある天井の蛍光灯は二灯が切れていて、一灯は間延びしたまばたきを繰り返した。

「鉄道の名前、なんていうんですか？」

「正式には北都軽便鉄道っていうんだけど、街のみんなは、倉田鉄道って呼んでた」

「倉田って……これでしょ」

ミウさんは炭鉱の写真を指差した。山をえぐり取った坑口《こうこう》のそばに建つビル——大きな看板に「倉田鉱業」とある。

「そう、倉田鉱業がつくった鉄道だから、倉田鉄道」

「いまの倉田コーポレーションですよね」

「知ってるよね、やっぱりね」

ミウさんはうなずいて、「札幌にも大きな本社ビルありますよ」と言った。「不動産とか建設業とか、あと観光とかいろいろやってるんですよね。ウチの雑誌も、倉田グループのレストランに広告出してもらってるんです」

「もともとは炭鉱の会社だったの。北海道のほかの炭鉱はほとんど東京の財閥の経営だったけど、北都炭鉱は『倉田』がぜんぶ取り仕切って開発したの」

ミウさんはまたうなずいて、壁の年表に向き直った。わたしもミウさんの後ろに立った。もうすっかり覚え込んでしまった年表の記述を、テストの答え合わせをするみたいに、ぼんやりと目でたどる。

大正時代は林業の街だった北都に最初の炭鉱ができたのは、昭和三年のことだ。七つあった炭鉱のうち四つが戦前、三つが戦後――昭和三十年代の前半までに開かれた。

軽便鉄道が開通した昭和十五年の人口は、二万七千人。それが昭和二十五年には五万八千人に急増し、その三年後、「町」から「市」に昇格した昭和二十八年には、七万人にまでふくれあがった。社長が二代目になった「倉田」が一気に大きくなったのもその時期だ。人口のピークは、昭和三十三年の八万人。その時期が、日本の石炭産業のピークでもあった。

昭和四十年代以降、年表の記述は急に駆け足になり、「坑口閉鎖」や「閉山」の文字が目立つようになる。最後まで操業をつづけていた第五炭鉱が昭和五十八年に閉山し、解体された資材を本町駅まで運んでいた軽便鉄道も二年後に廃線になった。炭鉱の街だった北都の歴史は、昭和という時代とほぼ一緒に始まって、終わったことになる。

でも、「倉田」の肝煎《きもい》りでつくられたこの資料館は、炭鉱の歴史をすべて残しているわけではない。昭和四十二年の第二炭鉱の事故のことは、年表には一行も出ていない。その翌年に建立された北都観音についても。

「美智子さん……」

ミウさんは年表に向き合ったまま、言った。

「いまの『倉田』の社長って、シュンさんのお兄さんなんですよね」

「そう、四代目。わたしたちの四つ上で、子どもの頃からすごく勉強ができるひとだったよ。そのぶんクールだったけどね」

ミウさんはわたしの言葉のトゲを苦笑いで受け流して、「で、お父さんが会長で、おじいさんが相談役で……」とつづけ、「おじいさんですよね」と笑いの消えた顔で言った。

なにが——は、なくてもわかる。わたしはうなずいて「倉田千太郎《せんたろう》」と俊介の祖父の名を口にした。「シュンは倉田千太郎のせいで北都を出て行って、倉田千太郎がいるから『倉田』の家も出て、奥さんの家に入ったわけ」

「炭鉱の事故のときも……」

「そう、倉田千太郎が一人で決めて、一人でやったの」

「じゃあ、トシさんのお父さんも……」

言いかけたのを「それはあとで話すから」とさえぎった。敏彦のために。「倉田」のにおいが染みついた資料館で父親のことを話されるのは、きっと敏彦にとっては我慢のならないことだと思うから。

「写真かなにかないんですか、倉田千太郎さんの」

「そこだよ、そこ」

ミウさんの後ろからパネルを指差した。昭和三十九年、通産大臣が炭鉱を視察に訪れたときの写真だ。スーツ姿にヘルメットをかぶった大臣を案内している、同じいでたちの大柄な男性――それが、倉田鉱業を率いていた倉田千太郎だ。

「貫禄あるんですね。なんか、どっちが大臣だかわからないです」

「この頃、まだ五十前だよ」

「ってことは、いま……」

「九十歳は超えてるよね」

「それでまだ相談役をやってるんですか?」

「死ぬまでやるよ、絶対に。あのひとは独裁者だったんだから、『倉田』と北都の」

写真の中の倉田千太郎は、ベルトコンベアが何本も組み合わさった坑口前の作業場を高台から見下ろし、得意そうに大臣に話しかけている。その笑顔を、自然とにらみつけるような格好になった。

またたいていた蛍光灯が、ふっと切れた。窓の外はさらに暗くなり、風も出てきた。秋口の天気は不安定だ。雨は夜を待たずに降りだすかもしれない。

「行こうか。次に行く場所、屋根がないから。雨が降らないうちに行こう」

次は、昭和四十二年の事故の話になる。ミウさんも黙って、嚙みしめるようにうなずいた。

駅舎の外に出ると、遠くの空がごろごろと低く鳴っていた。四方を高い山脈に囲まれたこの地方では、雷は夏よりもむしろ秋や冬に多い。いまはまだ山の向こうから聞こえている雷鳴も、あっという間に近づいてくるだろう。黒々とした雲が街の真上に来ると、見渡すかぎりの空すべてが猛々《たけだけ》しく怒っているような、激しい雷鳴が轟《とどろ》きわたるはずだ。

雨が降りだす前にすべてを終えてしまいたい――心の半分で思う。

けれど、心の残り半分では、違うことも思う。

雷まじりの激しい雨に打たれてみたい――。

わたしたちの生まれた年に起きたあの事故を語るときには、それくらいの痛みがあっていいはずだから。

第四章　北都観音

1

わたしとミウさんがワゴンに乗り込んで北都本町駅を出た頃、カシオペアの丘の事務所では、敏彦がパソコンの画面を食い入るように見つめていた。何度も首をかしげ、車椅子のハンドリムを小さく前後に回して――考えごとをするときの癖だ。

遊園地の公式ホームページに、メールが届いていた。差出人の名前はない。フリーメールの送信アドレスはvoyager――ボイジャー。そのアドレスを見た瞬間にわかったんだと、敏彦はあとでわたしに言った。

北都本町駅から北都川までは、車で二、三分の距離だった。開拓記念碑のあるあたりでは大地を切り裂いているようだった川の流れも、市役所や市立図書館、福祉センターなどがある市の中心部に来ると、改修工事がおこなわれて、すっかりおとなしい街なかの川になっている。

図書館の前の橋を渡って、車を停めた。川岸の土手はここから下流に向かって五百メートルほどの遊歩道になっている。

ミウさんは、ドアの外に立ったままのわたしを振り向いて、「この道、まっすぐ行けばなにかあるんですか?」と訊いた。

「なにもないよ」

わたしは暗さをさらに増した空を見上げて答えた。

「桜ですか、この街路樹」

「そう。エゾザクラ」

「じゃあ、お花見の時季はにぎやかなんでしょうね」

「うん……お花見のときだけね」

エゾザクラが数十本植えられた遊歩道は、五月半ばの『桜まつり』の期間以外は閑散としている。いまも道を歩いている人影はない。野良猫が一匹、たったいま、わたしたちの姿に気づいて土手の下に駆け下りていった。

「なんか、もったいないですね。いい感じの散歩道なのに」

「こういう田舎は、わざわざ遊歩道なんかなくても、散歩する道はたくさんあるから」

それに、この道を歩きたくないひとたちも、きっとたくさんいるだろう。

かつて、この道は市営の斎場に向かう一本道だった。昭和四十二年二月――この道を葬列が途切れなくつづいた数日間がある。北都本町駅の資料館にも教育委員会が編纂《へんさん》した市史にも出ていない写真を、わたしは子どもの頃に見た。降り積もった雪の中を、黒い服を着たひとたちがうつむいて歩いていたのだ。誰もが泣きながら、そして怒りながら、雪を踏みしめて歩いていたのだ。男のひとが数人がかりで棺を担いでいる葬列もあった。遺影だけの葬列もあった。葬列の中には夏に生まれる小さな命をおなかに宿した敏彦の母親もいた。沿道に立って葬列に手を合わせていたわたしの母親は、途中で何度もおなかに手をやって、春の終わりに生まれてくるはずの赤ちゃん――わたしに、かわいそうだね、かわいそうだね、と心の中で語りかけていたのだという。

遊歩道を歩きだしたわたしは、ミウさんがあとにつづいているのを確かめて、川面を指差しながら振り向いた。

「お盆には、ここで精霊流しをするの」

「昔から?」

「わたしが生まれた頃から」

ミウさんは表情を少し曇らせて、「炭鉱の事故と関係あるんですか?」と重ねて訊いた。

「そうなるね。初盆になるから、事故で亡くなったひとの」

炭鉱で生き残った誰かが、自分のふるさとの風習だから、と藁《わら》で編んだ小舟に死んだ仲間たちへのお供え物を載せ、ロウソクを灯して、川に流した。それが、この街の精霊流しの始まりだった。

「じゃあ、桜もやっぱり……」

うなずいた。西の空で、また雷が鳴った。

「桜の木の数、五十四本あるんだよ。事故で亡くなったひとの人数ぶん。昔は木の一本ずつに犠牲者の名前の札も付いてたんだけど……いつのまにか、それ、木の札だったし、事故のことを覚えてるひともだいぶ減ったし、なんか、もう、全部なくなっちゃったね」

それでいいのかどうか、わたしにはよくわからない。でも、名札を作り直して付けようという声はどこからもあがっていない。忘れてしまいたいのだろう。悲しい歴史を刻むものは、ここからでもよく見える北都観音だけでじゅうぶんだと、わたしも思う。

「落盤だったんですか？　ガス爆発ですか？」

「最初はガス爆発。次に落盤して、それから、坑内火災」

要するに炭鉱事故のフルコースだったわけだよ、と付け加えて、また歩きだす。

「コーナイカサイって……」

小走りに追いかけてきたミウさんは、わたしに並んで「炭鉱の、穴の中で火事になっちゃったんですか？」と訊いた。

「ふつうの火事のように、炎が燃え広がって……っていう生やさしいものじゃないんだってね、坑内火災は。穴の中は石炭だから、なんていうか、石炭ストーブの罐《かま》の中と同じ感じなのかな」

「ですよね……」

足を止めた。五十四本並んだ桜の木の、十九番目。わたしたちが小学生の頃まで、ここには敏彦のお父さんの名札が掛かっていた。

「これが敏彦のお父さんの木」

ミウさんは黙ってうなずいた。

「敏彦のお父さんは炭鉱の事故で亡くなって、俊介のおじいちゃんは炭鉱のボスで……そんな二人が同い年の幼なじみって、けっこうすごいことでしょ」

「ええ……」

「敏彦に言わせれば、お父さんは俊介のおじいちゃんに殺された、ってことなんだけどね」

付け加えた一言に、ミウさんは相槌を打たず、ただ目を伏せて、わかります、とだけ小さくつぶやいた。

「あなたはどう思う？　倉田千太郎って、やっぱりひとごろしだと思う？」

ミウさんは黙り込んだ。答えを知りたかったわけでもないのに、意地悪なことを訊いてしまった、とわたしも思う。

風が吹いた。川面が波立つほどの強い西風だった。その風に乗って、雨の最初の一粒が落ちてきた。


窓の外は暗くなっていたけど、敏彦は事務所に明かりを点けるのも忘れて、じっと考え込んでいた。ときどき机の上のパソコンに目をやって、メールが届いたことそのものを打ち消すように首を横に振り、ため息をつく。

どうすればいいのかわからなかった。敏彦は、あとでわたしに言った。途方に暮れるってのはこういうことなんだな、初めて知ったよ、と無理に笑った。

ボイジャーと名乗ったメールの差出人は、俊介――確信を持っていても、嘘だ、と自分に何度も言った。そんなの嘘だ、と繰り返すにつれて、外の暗さは増していった。

ボイジャー1号と2号のことなんて忘れてたんだ。敏彦はわたしに言った。ほんとに、忘れてたんだよ、俺は。

雨が降りだした。外で遊具の受付をしていた小川さんがトランシーバーで「雨合羽と傘の用意お願いします」と呼ぶ声にも、しばらく気づかなかった。

時間が止まったんだ。敏彦は言った。われに返ったあと、時間はまた流れだした。でも、それは、前に進むだけの流れではなかった。

美智子もそうだったんだろ？　ミウさんに事故のこと話してたんだろ、同じ頃。なんか、偶然っていうか、似てるよな。

わたしたちの時間は、前に流れながら、過去へも流れはじめた。

そのときから、ずっと。


遊歩道を駆け戻って車に飛び乗ると、それを待ってくれていたように雨は本降りになった。雷交じりの激しい雨だ。ワイパーを「強」にしても追いつかない。

この雨の中を運転するのも気がすすまず、ミウさんも事故の話のつづきを知りたがっている様子なので、いったん解除したサイドブレーキをまた引き直した。エンジンはかけたまま、ワイパーも動かしたまま——規則的なテンポで弧を描くワイパーの動きをぼんやりと目で追っていると、思っていたよりすんなりと話を切り出すことができた。

一九六七年。昭和四十二年。事故の伏線は、その前年のうちにあった。倉田千太郎は札幌で新しい会社を興していた。それが倉田コーポレーションの前身の倉田開発——採炭のピークを過ぎた北都炭鉱は、すでに見切りをつけられていた。厄介払いをされるように東京の財閥系の石炭会社の傘下《さんか》に組み入れられた北都炭鉱では、合弁会社になった倉田鉱業を率いる倉田千太郎のもとで、労働組合との激しい衝突のすえ、大規模な合理化が進められた。人員が整理され、経費は大幅に切り詰められた。

第二炭鉱の坑道は海面下マイナス六百メートルの深さにまで達していた。それより浅い層の石炭はすでに掘り尽くしてしまった。深く掘り進めると、危険も増す。事故を防ぐための保安対策も必要になる。でも、それ以上に深い層からの採炭にはコストがかかる。採算を取るには、合理化——保安対策に時間と費用をかけるわけにはいかなかった。

発破をかけて岩盤を砕く前には、ボーリング工事をして、岩盤の中に入っているメタンガスをあらかじめ抜いておかないといけない。でも、ボーリングは費用がかさむ。当時のお金でも一本数千万円、それを何本も地中に打ち込まなければならない。地層の解析をして確実にメタンガスが抜けたかどうかを調べるのにも費用がかかる。ところが、倉田鉱業はボーリング工事をおざなりにした。打ち込むパイプの数も十分ではなく、解析もほとんどしないまま、坑道を掘り進めていった。

そして——事故が起きた。

二月七日、午後一時。メタンガスが岩盤から突出し、坑道内に噴き出した。

その直後、坑内にいた作業員の服に帯電していたと見られる静電気が、メタンガスに引火。坑内は激しい爆発と同時に炎に包まれ、岩盤は次々に崩れ落ちていった。

「坑道は一本道のトンネルで、行き止まり。出口に向かう途中では火事と、ガスと、落盤……どうしようもないよね」

坑内火災は三日たっても鎮火する気配はなかった。火災現場の手前の坑道からは遺体や負傷者が外に運び出された。でも、現場の奥で掘削《くっさく》作業をしていたひとたちは取り残されたままだった。爆発が何度も起き、そのたびに地響きをたてて岩盤は崩れ落ちる。救助のために坑道に入った消防団も二次災害に巻き込まれ、一人が行方不明になった。それが敏彦のお父さんだった。救助活動は打ち切られた。とにかく火を消すしかない。坑内に閉じこめられたひとたちではなく、炭鉱そのものを救うために。

「どういう意味ですか?」

「北都炭鉱は、もう、ぎりぎりの経営状態だったからね。一日でも採炭がストップしちゃうと、それだけでヤバくなる、自転車操業でやってたの。あとでわかったことだけど、その頃はもう、炭鉱で働くひとたちの社内預金まで運転資金に回してたほどなんだから」

いつになるとも知れない自然鎮火を待っているわけにはいかなかった。早く火を消して、早く操業を再開しなければ――「ヤマが死ぬ」と、関係者はあせっていた。

決めなければならなかった。

なにを――? ミウさんの顔が曇る。

見捨てなければならなかった。

誰を――? ミウさんはつらそうに眉を寄せた。

「最後の最後に決めるのは、倉田千太郎しかいなかった」

「でも、それって……」

「坑内に取り残されたのは、敏彦のお父さんも入れて七人いたの」

すでにその時点で死者は四十七人にのぼっていた。七人の生存も絶望視されていた。そして、これ以上火災がつづき、落盤がつづくようだと、日産三千トンの採炭がノルマだったこの区域は使い物にならなくなってしまう。

　爆発事故から五日目、倉田千太郎は注水を決断した。坑内に水を注ぎ込み、坑道をふさいで、火を消す——それは、取り残された七人を見捨てるということだった。遺体すら戻ってこないということだった。

「でも、倉田千太郎は会社の幹部に言ったの。五千人を殺す気か、一万人を殺す気か、って」

　このままヤマが死んでしまえば、炭鉱はつぶれる。炭鉱がつぶれてしまうと、そこで働くひとも、炭鉱で働くひとを相手に商売をしているひとも、炭鉱に支えられた北都の街そのものが、死ぬ。

　倉田鉱業の幹部は七人の家族を説得した。頭を畳にすりつけて謝罪し、懇願して、ひそかにお金も積まれた。唇を嚙みしめてそれを受け取った家族もいたし、頑として突き返した家族もいた。敏彦のお母さんはお金を受け取らなかった。注水を認める念書に、最後の一人になっても判を捺《お》さなかった。

「トシさんのお母さんって……身重だったんですよね」

「そう。敏彦は八月に生まれたから、妊娠四ヵ月かな。なんとなくおなかが大きくなってる頃だったと思う」

「交渉には立ち会ったんですか」

「ぜんぶ一人でやったの。親戚のひとには口出しさせずに、最初から最後まで、自分一人で『倉田』の幹部とやり合ったんだよ」

敏彦のお母さん——わたしにとっては義母になる。

「強いひとだったよ。優しくて、強いひとだった」

だから、最後の最後は、ヤマと北都を選んだ。命がけで消防団員の職務をまっとうしようとした夫の思いと命を、街の未来に捧げることに決めた。

「でも、『倉田』をゆるしたわけじゃないんですよね？」

「ゆるせないでしょ、それは」

うなずいて「だから……」と言いかけたミウさんを制して、「優しいひとだったんだよ、敏彦にも、敏彦の友だちにも」とつづけた。

「シュンさんにも、ですか？」

「そう」きっぱりと言った。「優しかったよ、すごく」

「でも……」

言わせない。「悪いけど、俊介の話はしないで」と声を強め、「敏彦のケガの話も」と付け加えた。二人のことは——誰にも踏み込んでほしくない。わたしや雄司だってほんとうは踏み込むことはできないはずだと思うから。

二月十三日、事故から六日目に、敏彦のお母さんは念書に署名した。

翌日、注水が始まった。労働組合のひとたちの怒号がこだまするなか、給水車のホースから大量の水が坑内に注ぎ込まれた。

倉田千太郎は倉田鉱業の社員たちに護衛されながら、高台に立っていた。作業服の上にボア付きの防寒ジャンパーを羽織り、ニッカボッカーに編み上げの作業靴を履いて、坑口をじっとにらみつけていた。煙草をくわえ、ニッカボッカーのポケットに両手を突っ込んだ態度が、あとで組合から激しく糾弾されたらしい。

これが、わたしたちが生まれた年に起きた悲劇だ。

四十年前。忘れ去るにはじゅうぶんな時間かもしれない。すでに炭鉱はなくなった。たくさんのひとが街を去って行った。

でも、倉田千太郎は、わたしたちに「忘れるな」と命じた。

事故の翌年、犠牲者の一周忌のあと、炭鉱を見下ろす丘で工事が始まった。その年の夏、精霊流しの小舟が川を流れる頃、丘の上に白い巨大な観音像が姿をあらわした。倉田千太郎が私財を投じて建立した観音像だった。

「じゃあ、最後の場所に行こうか」

わたしはサイドブレーキを解除して、車をゆっくりと発進させた。

ミウさんは黙って、膝の上に置いたバッグを抱き寄せた。

雨はあいかわらず強い。雷も鳴っている。西から東へ、少しずつ迫ってくる雷雲に向かって、わたしたちの車は走る。

2

敏彦は俊介から届いたメールをプリントアウトして持ち帰っていた。

でも、四つに折り畳んだその紙を、なかなか開こうとしない。意地悪でじらしたり、もったいぶったりしているのではなく、迷って、困って、苦しんでいるような様子だった。

「何回読み返してもだめなんだ。読み返すほどの分量があるわけじゃないんだけど、読めば読むほどわからなくなって……ミッチョの顔を見たら、よけいワケがわからなくなって……」

珍しいことだった。なにごとにつけても決断が早い敏彦が、こんなに煮え切らない言い方をするのも、わたしを子どもの頃のようにミッチョと呼ぶのも。

わたしにも不安はあった。万が一のことを思って、おびえてもいた。信じている。あのひとのことを。でも、きっぱりと迷いなく信じるには、わたしたちが離ればなれになってからの年月は長すぎる。

「ねえ、わたしのこと、書いてた?」

思いきって訊いた。声の微妙な震えを悟られたくなくて、すぐに「ミッチョにもよろしく、とか」とつづけた。

「宛名は、俺と美智子の連名なんだよ。俺たちに、書いてるんだ」

「それで?」

「うん……でも、なんか、ちょっと……違うんだよなあ、わかんないんだよ……」

「とりあえず見せてよ」

さっきから何度も言っている。そのたびに「ちょっと待って」としか応えなかった敏彦が、初めて、一つだけ迷いを振り切った。

「美智子に見せるかどうかは、俺が決めなきゃいけないんだ。そう書いてるんだよ、あいつ」

「どういうこと?」

「だから、俺にまかせるって書いてるんだけど……ちょっとまだ、俺も気持ちの整理がついてないっていうか……」

まいったよ、ほんと、まいった、と首を左右にかしげながら繰り返す。

さすがにわたしもいらだって、「じゃあ整理つけてよ、早く」と言った。

「なあ……シュンって結婚してるんだよな。子どもはいたんだっけ」

「うん、男の子が一人……あなたも聞いたでしょ、ユウちゃんから」

もう何年も前——まだカシオペアの丘が遊園地になる前に、ひさしぶりに実家に帰省した雄司と旭川で会った。三人でごはんを食べているときに、俊介の近況を教えてもらった。わたしと二人きりではないタイミングを選んでくれたんだろう、と思う。

「いくつなんだろうな、子ども」

「まだ小学生とか中学生だと思うよ。ウチのクラスの子の親も、だいたいわたしと同い年ぐらいだし」

「小学四年生だとしたら、何歳だ？　七、八歳か？」

「違う違う、誕生日が来る前の子は九歳で、来たら十歳」

敏彦はそういう計算に疎い。わたしだって、小学生はともかく、中学二年生が何歳かと訊かれたら、とっさには答えられない。

わが家には子どもがいない。敏彦の選択だった。だってそうだろ、歳をとったら子どもに苦労かけるのがわかってるんだから——いつも強気な敏彦が、老後のことを考えるときだけは、不安で心細そうな顔になってしまう。歳をとって俺の介護が負担になったら、いつでも捨てていいからな、と真顔で言うときもある。

「どっちにしても、まだ息子はおとなになってないってことだよな」

「それはそうでしょ、まだ三十九なんだから」

「あいつ、誕生日まだだっけ」

「うん、十二月だもん」

軽く応えて、ひやっとした。くわしすぎる。わたしと俊介は、小学五年生が終わったときを最後に一度も会っていない、はずだ。

でも、敏彦はそれを気にとめることはなく、さらにまた話を変えた。

「カシオペアの丘が開業したときって、東京でもニュースになったのかな」

「どうなんだろう……」

「無理かな、田舎の遊園地だもんな。でも、ニュースに出なくても、シュンは知ってるよな、親父さんや兄貴から聞いて」

たぶんね、とうなずいた。

「あいつ、遊園地がほんとにできたから、びっくりしたかな」

「したよ、絶対」

きっぱりと言った。自信がある。確信と言ってもいい。あのひとは遊園地が大好きで、北都にも遊園地ができたらいいのに、と思っていた。子どもの頃から、ずっと。

「喜んだかな」

「うん、もう、絶対に。それに、トシが園長になったわけだから、もう、びっくりして、うらやましがって、悔しがってたと思うよ」

声をはずませても、敏彦は乗ってこなかった。逆に険しい顔になって、「じゃあ……」と言った。

「なんで、あいつはいままでカシオペアの丘に来なかったんだ?」

言葉に詰まった。わたしは、その理由を知っているから。

「『倉田』のせいか?」——三つある答えの一つは、それだ。

「俺がいるからか?」——二つ目の答えだった。

敏彦は顔をゆがめ、「来ればいいじゃないか、なんで来なかったんだよ」と悔しそうに言う。「あいつはもう『倉田』とは関係ないんだし、俺のことだって……俺はもう、なにも気にしてないって……なんでわかんないんだよ、あいつ……」

「それだけ申し訳ないと思ってるんだよ、シュンは、あなたに」

「俺は恨んでない」

敏彦はいらだたしげに車椅子のリムをつかんで、前後に揺すった。「俺は自分のミスでこうなったんだ、これは俺の責任で、あいつには関係ないんだ」——敏彦は確かに、わたしの前で恨み言めいたことは一度も言っていない。でも、俊介はずっと責任を感じていた。敏彦を車椅子の生活にしてしまったのは自分のせいだ、と何度も言っていた。大学時代。わたしたちが、子どもではなく、おとなでもなかった頃。

「ねえ、なんでそんなこと急に言うの?」

「……懐かしい、って書いてた」

「シュンが？」

「俺たちやカシオペアの丘のことが懐かしくてたまらない、って。でも会えないから、せめてメールで伝えたい、って……」

懐かしいのに会えないなんて、そんなばかな話あるかよ、と吐き捨てる。来ればよかったんだよ、何度でも、と悔しさよりも悲しさのほうが強い声でうめく。

そんな敏彦を、わたしはただ黙って見つめる。なにも言えない。わたしは知っている。俊介が北都に帰ってくることはないだろう。この街は「倉田」に牛耳られているから。敏彦が車椅子に乗っているから。そして、わたしが敏彦と二人でこの街にいて、東京にいた頃のわたしのことを敏彦がなにも知らないうちは、決して。

敏彦は息を大きくついて気持ちをしずめ、「遅いんだよ」と嚙みしめるように言った。

「遅いって、なにが？」

「いまのカシオペアの丘を見て、おまえは、ほんとにガキの頃の夢がかなったんだと思ってるのか？　思えるか？　あんなガラガラの遊園地で」

「でも、それは……」

「来るんなら、もっと早く来なきゃだめだったんだよ」

カシオペアの丘がまだ俺たちの夢だったうちにな、と付け加えて、ため息をついた。

あの丘にわたしたちが夢を託していられた時期は、ごく短かった。

おそらくすべては、わたしたちが抱いているのとは別の種類の夢によって動かされていたのだ、といまは思う。

北都炭鉱の跡地をリゾートとして開発する、という計画が持ち上がったのは十年前だった。中心にいたのは土地の所有者でもあった「倉田」——当時社長だった俊介のお父さんが推し進めた。わたしたちは「ケンさん」と呼んでいた俊介の兄の健一さんは、専務として最後まで反対していたんだと、あとで知らされた。

「倉田」の肝煎りで、リゾート運営のための第三セクターが設立された。出資者は、北都市と「倉田」、そしてリゾート開発に積極的だった東京の大手電鉄会社——のちに汚職で逮捕されることになるワンマン経営者は、記者会見で「北海道はいまが底値だ」と言い放った。

でも、ワンマン経営者の思惑以上に北海道の不況は長く深刻だった。開業までの五年間で「底値」はどんどん更新された。中間発表のたびに計画は縮小され、予算は削られ、それでいて「倉田」が請け負う工事費はかさんだ。スキー場の建設は頓挫して、完成予想図からはいつのまにかリゾートホテルの姿が消えていた。旭川空港と結ぶシャトルバスの運行計画も立ち消えになり、残ったのは遊園地だけ——それも、ジェットコースターや観覧車のような初期費用の大きい遊具はことごとくはずされてしまった。

開業後一年で、電鉄会社は第三セクターから手を引いた。すでに土地の売却や工事請負で十分な利益を得ていた「倉田」も、三年前にケンさんが社長になると、あっさり撤退した。見切りをつけられてしまったのだ。かつての炭鉱時代のように。

あとに残されたのは、撤退しようにも逃げ場所のない北都市だけ。第三セクターの借入金に対して市が損失補塡をしていたので、事業を廃止すると、すぐさま返済の履行を求められる。負け戦《いくさ》とわかっていても、そこからおりるわけにはいかない。でも、営業をつづければつづけるほど赤字はふくらんでいき、そうでなくても乏しい市の財政が圧迫されていく。

来年二月の市長選ではカシオペアの丘のことが選挙の争点になる、とされていた。

現職の萩原《はぎわら》市長は十年前にカシオペアの丘の計画を進めてきた筋金入りの「倉田」派で、その面子をかけ、責任問題から逃れるためにも、カシオペアの丘を存続させる。一方、立候補が確実視されている市会議員の石井《いしい》さんは、対立軸をはっきりさせるためにも、カシオペアの丘の即時閉園、清算を強く主張する、と思われていた。

ところが、夏になって状況が変わった。ケンさんは萩原市長から石井さんに乗り換えた。萩原市長とカシオペアの丘をまとめて切り捨てることを決めたのだ。萩原市長はあわてて、カシオペアの丘の閉園を口にするようになった。

市長選の結果はどちらに転ぶかわからない。「倉田」が最終的にどちらの陣営につくかも、まったく読めない。

確かなことは、ただ一つ。

もうカシオペアの丘を守ってくれるひとはいなくなった、ということだけだった。

「カシオペアの丘、できなかったほうがよかったのかな」

敏彦はぽつりと言って、冷蔵庫から出したビールを啜った。「子どもの頃の夢って、夢のままのほうがいいのかもな」とつづけ、ビールをまた啜って、メールをプリントアウトした紙を広げて自分だけ読み返した。

「ねえ、いいかげんにわたしにも見せてよ」

テーブルに身を乗り出したわたしに、敏彦は紙を見つめたまま言った。

「今日、北都観音にも行ったんだろ?」

「うん……」

「どうだった、北都観音。それを聞いたら、ちょっとは気持ちの整理もつきそうな気がする」

「シュン、北都観音のこと、なにか書いてたの?」

「テレビで観たんだって、ほら、雄司の番組で。それで俺たちのことも思いだして、懐かしくなったらしい」

敏彦は紙を畳み直しながら、「大学病院のテレビで観たって書いてた」と付け加えた。

「病院って?」

「いいから……北都観音のこと、聞かせてくれ」

ため息交じりの低い声だった。でも、有無を言わせない強い響きの声でもあった。

3

ワイパーが追いつかないほどの雨の中、車は国道をはずれ、曲がりくねった坂道を上っていった。カーブで視界が開けると、雨に煙ったカシオペアの丘が見渡せる。

ミウさんは助手席の窓の曇りを手のひらで拭《ふ》き取りながら、「意外と遠いんですね。下から見ると、ほとんど隣り合ってるみたいだったけど」と言った。

「遊園地と北都観音って、直接結ぶ道路はないんだよ」

「そうなんですか?」

「いったん国道に出ないとだめなの。車で北都観音に行くには、この一本道しかないから」

ミウさんは、なるほど、とうなずいた。

「やっぱり……アレですか、道をつなぐのが嫌だったとか」

勘は悪くない。だからわたしも、そうだとも違うとも応えずに、ギアを落とし、アクセルを踏み込んだ。

坂道の勾配は途中から急になった。舗装も荒れ、路肩も狭くなって、車がすれ違うのが難しい場所も増えてきた。かまわずスピードを上げる。気がせいているわけではなかったけど、ここは、のんびりとドライブを楽しみながら訪れるような場所ではない。交互に出てくる「落石注意」と「警報鳴らせ」の標識に「スリップ注意」「凍結注意」が加わった頃から、ミウさんは窓の上のグリップを離せなくなった。

「そろそろ見えるよ」

カーブを曲がりきると、それまで森に隠れていた観音像が不意に姿を見せる。ここからだと胸から上だけ——それがかえって、観音像の巨大さをきわだたせる。

「迫力ありますね……」

「晴れてたら、もっとインパクトあるんだけどね」

「あ、でも、天気がよかったら、古びてるのが目立っちゃうんじゃないですか?」

勘は悪くない、ほんとうに。ミウさんの言うとおり、遠目には純白だった観音像が、そろそろ煤《すす》けてくる頃だ。もうちょっと近づくと、あちこちに走ったひび割れや、塗装の剝げたところも見分けられるだろう。

「歓迎　北都観音」と書かれた錆だらけのアーチをくぐって、最後のカーブを曲がる。道路はその先で尽きている。駐車場とは名ばかりの、舗装が剝げて雑草があちこちに顔を出している空き地だ。

観音像が立つ台座の脇に、コンクリート造りの事務所がある。看板には「拝観受付」とあるけど、ブラインドを下ろした事務所は、明かりの点いている気配はない。

「観光客とか、来るんですか?」

「昔はね、そこそこ。でも、もう、拝観無料になって何年もたってるから」

「入れるんですか?」

「うん……事務所にひとはいないけど、エレベータとか照明とかのメンテナンスは定期的にやってる。『倉田』のひとが、札幌か旭川か知らないけど、そこから来てるみたい。冬になっても、除雪車を出して道だけは通れるようにしてるから」

「わざわざ?」

「だって、倉田千太郎の執念が籠《こ》もってる聖地だから」

ミウさんは「執念ですか?」と笑った。でも、ほかに言いようがない。

「中に入ってみたらわかるよ」

台座のそばで車を停めた。「胎内めぐり入口」とプレートの掛かった鉄の扉の、すぐ前——扉には「ご自由にご拝観ください」の貼り紙も、緊急連絡先の電話番号を添えて掲げられていた。

ミウさんはシートベルトをはずし、わたしも車のエンジンを切って、濡れるのを覚悟で傘なしで駆け込もうと決めた。

「じゃあ、行きますか」

ミウさんがドアのレバーに手をかけた、そのとき——激しい雷鳴が轟《とどろ》いた。近くの山に落ちた。

「中に入っちゃってもだいじょうぶなんですか?」

「避雷針がついてるから、平気だと思うよ」

「エレベータ、停電したりして……」

「やめるんなら、べつにいいけど」

「行きます行きます、入ります」

車から転げ出るようにダッシュして、入り口に向かう。雨が痛い。冷たい。跳ね上がる泥が、この空き地がもう駐車場としての用をなしていないことを伝えた。

ちょうつがいが錆びついた扉は、耳の後ろをひっかくような軋《きし》んだ音をたてて開いた。センサーが反応して、真っ暗だったホールに明かりが灯る。天井の蛍光灯はどれも古くなっているのだろう、何度もまたたきながら——またたいたすえに結局明かりが点かなかったものもあった。

がらんとしたホールの奥には、扉が二つあった。一つは観音像の顔に直行するエレベータの扉で、もう一つは螺旋を描いて最上階の十二階までつづくスロープの扉。エレベータのボタンを押そうとするミウさんを制して、こっち、とスロープの扉を指差した。

「この扉は、ミウさんが開けたほうがいいよ」

「え、でも……」

「わたしは知ってるから。ミウさんが自分で開けて、自分で見て」

「なんですか、それ、なにか変なものがあるんですか？」

戸惑うミウさんの背後に回って、ほら開けて、とうながした。

「なんか……やだなぁ……」

扉を開けたミウさんは、スロープを見渡した瞬間、短い悲鳴をあげて身をすくめ、わたしにすがりついた。

「ちょっと……これ……やだ……」

うめくように言って、わたしの腕を強くつかむ。予想どおりの反応だった。それは、ここを展望台のつもりで訪れてしまった観光客すべての反応でもあった。

スロープの両側に、ひとが並んでいる——最初はそう見える。

でも、照明が点くと気づく。並んでいるのは人間ではなく仏像だ。

釈迦《しゃか》如来《にょらい》像、薬師《やくし》如来像、阿弥陀《あみだ》如来像、弥勒《みろく》菩薩像、千手《せんじゅ》観音像、日光《にっこう》菩薩像、月光《がっこう》菩薩像、不動明王《ふどうみょうおう》像、毘沙門天《びしゃもんてん》像、鬼子母神《きしもじん》像……さまざまな仏像が、照明が灯っても薄暗い壁を埋め尽くしている。ひとの背丈よりも高い仏像もあれば、てのひらに載る仏像もある。石仏もあるし、木彫りのものもある。立仏に座仏、寝仏まである。りっぱな厨子《ずし》に収められた仏像の隣には、金箔が剥げ落ちて顔も定かではない仏像があり、さらにその隣には、仏画の掛け軸がある。屏風もある。版画もある。子どもが画用紙に描いたお地蔵さまの絵も、額に入れて掛かっている。

空調設備はあっても、窓のないスロープには重い湿り気が澱んでいる。黴《かび》と埃《ほこり》の入り混じった饐《す》えたようなにおいに、思わず手で鼻を覆った。

息を詰めてスロープを進むと、やがて、別のことにも気づく。マリア像がある。お稲荷さまの狐の石像がある。天満宮の牛が横たわった隣では、十字架にはりつけになったイエス・キリストと琵琶を弾く弁財天が寄り添って、それを向かい側から、ポリネシアあたりの島で土産物として売っている土偶が見つめている。要するに——めちゃくちゃなのだ。

「……なんなんですか、ここ」

ミウさんはわたしの腕を両手でつかんで離さないので、ひどく歩きにくい。

「カッコよく言えば、倉田コレクションかな。倉田千太郎が一人で集めてるの。てっぺんまでずっとこんな具合に並んでるから、全部でいくつあるのか見当もつかないよ」

正式な胎内めぐりは、エレベータで最上階の十二階まで上り、スロープを歩いて下りる仕組みになっている。参拝客は無数の神さまや仏さまに見つめられながら、薄暗いスロープをひたすら下っていくわけだ。

「仏教だろうがキリスト教だろうがおかまいなしに、ひたすら集めるの。由緒ある仏像やマリア像もあるし、古美術商にだまされたようなものもあるけど、とにかくなんでもいいの。この観音さまを埋め尽くしたいの」

「なんで、そんなことしてるんですか?」

さっきまでの勘の良さが消えてしまった。よほどショックだったのだろう。そろそろ限界かな、とわたしは踵《きびす》を返し、スロープを下りながら言った。

「供養なんだと思うよ」

少し考えてから、「せめてものお詫《わ》びのしるし、かもね」と言い直す。

「事故で亡くなったひとに?」

「たぶんね」

ほんとうは、わからない。

倉田千太郎の胸にあるものは、なにも。


北都観音の改修工事が始まったのは、わたしたちが中学を卒業する間際、炭鉱事故の犠牲者の十七回忌の法要がすんでしばらくたった頃だった。なんの前触れもなく、いきなり——倉田千太郎の独断で急遽《きゅうきょ》決まった工事なんだとあとで知った。

工事は二年がかりの大規模なものになった。もともとはがらんどうだった観音像の中を十二層に仕切ってエレベータやスロープをつけた。街のひとたちは、てっきり観光用の工事だと思っていた。慰霊のために建立した観音像で金儲けをするというのは、いかにも「倉田」らしいやり方だった。その頃すでに札幌で急成長を遂げていた「倉田」は、石炭にも北都の街にもとっくに見切りをつけて、札幌近郊の宅地開発や観光業に本腰を入れていたから。

完成した観音像は、確かに拝観料をとる有料の施設だった。観音さまの顔が展望台になって、くりぬいた目から北都の街を見渡すことができた。拝観受付の事務所には土産物の売店もあった。でも、ここが観光の名所になると喜んだひとは、北都の街には誰もいなかった。かわりに、

「倉田の大将は気がふれてしまった」という噂が街に流れた。観音さまの胎内に神さまや仏さまがごちゃ混ぜに並んだ光景は、観光の売り物になるどころか、ワンマン実業家の道楽だとあきれて笑うにも異様すぎた。

しかも、仏像や神々の像はどんどん増えていった。最初のうちは、無理をすれば「美術館」と言い張れそうな間隔をおいた並べ方だったけど、やがてどのフロアも、彫像や絵画で埋め尽くされた。「展示」ではない。「収蔵」とも呼べない。ただひたすら、ぎっしりと並べていくだけ。いつだったか、まだ結婚する前に敏彦が言っていた。「神さまを乗せたノアの方舟《はこぶね》みたいだな」──わたしは、秦《しん》の始皇帝の兵馬俑《へいばよう》みたいだ、と思う。

結局、北都観音は観光スポットにはならなかった。倉田千太郎も、はなからそれは期待していなかったはずだ。「倉田」の事業としてテコ入れするでもなく、といって閉鎖してしまうわけでもなく、最小限のメンテナンスを施しながら、いまも年に何度か札幌からトラックが来て、蒐《しゅう》集品を観音さまの胎内に運び込んでいる。

なぜそんなことを始めたのかがわからないように、いつになればそれが終わるのかも、わたしたちにはわからない。答えは倉田千太郎しか知らない。いや、いまはもう、倉田千太郎自身も答えを見つけられないかもしれない。炭鉱が閉山したあとも北都の街に隠然たる権力を持ちつづけていた倉田千太郎は、この一、二年──九十歳を過ぎてから、現実と幻の区別がつかなくなっている、という噂だった。

エレベータにあらためて乗り込んでも、ミウさんはショックが消えない様子だった。わたしと目を合わさず、クリーム色の壁を呆然《ぼうぜん》と見つめて、ため息を繰り返す。

「すごかったでしょ」

苦笑交じりに声をかけても、笑い返すこともできず、ただ黙って小さくうなずくだけだった。

「わたしが『執念』って言った意味、わかるでしょ」

ほんとうは、もう、その段階も過ぎてしまったのかもしれない。いっそ「狂気」と言い切ったほうが、北都観音にかかわるひとたちも、街のひとたちも、そして倉田千太郎自身も楽になるんじゃないか、とも思う。

エレベータは十二階で停まった。ガタンと音をたててカゴが揺れ、扉が開く。

狭く薄暗いエレベータホールは、観音さまの後頭部にあたる。こっち側に窓はない。展望台へは、ここから凍結防止のための二重ドアを開けて、観音さまの顔の側に回り込まなければならない。

「もったいぶってるみたいだけど、そうしないと、ドアを開けることもできないから」

十一月から三月いっぱいまで、展望台は雪と寒さで立ち入り禁止になる。観音さまの両目をくりぬいた窓には、ガラスは塡《は》まっていない。転落防止の鉄格子があるだけの吹きさらしだ。明かりもない。壁や床はコンクリートで一面塗り固められて、ベンチどころか照明もない。それだけでも、観光なんてこれっぽっちも考えていなかったんだとわかる。

「今日はこの天気だから……窓から外を見るってのはキツいと思うよ。かまわない?」

ミウさんの返事はなかった。でも足を止めてしまっているわけじゃないんだから、と先に立って一枚目のドアを開け、二枚目のドアも開けて、壁をぐるりと回り込んだ。

視界が開けた――と同時に、強い雨風が吹きつけてくる。観音さまの眼窩《がんか》は数十センチの厚さのコンクリートなので、ふつうの雨なら中に吹き込むことはないが、とにかく激しい雨だ。風も地上よりずっと強い。コンクリートの床は水浸しになっていた。

「ほら、やっぱり、だめだね……こういう感じってことで、いい？」

雷も鳴り響いた。壁や床がビリビリと震えるほど近くに落ちた。風が吠《ほ》える。頰に当たる雨粒は、まるで砂利のように痛い。

「天気がよかったら北都の街がぜんぶ見渡せるんだけど……無理だよ、今日は」

そういうことだから、とミウさんの肩を軽く叩いて、エレベータに戻りかけた。

すると、ミウさんは駆け出した。

展望台に向かってダッシュして、観音さまの目から街を見渡した。

風が吹きつける。雨が吹きつける。あっという間にずぶ濡れになり、強い風にあおられて足元をふらつかせながらも、ミウさんは窓にすがりついて外を見つめる。

「ちょっと、どうしたの！」

驚いて駆け寄ったわたしに、ミウさんは「だって、気持ちいいじゃないですか」と声を張り上げた。「ここ、最高ですよ」

空が光る。追いかけて、雷が鳴る。風の音は街なかで聞くよりもずっと太くて重い。風を川に譬《たと》えれば、観音さまが浴びているのは濁流だ。街は雨に煙って、ほとんどなにも見えない。それ以前に、雨が痛くて目を開けていられない。でも、ミウさんは「最高です、最高です」と繰り返す。さっきまでの困惑した沈黙が嘘のように――それとも、沈黙していたからこそ、心の中のなにかがはじけ飛んでしまったのだろうか。

「ねえ、美智子さん、一つ訊いていいですか」

振り向いた顔は、シャワーを頭から浴びたように濡れそぼっている。そこまでは付き合えない。わたしは観音さまの目尻の先に逃げて雨と風をかわした。

「倉田千太郎って、やっぱり北都のひとたちに嫌われてるんですか?」

「それはね。でも、『倉田』にお世話になったひとも多いし、いまでも市役所や議会には力を持ってるから」

「美智子さんは?　倉田千太郎って嫌いですか?」

「嫌いだよ」

感情を込めずに、でも、迷うことなく言った。敏彦と俊介の顔が浮かぶ。先に浮かんだのは敏彦だったけど、くっきりしていたのは俊介の方だった。

「わたしは、けっこう好きです」

ミウさんの声にも、迷いはなかった。「いまは好きかどうかわからないけど、好きになってあげたいなって思ってます」とつづけて、服の袖で濡れた顔をぬぐい、「わたし、誰かに謝りつづけるひとって好きなんです」と付け加えた。

「……謝ってるかどうか、わかんないけどね」

「でも……ゆるしてあげてほしいなって思います、わたし」

空は雨雲に覆われていても、コンクリートに囲まれた展望台の陰よりは明るい。切れ長の目の形に切り取られた、ほのかなまぶしさが、ミウさんを照らし出す。ふざけているようには見えない。なにかをごまかしたり、わたしの反応を探ったり、というふうでもなかった。

ミウさんはまた外に向き直って、「この観音さま、わたしは好きです」と言った。自分の言葉に自分で大きくうなずき、「また来ます……」と噛みしめるようにつづけた。

4

長い話の間は一度も口をつけなかったビールを、敏彦はわたしの話が終わると、ごくごくと呷《あお》るように飲んだ。

「誰かに謝りつづけるひと、か……」

ミウさんの言葉を繰り返して、「シュンもそうなのかなあ」と言う。

そして、やっと——要らなくなった紙を、捨ててくれ、と託すように、メールのプリントアウトを渡してくれた。

「けっこうショックなこと、書いてあるぞ」

わたしが紙を開く前に言った。

〈浜田《はまだ》敏彦園長／美智子様
トシ、ミッチョ。たぶんトシが先に読むと思うから、トシに書く。ミッチョに読ませたり伝えたりするかどうかは、トシにまかせる。俺のことを忘れているのなら、そのほうがいい。名前は書かない。

先日、大学病院のテレビで偶然カシオペアの丘を見た。北都観音も映っていた。懐かしくてたまらなかった。二人のことを思いだして、会いたくなった。でも、俺は二人には会えない。だから、メールを送る。俺のことを思いだして、読みたくなくなったら、このまま削除してほしい。

俺はガンだ。精密検査の結果はまだ出ていないが、最悪の場合もありうる。二人にもう二度と会えないまま死んでしまうかもしれない。でも、それも運命だと思っている。

ただ、どうしても生きているうちに言っておかなければならない言葉だけ伝えたくなった。

ゆるしてほしい〉

プリントアウトから顔を上げた。敏彦は横を向いて、リビングの片隅――写真立てに入れた両親の写真をじっと見つめていた。

「シュンだろ、やっぱり」

横を向いたまま言った。わたしもそう思う。でも、うなずくことも首を横に振ることもできない。もう一度メールを読み返したいのに、目を動かすこともできない。紙を畳もうと思っても、指が動かない。凍りついた。

「……ガンだって」

「うん……ガンなんだな、あいつ」

「嘘ついてるんじゃないよね」

「シュンは嘘はつかないよ」

「検査の結果、まだだって」

「うん……」

「治るよね、最近は」

「けっこう治るっていうけどな、早く検査して見つかれば」

「じゃあ、治るんじゃない？」

「うん、治るんじゃないか」

ふわふわした、ひらべったい声が、わたしたちの体からうんと離れたところで往復する。いや、わたしの声は自分でもわかるほどうわずって抑揚が消えていたけど、敏彦はふつうにしゃべっているのかもしれない。わたしの耳がどうかなってしまって、音のしない耳鳴りがずっと響いているのかもしれない。

「俺のビール、飲んでいいぞ」

敏彦は亡くなった両親を見つめたまま言ってくれた。わたしも、ありがと、と応えた。

でも、わたしの手は動かない。凍りついているのだ、とにかく。しゃべっている声も、聞いている声も、ほんとうはすべてが幻で、手に持った紙にもほんとうはなにも書かれていなかったら、いいのに。

「あいつ、ゆるしてほしいって」

「書いてたね」

「俺のことなのかな。親父やおふくろに言ってるのかなあ」

「ぜんぶじゃないの」

そこには、わたしもいる。だから、ぜんぶ。敏彦はなにも知らない。だから、ぜんぶ、としか言えない。

でもなあ。

敏彦の声が、またひときわ遠くなってしまう。

親父のことは、シュンのせいじゃないんだ。

そうだよね。

おふくろにも、もう、あいつはじゅうぶん謝ってくれたと思うんだ。

聞いてる。

そんなこと言うんなら、俺だってあいつに謝らなきゃいけないこと、たくさんある。

敏彦のお父さんは、ひとを救うために坑内火災を起こした坑道に入って、自分も閉じこめられて、倉田千太郎に救ってもらえなかった。敏彦のお母さんが苦労して女手一つで育ててきた敏彦は、俊介の見ている前で崖から落ちて、車椅子の生活になった。

俺はあとから聞いたんだ、おふくろが会わせなかったんだ、あいつがお見舞いに来ても、絶対に会わせなかったんだ、俺に。

それ、何度も聞いてる。

だからあいつは、北都を出て行ったんだ。

でも、お義母さんの気持ちもわかる、わたし。

小学五年生だぞ、まだ子どもだぞ、ひどいこと言ったんだ、おふくろは。

もういいじゃない、お義母さん、優しいひとだったんだから。

優しくても、ゆるさなかった、あいつを。
違うよ、「倉田」をゆるさなかったんだよ。
おふくろは、シュンに言ったんだ、倉田千太郎じゃなくて、シュンに。

トシくんまで、ころさないで——。
びくっ、と肩が跳ねた。
聞こえている声はこんなに遠いのに、聞こえるはずのない亡くなったひとの、わたしが直接聞いたわけではない声が、胸に突き刺さった。

あんたは、ひとごろしの孫なんだから——。

傷ついていた。俊介はずっと。逃げるように札幌に引っ越してからも、東京に出てきてからも、ずっと。いまでも——なのだろうか。忘れていてふと思いだしてしまったのなら、まだいい。そうであってほしい。四十歳になろうとするいまも、心の傷口から途切れることなく血が流れているのだとしたら、わたしはそれを、俊介のためにも、俊介の家族のためにも、敏彦のためにも、そして敏彦のお母さんのためにも、涙が出るほど悲しいことだと思う。

やっとビールの缶に手を伸ばすことができた。メールのプリントアウトをテーブルにも置けた。読み返して「ガン」という字に目が行くのが怖いから、四つ折りにして文章を隠すことも、指先を震わせながらではあっても、なんとか、できた。

敏彦はまだ両親の写真を見つめていた。

写真立ての中のお父さんは、消防団で揃えたハッピを羽織っていた。昭和四十二年の事故のときもそのハッピを羽織り、頭から水をかぶって、坑道に入ったのだという。

勇気のあるひとだった、とお父さんを知るひとはみんな言っていた。敏彦も、自分が生まれる前に死んだお父さんのことを、子どもの頃から誰よりも尊敬していた。

俺のお父さんは、ひとを助けるために自分が身代わりになって死んだんだ。

胸を張って自慢していた。わたしにも。雄司にも。ライバルだった俊介には、特に誇らしげに。俊介も素直に、屈託なく、すごいなあ、と感心していた。

わたしたちはなにも知らなかった。敏彦のお父さんは、どんなふうに、誰の身代わりになったのか、わたしたちのまわりにいるおとなは、俊介を気づかったのか、敏彦のほうに気をつかったのか、誰もほんとうのことを教えてくれなかった。

昭和四十二年の事故でなにが起きたのか——二人がそれを知ったとき、いつも四人でくっついて遊んでいたわたしたちの世界はひび割れてしまった。


ビールを一口飲んで、なんとか人心地がついた。

「おあいこなんだよ、そんなの」

敏彦の声もまともに聞こえるようになった。「俺は車椅子になったけど、シュンは北都に帰れなくなった……おあいこだろ?」とつづけ、「俺の親父は倉田千太郎に見捨てられて、あいつは

『倉田』の家を見捨てて……なあ、やっぱりおあいこなんだよ」と笑う。

そういうひとだ、敏彦は。だから、わたしはこのひとのことを、幼なじみの友情でもなく、体が不自由でもがんばっていることへの尊敬でも同情でもなく、女として、好きになった。

「シュンは考えすぎるんだよ。だからストレスが溜まって、ガンになんかなっちゃうんだよ」

「まじめだったもんね」

「うん、まじめで、ちょっと弱いよ、俺に比べれば」

ははっ、と声をあげて笑って、「要するに、優しいってことだ」とつづけた。

俊介は優しかった。ほんとうに。まじめで、考えすぎるぶん、ちょっと弱いひとでもあった。

わたしはいまでも覚えている。

大学時代の俊介から聞いた。子どもの頃、俊介の両親は北都観音のことを「おじいちゃんの会社を救ってくれたひとたちのために建てたんだ」と話していた。だから俊介は、観音さまに遠くから手を合わせるときには「ありがとうございました」と感謝の気持ちを込めていた。

ぞっとするだろう、と俊介は言った。俺はなにも知らずに、トシの親父さんたちにお礼を言ってたんだぞ、謝らなきゃいけないのに、お礼を言ってたんだぞ、いま思いだしてもぞっとするよ。言葉だけでなく、ほんとうに怖気《おぞけ》をふるっていた。俺はもう、これからどんなに謝っても足りないような気がする。いつか、バチが当たるんじゃないか、って。俊介はガンの告知を受けたとき、そのことを思いだしただろうか。

「返事送ったんだよ」

「そうなの?」

「うん……おまえに見せる前に出すのもアレだったんだけど、やっぱり、いてもたってもいられなくて」

でも、メールは戻ってきてしまった。俊介は自分のメールを送ると、すぐにアドレスを捨ててしまったのだ。

「身勝手だよなあ。自分の思いを一方的に押しつけて、さっさと逃げちゃうんだぞ。あんなひどい奴とは思わなかったな」

「ねえ、返事、なんて書いたの？」

「よくわかんないけどゆるしてやる、って。だからガンが治ったら北都に遊びに来い、って」

いかにも敏彦らしい——というより、子どもの頃の、トシらしい。

「ミッチョも待ってるから、って書いたんだけど、よかったよな？」

わたしは笑ってうなずいた。もちろん、とも言った。届かなかったメールだから。

「まあ、でも……だいじょうぶだよ、ガンのことは」

「うん……」

「あいつの性格だと、人間ドックにもちゃんと入ってるはずだから、見つかったとしてもほんとに初期なんだと思うし」

「そうだよね」

敏彦は、ほっとした顔になって「やっぱりいいな、夫婦は」と言った。

「なに、どうしたの？」

「一人でメール読んでたら、ほんと、頭の中が真っ白になって、どうしていいかわからなかったんだ。でも、二人でしゃべってたら、なんか、だんだん安心してきた」

「だから早く読ませて、って言ったのに」

笑いながら軽くにらんで、顔も名前も知らない俊介の奥さんのことを思った。俊介は、ガンになったことを奥さんとどんなふうに受け止めているのだろう。奥さんがおおらかで優しいひとだといい。今夜の、いまも、奥さんと二人で話してくれているとうれしい。

「まあ、でも、だいじょうぶだよ、ほんとに」

敏彦はまるで目の前にいる誰かを励ますように言って、「検査の結果、また教えてくれるといいんだけどなあ……」と、今度は遠くを見る目になった。

でも、次のメールは何日たっても届かなかった。

第五章　雄司

1

検査入院は三泊四日で終わった。月曜日の午後に入院して、水曜日の夕方には「明日、家に帰りましょうか」と井上先生に告げられた。検査の結果によってはそのまま手術になる可能性もあるという話だったが、先生はそのことには触れずに「明日の午後、早い時間にご説明しますから、晩ごはんはご自宅で食べられますよ」と笑った。その笑顔で――僕は不戦敗を悟った。

翌日の説明は一人で受けた。先生はまず最初に、肺の生体検査でわかったガンの種類を伝えてくれた。非小細胞ガンと呼ばれるもので、この種類のガンは抗ガン剤の効果がさほど望めないのだという。しかも増殖が速い。全身の精密検査でわかったステージはⅢB――ガンの大きさは七センチほどで、すでに胸膜や首の付け根のリンパ節にも転移している。

「医局でも検討したんですが、開くのも化学療法もやめましょう。体力を奪われることのほうが心配ですし、入院しているより、少しでもご家族と一緒の時間を過ごされたほうがベターなんじゃないかとも思うんです」

治療は放射線療法が選ばれた。一日二回、週に十回の放射線照射を、六週間おこなう。

「率直に言って、放射線治療はもっとガンが小さい時期に有効なんです。ただ、この療法だと通院が可能ですので」

先生は生存率についても教えてくれた。

「一般的には、このステージの五年生存率は、十五パーセントといったところです。今後、他の臓器に転移が認められれば、残念ですが、数字はさらに下がります」

淡々とした口調に、かえって救われた。五年後に僕が生きている確率は十五パーセント、この世から姿を消している確率は八十五パーセント——その比率を頭の中で思い描くと、月齢図の細い三日月の絵が浮かんだ。入院中は星の本ばかり読んでいたせいだろう。

「じゃあ……」

僕は言った。声が震えたら嫌だなと思っていたが、うまく落ち着いた声が出てくれた。「もうガンを治すっていうことより、残された時間をどう生きるかを考えたほうがよさそうですね」とつづけたときには、苦笑いさえ浮かんだ。

先生も、もう励ましや慰めの言葉は口にしなかった。

「ガンの進行状況によっては緩和療法も考えますが、よろしいですか?」

「痛みは取ってほしいんですが、意識をなくしたまま生きるっていうのは、ちょっと……」

わかります、と先生はうなずいて、机の上のペンを手に取った。視線が僕からはずれたタイミングに合わせて、「余命は?」と訊いてみた。生存率よりもそっちのほうがリアルで大切な問題だった。

先生はカルテにメモを書き入れながら答えてくれた。

「まだ余命を出すような段階じゃありませんが、転移の場所や進行の具合によっては、一年から半年、でしょうか」

僕は目を閉じて「わかりました」と言った。今度も冷静な声を出せた。

メモを終えた先生は顔を上げ、僕に向き直って、「奥さんには、私から説明するようにと言われてますが、よろしいですか？」と訊いてきた。

恵理は一時間後に病院を訪ねて井上先生と会うことになっている。その時刻には、僕はもう退院の手続きを終えて病院にはいないはずだ。一緒に先生の説明を聞くのはやめよう、と言い出したのは恵理で、僕は、どこかで待ち合わせるのではなく勝手に家に帰ろう、と提案した。

「すみません、二度手間になって。僕は自分で説明するって言ったんですけど」

「いや、そんなのはいいんですよ」

先生は顔の前で手を横に振り、「奥さんのお気持ちもよくわかりますから」と言った。「思わしくない話を柴田さんの口から言わせるのは申し訳ないと思われたんですよ、奥さんは」

僕は黙ってうなずいた。

「それに、お二人で一緒に聞くのも、どんな顔をしていいかわからなくなっちゃいますものね、お互いに」

「ええ……」

「私は思うんですよ、キツい現実を二人で分かち合って受け止めるのって、ほんとうは嘘だな、って」

「そうですか？」

「いろんなご夫婦に告知をしてきました。患者さん本人が泣きだして、パートナーはじっとショックに耐えているというご夫婦もいます。逆に、パートナーのほうが取り乱しちゃって、本人がなだめるようなケースもありました。二人そろって泣き崩れるご夫婦も少なくないんです」

どのパターンも想像がつく。そして、俺たちはその中のどれでもないな、とも思う。

先生にもわかっていた。

「あと、二人とも静かに落ち着いて話を聞くひともいるんです。といっても、達観してるわけじゃないんですよ。自分が取り乱したら相手が困ってしまうから、ダンナさんは奥さんを気づかって、奥さんもダンナさんを気づかって、なんにも言わないんです。悲しみやショックを分かち合うんじゃなくて、逆に、相手には背負わせたくないから、お互いに自分一人で受け止めようとするんです。そういうご夫婦もたまにいらっしゃって……きっと、柴田さんのところもそうだろうな、って」

どうなんでしょうね、と照れ隠しに苦笑しながら、僕は言った。

「もしも彼女が泣いたり取り乱したりしても、ゆるしてやってください」

先生は、もちろん、と笑い返して、教えてくれた。

「奥さんにも似たようなことを言われましたよ。万が一のときには、わたしがいないんだから心おきなく泣きわめかせてやってください、って」

井上先生というひとは、意外と意地悪なのかもしれない。このタイミングでそんなことを言われてしまったら——涙が頬を伝い落ちるしかないじゃないか。

悲しい。悔しい。自分がもうすぐ死んでしまうことよりも、恵理や哲生に悲しくて悔しい思いをさせてしまうことが。

俺のための涙じゃない、恵理と哲生のために俺はいま泣いているんだ……と自分に言い聞かせることで、嗚咽《おえつ》が漏れるのを、なんとかこらえた。

パジャマや湯沸かしポットやCDプレイヤーといったかさばるものは宅配便で自宅に送って、身の回りのものだけバッグに詰めて病院を出た。

玄関から一歩、二歩と外に歩きだすと、足元がふらついた。ほとんどベッドに寝たきりだった数日間で、体力が落ちたのだろう。ガンが転移して全身を冒しはじめるのはまだ先の話だよな、ということにしておいた。

駅行きのバスを待ちながら携帯電話を取り出し、入院以来初めて会社に連絡を取った。会議つづきの高沢《たかざわ》営業部長が運良く席にいたので、明日の午前中に一時間ほど時間をとってもらうよう頼んだ。

「それはいいけど……どうだったんだ、検査の結果は」

心配そうに声をひそめて訊いてくる部長に「くわしいことは明日お話しします」とだけ答えて、僕が課長をつとめる営業二課に電話を戻してもらった。

たまっていた伝言メモを月曜日から順に聞いて、この場で指示を出せるものは出し、そうでないものは明日に回していった。覚悟していた以上に伝言が多く、せっかく来たバスも一本やり過ごすしかなかった。携帯電話の留守番センターには、もっと多くのメッセージが残されているだろう。

「俺って、こんなに電話がかかってくるほど人気者だったんだっけ?」

軽口をたたくと、電話に出た若い部下の能勢《のせ》くんも「いつものことじゃないっすか」と笑った。ガンのことは、直属の上司の高沢部長以外には話していない。能勢くんたちには胃潰瘍で入院すると伝え、彼らも「課長、やっぱり働きすぎなんですよ」と素直に納得していた。

忙しかったのだ、実際。その忙しさが張り合いでもあり、誇りでもあったのだ。

一流企業というわけではない。中堅の不動産会社――名前はそこそこ知られていても「すごいですね」と言われたりはしない、そんなレベルの会社だ。それでも、首都圏営業部のエースと呼ばれてきた。これからもその称号を誰かに譲り渡すつもりはなかった。いまでも、だ。

能勢くんの読み上げる伝言メモは、ようやく今日のものになった。あとはもういいよ明日処理するから、とさえぎろうとしたとき、懐かしい名前が耳に飛び込んできた。

「朝イチにタカハシユウジさんっておっしゃる方から、電話がありましたけど」

ユウジ――?

「どこの高橋さんだって?」

「いえ、あの、プライベートっていうか、課長の昔の友だちだって言ってましたけど」

ユウちゃん――だ。

「至急連絡してほしいって、ケータイの番号うかがってますけど、いまお伝えしてもだいじょうぶですか?」

あわてて音声メモのボタンを押した。

2

次のバスが来るのを待ちきれずに病院の玄関へ戻り、タクシーに乗り込んだ。ぐずぐずしているると恵理と出くわしてしまうかもしれない。

車が走りだすとすぐに雄司に電話をかけた。呼び出し音がしばらくつづき、駅に着いてからかけ直すか、とあきらめかけたとき、電話がつながった。

「はい……」

疲れているのか眠いのか、けだるく不機嫌そうな声で応えた雄司は、僕が「柴田だけど」と言っても、「はあ?」とさらに機嫌悪く返すだけだった。

ああそうか、と気づいて、「倉田だけど」と言い直し、念を押して「俊介、倉田俊介だけど」と言った。

すると、雄司は「おうっ!」と大きな声をあげた。寝ていた体をあわてて起こしたような声の出し方だった。

「シュン、シュンか? シュンだよな、おまえ……」

そうだよな、と僕は苦笑する。「倉田俊介」ではなく「シュン」なのだ、僕は。

「会社に電話くれたんだって?」

「そうそうそう、そうなんだ、うん、あのな、いや、だからさ……電話があったんだ、うん、ゆうべ電話かかってきてさ、それで俺びっくりしちゃって……」

「誰から？」

「ミッチョ」

一瞬、窓の外を流れる景色が止まった。

不意打ちだったとは言わない。能勢くんに雄司の名前を聞かされたときから、心の片隅に美智子がいた。僕を見つめていた。笑っては、いなかった。

「シュン、おまえ……ひょっとしてだけど、先週、トシとミッチョにワケのわかんないメール送ったりしなかったか？　で、ガンになったとかなんとか、ワケのわかんないこと書いたりしてなかったか？」

そんなはずはないけど、と自分で筋道を決めたがっているような口調だった。いいか、ひと違いだと言ってくれよ、とせがむような口調でもあった。

「送ったよ」

僕は静かに言った。あのメール届いたんだな、敏彦が美智子に読ませてくれたんだな、と嚙みしめた。

「……マジか？」

怒った声になる。昔と変わらない。短気で、単純で、優しい奴だ。

「嘘なんてついてないよ」

「……ガンの話もか？」

「ああ。検査入院してて、いま退院したんだ」

「治ったのか？」

声がはずむ。「検査入院って言っただろ」と苦笑交じりに言っても、「でも、退院って、もうだいじょうぶってことなんだろ？　違うのか？」と、また怒った声に戻って、すがるように言う。

違うんだよ、退院ってのは医者もほとんどあきらめたってことなんだ——と言うのも、なんだか申し訳ない気がして、「だいじょうぶってわけじゃないんだけどな」と言葉を濁した。

「どこのガンなんだ？　ほら、いま、胃ガンってけっこう治るんだよな？」

「肺ガンだよ」

さらりと言えた。自分でも感心するほど冷静だった。おまえ、けっこうやるなあ、と自分を褒めてやりたくもなる。

だが、僕がうまくかわした現実の重みを一人で背負い込んだように、雄司は絶句してしまった。タクシーの運転手もルームミラーで僕をちらりと見て、鏡の中で僕と目が合いそうになると、そっと逃げた。

「まあ、俺もびっくりしちゃったんだけど、運が悪かったとしか言いようがないよな。煙草も七、八年前からやめてるし、マラソンまでやってるんだぜ？　それでも、なるときはなっちゃうんだよなあ」——相手が黙り込んでしまうと、当の本人は饒舌《じょうぜつ》になるしかない。電話は不便だ。

「でも、治るんだろ？」

雄司は震える声で言って、「治ることは治るんだろ？　なっ？　そうなんだろ？」と勢い込んでつづけた。

「ちょっと……難しそうだな」

「あ、おい、でも、ほら、セカンド・オピニオンってあるだろ、それはどうなんだ？　もしアレだったら、俺、知ってる医者いるぞ。歯医者だけどさ、内科の医者を紹介とかしてくれると思うんだよ、うん……いや、でもやっぱ、無理かな、まあいいや、探すよ探す、いい医者探してやるから」

子どもの頃と同じだ。しょっちゅう会っていた大学時代とも変わらない。騒がしい奴なのだ。おせっかいだし、おっちょこちょいだし、微妙にピントのずれているところもある。それでも、掛け値なしにいい奴だ。

だから——これ以上あいつに震える声でしゃべらせたくないな、と思った。

「俺の話はいいけど、ユウちゃん、トシやミッチョと連絡取り合ってるんだな」

「取り合ってるっていうか……突然電話かかってきたんだよ、ミッチョから。で、俺もおまえの会社しか知らないから、それで電話したんだよ」

「たまには会ったりしてるのか、北都に帰って」

「この前会ったんだよ。先週、ほとんど偶然っていうか、たまたま仕事でカシオペアの丘に行ったんだ。俺いまテレビの仕事してさ、ディレクターなんだけど、ほんと、偶然、ロケでカシオペアの丘に行く仕事が回ってきて、それでひさしぶりに二人に会って、ケータイの番号を教えたら、いきなりその電話だよ」

雄司の言葉に、病院のテレビで観たカシオペアの丘の映像がよみがえった。

「ユウちゃん、それってワイドショーか?」

「うん、観たことないか、『フォーカス2時』って番組なんだけど。俺だよ、俺が撮ったんだ、それ」

「……すごいな」

思わずつぶやいた。雄司は勘違いして「いまはカメラの性能もいいからな、素人みたいな奴でもそこそこ撮れちゃうんだよ」と言ったが、僕のつぶやきは、その意味ではなかった。ガンの告知を受けた日にひさしぶりにカシオペアの丘を見て、それを雄司が撮っていて、雄司と敏彦や美智子が会っていたなんて……すごいな、としか言いようがない。

あのテレビを観なかったら、メールなど送らなかった。カシオペアの丘も北都観音も、忘れてはいない。けれど、思いだすことはなかった。記憶の底に沈めておくコツを何年もかけて覚え込んだのだ。仕事に夢中になるのもそのコツの一つだったのだろうと、いま気づいた。

「心配してたぞ、ミッチョ。それで俺を使ったんだよ。会社の電話番号教えてやるから自分で電話かけろよ、とか言ったんだけど、だめなんだよな、あいつ」

昔とおんなじだよ、と雄司は笑う。俺はいつもこういう役なんだよなあ、とおどけてぼやく。ほんとだな、と笑い返すと、急に鼻の奥がツンとした。窓の外を流れる景色が、また止まる。ずっと会っていなかったのだ。これからも会うつもりはなかったのだ。

だが、三十過ぎで時が止まったままの雄司の顔が浮かび、雄司よりさらに十歳近く若い美智子の顔が浮かび、まだ小学生の敏彦の顔が浮かんでくると、鼻の奥のツンとくる熱さはまぶたの裏にも回り込んでしまう。

話が途切れた。しくじった。僕が黙った隙をつくように、雄司はまた話を元に戻して、「手術するのか」と訊いてきた。

「いや、放射線治療になった」

「抗ガン剤は?」

「使わない」

「それって……いい話ってことか?」

「よくない話だな、どっちかって言うと」

「どうするんだよ、シュン」

「どうもしないよ。放射線治療を受けて、様子を見て、それだけだ」

「おまえ、こういう話を、こういうクールな口調で言うなよ、困るじゃんよ、こっちが、なんていうかさあ……」

雄司は怒りながら、涙声になっていた。そういう男なのだ。

「だめだっ、電話だめっ、電話はやっぱりだめだ、ちょっと悪い、一瞬だけ切るぞ、コーヒー飲む、コーヒー飲んで頭をしゃんとさせてから、またこっちから電話する、いいな、いいよな、待ってろよ」

一方的にまくしたてて、こっちが答える間もなく電話を切ってしまった。

あいかわらずだ。ほんとうに単純で、騒々しい。小学生の頃は、授業中に冗談を言ったり先生の話を混ぜ返したりしどおしで、敏彦と美智子の学級委員コンビにいつも「ユウちゃん、うっさいよ、ちょっと黙ってろよ」「静かにしてくださーい」と叱られていたし、東京で再会した学生時代も、酒に酔うと青臭い人生論を一人で語って、僕と美智子を辟易させていた。

その頃とちっとも……いや、変わってるか、と苦笑して打ち消した。昔の雄司なら、こんなに長電話はしなかった。顔を見ないと気がすまない性格だ。電話をかけ直すぐらいなら「いますぐ来い！」と呼びつけるか、「いますぐ行くから！」と押しかけてくるのがあたりまえだった。もう俺たちは、自分の命にかかわる話も電話ですませられるんだな――。

おとなになったのだ、雄司も僕も。

3

タクシーは駅前通りに入って、大学病院行きのバスとすれ違った。恵理が乗っているかもしれない。窓の外をぼんやりと見ているのか目を閉じているのか、どちらにしても、いい想像も悪い想像もしないようにしているんだろうな、と思う。

「お客さん、いいんですか、いちばん近い駅はそこですけど」

運転手に念を押して尋ねられて、「いいから、まっすぐ行ってください」と答えた。車に乗り込むときに告げた目的地は、隣の駅だった。「そっちは各停しか停まりませんよ」と言われても、最寄り駅につけるのは断った。恵理と出くわしてしまうのが怖かった。恵理の顔も見たくないし、僕の顔も見られたくない。明日からは夫婦二人でガンと向き合わなければならないのだとしても、せめて今日の、いまだけは、一人でいたい。

運転手は、ちらちらとルームミラーで僕を盗み見る。気まずさと好奇心が入り交じったまなざしだった。

そうなんですよ、珍しいでしょう、まだ三十九歳で肺ガンなんですよ、手術もできないくらい進行してるんですよ、信じられないですよね、こんなことってあるんですねえ……。

笑いながら、軽く言えたらいいのに。

隣の駅でタクシーを降りて、ロータリーのベンチに腰を下ろした。ほんの数メートルしか歩いていないのに、かすかに息切れがする。冷房の効いた車内にずっといたのに、汗も額ににじんでいた。

肺ガンの自覚症状には、しつこい咳だけでなく、息切れや微熱もある。いままで気づかなかったのかと誰かに問われたら、わからないよ、としか答えられない。わかるわけないだろう、と怒って言い返すかもしれない。まだ三十九歳なのだ。七ヵ月ほど前には青梅マラソンだって完走したのだ。そんなの、わかるはずがないじゃないか。

各駅停車しか停まらない駅はロータリーも閑散としていて、ずいぶん田舎の町に来たような気がする。

きれいな青空だった。白い光が目を突き刺す真夏の空のまぶしさとは違う。じっと見つめていると吸い込まれてしまいそうな、透き通った青い色の空だ。もう九月なんだ、とあらためて気づく。余命が半年だとすれば、三月まで――初夏の空も、梅雨空も、真夏の空も、僕はもう見上げることはできないのかもしれない。

電話が鳴った。登録してある着信メロディーはビートルズの『イン・マイ・ライフ』だった。二年ほど前にいまの機種に買い換えたときから、この曲を登録してある。いまの運命をほんとうは予感していた――？　まさかな、と笑って通話ボタンを押した。

「ああ、悪い悪い、遅くなっちゃって。どうしても受けなきゃいけない電話がかかってきちゃってさ……」

「忙しいんだろ、テレビのディレクターって」

「まあな。歳はくってるけど、まだ三年目の下っ端だからな。かけずり回ってナンボだよ」

「ユウちゃんがそんな仕事してるって、ちょっとびっくりしたな」

最後に年賀状をやり取りした五、六年前は、雄司は通販会社に勤めていた。年賀状には「今年は新しい世界への飛躍を考えています」と書いてあったから、ディレクターの仕事は、通販会社の次の次……もしかしたら、もっと「次」を挟んでいるのかもしれない。

「俺がいちばんびっくりしてるよ、ほんと、人生って予想つかないよなあ」

それは確かにそうだ。転職よりももっとわかりやすい例が、ここにある。

雄司は、自分の言葉でふと思いだしたように「そうなんだよ、人生ってわかんないんだよ、ほんとに……」と声を沈めた。

「なんなんだ?」

「いや、あのさ、いま電話をかけてきた相手、川原さんっていって、さっきチラッと言ってたカシオペアの丘の、あの女の子の親父さんなんだ。シュンも新聞とかで知ってると思うけど、あの女の子、真由ちゃん、お母さんの不倫相手に殺されたんだよ」

「ああ……知ってる」

「もちろん、奥さんには直接の責任はない。不倫相手の若造が勝手にやっただけで、その意味では奥さんも被害者は被害者なんだけど……川原さんとしては、もう、サイテーのぼろぼろだよな。カミさんの不倫相手に一人娘が殺されるなんて、世の中でこれほど哀れな話ってないだろ」

その哀れな川原さんに、雄司は取材をつづけている。事件のことはすでにワイドショーのネタからはこぼれ落ちていたし、どこかの局でオンエアされる保証もなかったが、カメラなしでの訪問をねばり強くつづけている。

「ドキュメンタリーを撮りたいんだ。川原さんと奥さんの」

「どうなってるんだ？　いまは」

「奥さんは実家に帰ってる。川原さんにも真由ちゃんにも合わせる顔がないしな、いまは実家の親やきょうだいや友だちがずっと一緒にいて、見張ってる」

「見張ってるって？」

「自殺未遂、二回したんだ。一回目は手首を切って、二回目は首を吊ろうとして……真由ちゃんが殺されただけでもヤバいのに、犯人が捕まってからは、もうアウトだよ。精神状態がまともじゃないんだ」

ドキュメンタリーとしてどんなものになるかは、まるでわからない。夫婦の再生のドラマになるのか、家族の崩壊劇になるのか、そもそもカメラを回せるのかどうかも、いまはまだなにも見通しは立っていない。それでも、雄司はきっぱりと言った。

「奥さんを救えるのはダンナだけなんだよ。川原さんが、すべてをゆるすしかないんだ」

いまはまだ、川原さん自身、仕事にも行けない状態がつづいている。勤務先の銀行には一ヵ月の休職届を出したが、本人はもはや仕事に戻る気力はなさそうだという。

「だから、いま、ずっと誘ってるんだ」

カシオペアの丘へ、行こう——。

「さっきの電話も、その話だったんだ」

ゆうべはほんの少し前向きに答えていた川原さんが、「やっぱり行けません」と電話をかけてきた。それを雄司がまた説得して、根負けした川原さんが「一晩考えます」と言って、とりあえず今日のところは終わった。

「でも、また明日になれば、やっぱりだめですとかなんとか言ってくるんだ。ここのところ、ずっとその繰り返しなんだよ」

「なんでカシオペアの丘なんだ?」

「うまいこと説明できないんだけど、連れて行きたいんだ、川原さんを」

「逆効果じゃないのか?」

「そうなっちゃうかもな」

「だったら……」

「でもな、シュン、俺は思うんだけどな、人間は前ばっかり向いてるわけにはいかないんだよ。下を向いたり後ろを振り返ったりするのが人間だと思うんだ」

「それはわかるけど……わざわざつらくなる思い出を振り返ることはないだろ」

「違う」

きっぱりと——いや、もっと強い口調で、雄司は言い切った。

「振り返らなきゃいけない思い出なんだ、戻らなきゃいけない場所なんだよ、カシオペアの丘は」

一瞬、返す言葉に詰まった。川原さんについて話していたはずの雄司の言葉が向かう先を変えた気がした。

「俺は、おまえも同じだと思う」

雄司の言葉は、まっすぐに僕に向かってきて、突き刺さった。

川原さんと電話で話しながら、雄司は僕のことも考えていた。正確には——僕と、美智子のこと。

「シュン、一つ教えてくれ」

「ああ……」

「病気の話、俺がミッチョに伝えてもいいのか?」

求めている返事がはっきりとわかる訊き方だった。

「あいつ、また俺に電話かけてくるぞ。訊いてくるぞ、どうだった、って。俺はなんて言えばいいんだ?　そのまま、シュンはやっぱりガンだった、肺ガンだった、どうもヤバいみたいだって……伝えてもいいのか?」

僕は少し間をおいて答えた。

「いいよ」

「ほんとにいいのか」

「ああ……かまわない」

雄司の喉が鳴る。長く尾を引いた。

「ミッチョはお見舞いなんか行かないぜ。手紙やメールも書かないし、電話もしない。そういう性格だよ、あいつは」

「わかってる」

「で、俺に電話したのはトシには内緒なんだ。そういう奴だよ」

「……わかってる」

また雄司は喉を鳴らす。今度はもっと長くつづいた。

「なんであんなメール送ったんだ?」

「謝りたかったんだ」目を閉じて、僕は言った。「ミッチョにも、トシにも、謝りたかった。それだけなんだ」

「……なにを謝るんだよ」

「ぜんぶ」

目を固くつぶる。閉じたまぶたの裏に、光とも染みともつかないものが広がっていく。

「じゃあ、なんで病気のことを書いた。謝るんだったら『ごめん』だけでいいだろ」

「ほんとうのことだから」

そう、これはほんとうのことなんだ——と目を閉じたまま思う。事実を伝えた、それ以上でも以下でもない。

目を開けて、ゆっくりとベンチから立ち上がった。歩きだすと、やっぱり足がふらつく。意外と、ここから先は早いのかもしれない。

「シュン……」雄司は言った。「どうしても病気のことを……っていうか、おまえの命のことをミッチョに伝えたいんなら、北都に帰れよ。カシオペアの丘に行って自分で言うしかないんだ」

僕はなにも応えなかった。

「おまえの帰るべき場所だよ、カシオペアの丘は」

雄司はそう言って、僕の返事がないのを確かめてから、「遊園地、おそらくもうすぐつぶれるぞ」と言った。

また連絡するよ——間をおかずにつづけ、僕に返事もさせずに電話を切った。

そういう奴なのだ、雄司は。

4

「パパ、不燃ゴミを出しに行くんだけど、手伝ってくれる?」

夕食のあと、恵理に声をかけられた。

いつもはゴミ出しは哲生が手伝うことになっている。テレビを観ていた哲生も「ぼく、いいの?」と怪訝そうに言った。

「たまにはパパにもやらせないと、ゴミ置き場の場所忘れちゃうでしょ」

恵理がすまし顔で言うと、哲生は「うわっ、ボケ入ってんの?」と僕を振り向いて、おかしそうに笑う。僕も笑い返して、「あとで一緒に風呂に入るか?」と哲生を誘ってみた。だが、哲生は「やーだ」とそっけなく言って、すぐにテレビに戻ってしまう。

ふだんどおりの夜で、ふだんどおりの哲生だ。僕と恵理も——哲生の前ではふだんどおりに過ごせた、と思う。

僕が帰宅したのは夕方四時過ぎだった。哲生はランドセルを玄関に放り投げたまま遊びに行っていた。できれば哲生より先に恵理に帰宅してほしかったが、五時過ぎに玄関のドアを勢いよく開けて部屋に入ってきたのは哲生だった。

「あれ？　パパもう帰ってきてたの？」と屈託なく訊いてくる哲生の顔を見た瞬間、思いきり強く抱きしめてやりたい衝動に駆られた。必死にこらえて、「晩ごはんの前に宿題やっちゃえよ」としかめつらで言った。眉間に力を込めて皺を寄せなければ、涙をこらえる自信がなかった。

「九州どうだった？　まだ暑かった？」

「ああ、暑かったぞ」

「おみやげは？」

「……ママが帰ってきてからのお楽しみだ」

検査入院中、僕は九州に出張していたことになっている。キッチンの戸棚の奥には、恵理がデパートで買ってきた九州のお菓子も隠してあるはずだ。

もちろん、それがいつまでもつづくわけではないことはわかっている。いつか話さなければいけない。だが、いつ、どんな形で、どこまで話せばいいのか、僕にはまだ決められないでいる。

哲生が帰ってきてほどなく、恵理も帰宅した。駅前のショッピングセンターの買い物袋を提げて、「ごめんごめん、遅くなっちゃった」と哲生に笑いかけて、その笑顔を僕にも向けた。

目が合ったのはほんの短い間だったが、たぶんそのとき、僕たちはたくさんの言葉を無言で交わしたのだろう。たとえ哲生の前でなくても、これからは無言の会話が増えてしまうのだろう。

やっぱり早すぎる。もっと歳をとって、夫婦の日々を重ねて、阿吽《あうん》の呼吸というやつを覚えてからのほうがよかった。恵理が無言で伝える言葉や思いを、僕はほんとうに正しく受け止めているのか、いまはまだ自信がない。

ペットボトルを入れた袋を恵理が提げ、僕はそれ以外の不燃物を入れた袋を提げて、二人で玄関を出た。ドアを閉めて、廊下を歩き、エレベータに乗り込むまで、僕も恵理も黙り込んでいた。エレベータが下降する。9、8、7……と数字が減っていく扉の上の階数表示を見つめて、恵理はやっと口を開いた。

「哲生と一緒にいるの、キツくなかった?」

僕は小さくうなずいて、「帰る途中、頭の中でリハーサルしてたからな」と言った。

「わたしはだめだった……外に出て頭冷やさないと、もう、限界だったかもしれない」

「でも、不自然じゃなかったけどな」

「今夜だけならね。でも、明日もあさっても、これからずっとだから」

3、2、1で、エレベータは停まる。扉が開く。エントランスホールを抜けて建物の外に出ると、恵理は足を止めて、ため息をついた。

「ねえ、あなたは先生の前で泣いた?」

「いや……けっこう冷静だった」

井上先生は、僕の様子をどこまで恵理に伝えたのだろう。恵理は、ふうん、とうなずくだけで、それ以上はなにも言わなかった。

「おまえは?」

「わたしも意外と落ち着いてた」

「そうか……」

僕たちは、どちらからともなく歩きだした。建物の裏の駐車場に回り、駐車場の隅のゴミ置き場に向かう間も、また黙り込んだ。

不燃物の収集ボックスの蓋を開け、ゴミを一つずつ分別しながら入れていった。お互いに手を動かしているのがいいのか、さっきまでより沈黙が少しだけ軽くなった。

「おもしろいね、人間って」

つぶやくように言った恵理は、クスッと笑う。「なにが?」と訊くと、「最初に告知されたとき、わたし、すごくしゃべってたと思わない?」と言う。

「そうだったっけ」

「黙ってるのが怖くて、ずっとしゃべってたような気がする」

「うん……」

「でも、今日はもっと言われちゃったわけじゃない。そうしたら、なんか、逆に、黙っちゃうんだね。なに言っていいのかわからなくなっちゃって……」

「それでいいんじゃないか?」

「だよね……」

不燃物の分別が終わる。僕は腰を伸ばし、深呼吸をするように背をそらして、夜空を見上げた。空は夜になっても晴れわたっていた。星が思いのほかたくさん見える。

「病院で、ずっと星の本を読んでたんだ」

空を見上げたまま言うと、恵理も同じように上を向いて、「うん……知ってる。買ったの？」と訊いた。

「入院の前にな」

「でも、そういうのに興味なかったでしょ」

「子どもの頃は好きだったんだ」

「プラネタリウムとか？」

「そんなところに行かなくても、いくらでも見えるんだ、北海道は」

ほら、あそこ、と空の真上を指差した。

「まわりの星より光ってる星が三つあるだろ。左上がはくちょう座のデネブで、右上がこと座のベガで、下にあるのがわし座のアルタイル……夏の大三角っていうんだ」

「どこ、どこ？」

「あそこだよ、ほら、真上。ほとんどてっぺん。ベガが七夕の織姫星で、アルタイルが彦星なんだ」

「あ、そうなの？」

「で、北北東だから……あっち側の上のほう、右向きのWが見えるだろ。あれがカシオペア座だよ。神話の世界だとアンドロメダ座の母親なんだ、カシオペアは」

「えーっ？　どこぉ？」

恵理は僕の隣に立ち、体の向きを同じにして、僕の指差す先を目でたどった。

「あそこ……で、いいのかなあ……よくわかんない」

「ガキの頃、友だちと一緒に星を見たことがあるんだ。夜こっそり家を抜け出して、ほんとうはボイジャー1号と2号を探したんだけど、そんなもの見えるわけなくて、でも、星がすごくきれいだった」

「いくつぐらいのとき？」

「小学四年生だった」

「じゃあ、いまの哲生と同じだね」

言われて気づいた。そうか、夜空の星を見ながら哲生に話すのもいいかもな——と言おうとしたら、その前に、恵理が僕の腕に抱きついてきた。

「明日のお昼、横浜に行くね」

わが家で「横浜」と言えば、恵理の実家のことを指す。

「お父さんとお母さんに話すから。これからいろいろ助けてもらわなきゃいけないし」

「ああ……」

「札幌のほうはどうするの？」

そう訊かれて思い浮かんだのは、両親ではなく、兄でもなく、倉田千太郎の顔だった。

雄司と昼間話したから。たったいまカシオペアの丘ですごしたあの夜のことを話したから。いや、ほんとうは、ガンの告知を受けて以来、倉田千太郎の顔が思い浮かぶことが増えていた。

自分の命について考えると、どうしても目の前にたちはだかってくる。倉田千太郎とは、僕にとってそういう存在なのだろう。

「やっぱり、電話ってわけにはいかないでしょう？　手紙を書くのも、ちょっと違うような気もするし」

「……この週末に、帰るよ」

「一人で?」

「ああ……一人で帰る」

恵理と哲生は倉田千太郎に会ったことがない。これからも会わせるつもりはなかった。

夜空をまた見上げた。意識して探したわけではないのに、カシオペア座がすうっと目に入る。

「ねえ……」

恵理は抱きついた僕の腕をさすりながら、頬を寄せる。

「泣いてもいいからね。これから、つらいときは泣いてもいいから。我慢なんかしないでいいから、泣きたいときは泣いてね」

夫婦なんだから——とつづける声は震え、やがて押し殺した嗚咽が聞こえてきた。

僕は恵理の手から腕をそっとはずした。夫婦なんだもんな、と息だけの声で応えて、恵理の肩を抱いた。

第六章　札幌

1

新千歳空港には、兄が迎えに来てくれることになった。空港から札幌まではリムジンバスか電車を使うつもりだったが、「千歳に仕事のついでがあるから」と兄に言われ、「いきなり家に上がるより、少し慣らしてからのほうがいいんじゃないか？」とも笑いながら言われると断りきれなかった。

四つ違いの兄弟だ。僕が「倉田」の家に反発し、背を向けて、遠ざかってしまったいきさつを、兄はすべて知っている。「俊介の気持ちはわかるよ」とうなずいて、「でも、俺はおまえのような道は選ばない」ときっぱりと言う、そんな兄だ。

僕たちは子どもの頃から「倉田」の跡継ぎとして育てられてきた。特に甘やかされたり帝王学めいたものを授けられたりしたわけではないが、おとなになったら兄と二人で会社を継ぐんだという意識はごく自然に植え付けられていた。兄が社長で、僕が副社長。あるいはグループを分けて兄が不動産と建設事業を取り仕切り、僕が観光事業を受け持つ。二人でコンビを組んで「倉田」を守り、さらに大きくしていくんだというのも、なかば当然のことのように受け容れていた。

だが、兄と僕は、いま別々の道を歩いている。「兄弟」という縁以外で、その二つの道が交わることはない。

なにも事情を知らないひとには、兄が「倉田」を独り占めしたように見えるだろう。僕と親しい、たとえば雄司のような奴は「ケンさんに『倉田』を背負わせたってわけだよな」と笑うだろう。どっちなんだと訊かれたら――僕の答えは、昔から変わらない。

午前中に新千歳空港に着く便に乗って、最終便で羽田に帰る。札幌には泊まらない。病気のことを話したあと、一夜明けて両親や兄の顔を見るのは嫌だったし、なにより日曜日は家族でドライブに出かけることにしていた。車の運転がいつまでできるかわからない。日曜日に家族で遊びに行くチャンスがあと何回残っているのかもわからない。「家族で過ごす時間を大事に」という井上先生の言葉は、病院で聞いたときより、家に帰って恵理と哲生の顔を見たときのほうが胸に染みた。

青函海峡を渡って北海道に入ると、下降を始める飛行機の窓から見下ろす風景が変わる。本州では山ひだを縫って細い道が曲がりくねり、こんなところまで耕しているのかと驚くような小さな畑があり、平地や谷に身を寄せ合うように家が集まっているが、北海道は違う。険しい山は山、深い森は森、開拓された農地は農地……と、はっきりと分かれている。まっすぐな道が直角に交差して、畑や牧草地も広大で、点在する家々は、空の上からだと、その広い土地の添え物のようにも見える。

いまは、作物によってそれぞれの畑の様子は違い、家の屋根も色とりどりだ。山では紅葉が少しずつ始まってもいる。

だが、あと三ヵ月もすれば——見渡すかぎり白い風景になる。川が凍り、森や山へ向かう道は閉ざされ、除雪されて路肩にうずたかく積まれた雪が壁をつくって、地吹雪が起きると、そんな風景さえもかき消されて、すべてが白一色の世界に染め上げられてしまう。

長い冬がつづく。春は五月から六月にかけて訪れる。本州での春の花と初夏の花が、いっぺんに咲き誇る。桜とたんぽぽと紫陽花《あじさい》が同時に咲いた風景を、いつか恵理や哲生にも見せてやりたいと思いながら、会社や学校が休みの時期ではないこともあって、まだ果たしていない。

その夢は、もうかなえられないのかもしれない。来年の春、僕はすでにこの世界にはいないのだろうか。全身にチューブを差し込まれて病院のベッドに横たわっているのだろうか。ホスピスで最後の日々を静かに過ごしているのだろうか。それとも……と、万が一の奇跡を夢見ることは、希望なのだろうか、未練なのだろうか。

シートベルト着用のランプが灯る。機内アナウンスが、飛行機が最終の着陸態勢に入ったことを告げる。

二年ぶりの北海道だ。

一人で帰郷するのは、たぶん大学の二年生か三年生のとき以来ということになる。まだ新千歳空港は開港していなかった。飛行機が降り立ったのは自衛隊と共用の滑走路だった。あの頃はソ連という国があったんだなと気づくと、流れた年月の長さを思い知らされる。

シートに座り直し、目をつぶる。ガンの告知を受けて以来、ふとしたときに目を閉じることが増えた。目を開けていては見ることができないなにかと向き合うため、なのだろうか。でも、その「なにか」は、なんだ――？

それが命なんだよ、自分の人生ってやつなんだよ、と雄司なら力んで言うかもしれない。あいつの青臭い人生論をひさしぶりに聞きたくなった。

飛行機が高度を下げる。耳がツンとする。

目をつぶるのは、やがて訪れる最期の瞬間の予行練習――？

なんてな、と笑った。

到着ロビーに立っていたスーツ姿の兄は、おととし会ったときよりさらに腰回りが太くなり、腹が出て、髪が薄くなっていた。四十一歳で「倉田」の総帥になってからの三年間は、僕が想像する以上に密度が濃く、そして重圧もキツいものなのだろう。

だが、兄は兄で、ゲートをくぐって出てきた僕を見つけるなり、眉をひそめた。

「俊介……おまえ、ちょっと痩せたんじゃないか？」

それが再会の第一声だった。

一瞬言葉に詰まった僕は、すぐに笑って「そんなことないよ」と言った。嘘ではない。体重はゆうべも量ったのだ。夏前と変わっていない。二年前と比べても、見た目でわかるほどの変化はないはずだ。

帰郷する理由は、ゆうべの電話では話さなかった。ただ「ちょっと相談したいことがあるから」と兄に伝え、「親父やおふくろにも話しておきたいんだ」と言ってあるだけだった。

「そうか、勘違いかなあ」

兄は首をひねりながらあらためて僕を見て、「さっき、ちょっと薄くなったような感じがしたんだ」と言った。

「俺の体が？」

「ああ……少ししぼんで、厚みがなくなったように見えたんだけどな」

背筋がひやっとした。

自分がそうなっているとは思わない。ただ、ずっと昔――就職して間もない頃、テレビのニュース番組のキャスターを見ていて、なんだか体つきが薄っぺらになったな、と感じたことを思いだした。ソフトな語り口とリベラルな論調で人気のあった彼が体調不良を理由に番組を降板したのは、それからほどなくのことで、降板の二ヵ月後には亡くなってしまった。ガンだった。番組を降板した時点で、すでに手遅れの状態だったという。

「ま、いいや、悪い悪い、ヘンなこと言って」

兄は僕の背中を軽く叩いて笑い、「行こうか」と駐車場に向かって歩きだした。

「恵理さんと哲生くん、元気か？」

「うん……元気でやってる」

「哲生くんも大きくなっただろ。五年生ぐらいか、もう」

「いま四年生。サッカーとテレビゲームばっかりやってるよ」

「それくらいの頃がいちばんいいんだ。ウチなんて二人とも高校生だからな、家なんてめしを食って寝るだけの場所だよ」

ぼやき声で言った兄は、不意に僕の顔を覗き込んで「夫婦仲は、だいじょうぶなんだな?」と言った。

「だいじょうぶだよ」僕は苦笑交じりに答える。「仲良くやってる」

そうか、と兄はうなずいて、また僕の顔を覗き込む。

「仕事はどうだ?」

「まあ、そこそこってところだけど、いい調子だよ。景気も少しずつよくなってきてるから、物件も動くようになってるし」

高沢部長の顔を思いだす。昨日、誰もいない会議室で僕から病気のことを聞いた瞬間の絶句した顔と、そのあとで浮かべた途方に暮れた顔――おそらく、僕はこれから何人ぶんものそんな表情を見ることになるのだろう。

「いま、課長だったっけ」

「十月に部長になるんだ。まだ内示の段階だけど、新規プロジェクトを組むんで、そこに部長職で入ることになったんだ」

「すごいなあ、おい、まだ四十前だろ?」

兄は立ち止まって快哉《かいさい》をあげ、「しっかりがんばってるんだなあ」とうれしそうに言った。仕事にまつわる相談でもないんだと、それでわかってくれたようだ。

「でも、まだ内示だから、最後にひっくり返るかもしれないけど」

僕はそう言って、すっと兄から目をそらす。

「だいじょうぶだいじょうぶ、会社っていうのは言質《げんち》を取られるのをいちばん嫌がるんだから、内示があったってことは、もう決定でいいんだよ」
兄は上機嫌に言ったが、僕は笑い返さずに足を速めた。昇進の話は嘘ではない。ただ、ほんとうのことをすべて伝えたわけでもなかった。

大手ゼネコンと不動産ファンドが組んだ人口二万人規模のニュータウン開発のプロジェクトにウチの会社も参画することになり、役員会で僕がチームリーダーに抜擢《ばってき》された——検査入院の間の話だ。

プロジェクトは十月にたちあがり、順調にいけば十一月、遅くとも年内には本格的に動きだすことになっている。

部長は「でも、残念だけど、ちょっと難しいよなあ、いまの状況だと」と言った。
プロジェクトが完了するまで五年はかかる。五年生存率が十五パーセントの男に仕事を任せるのは、あまりにも分の悪い賭けだ。

それでも、僕は「やらせてください」と部長に言ったのだ。プロジェクト完了まで携われるかどうかはわからなくても——冷静に考えて、おそらく無理だとは認めても、僕にとってはこれが最後の仕事になる。たとえプロジェクトの序盤だけでも手がけたい。新しい街の誕生にかかわったんだという「なにか」を、その街にのこしておきたい。

だが、部長は首を縦には振らなかった。「あせるな」と言った。「あきらめるな」とも言った。
「放射線治療が効くかもしれないんだから、これが最後の仕事だなんて思うんじゃない。いまは仕事よりも病気を治すことに専念しろ」

僕は「治療を受けながら仕事をやります」と食い下がった。放射線治療は通院だし、仕事の途中でオフィスを抜けて病院へ通う迷惑は、残業でもなんでもして、別のところで必ず取り戻す……。

結論は出なかった。部長は「しばらく考えさせてくれ」と言って席を立った。ドアを開けて部屋を出る背中に、僕は叫ぶように言った。

「生き甲斐を奪わないでください！」

振り向いて小さくうなずいた部長の顔は、長い付き合いの中で初めて見る、悲しく沈んだ表情だった。

あんなことを言わなければよかった。オフィスに戻り、同僚の前ではなにごともなかったように部長と打ち合わせをしたり軽口をたたいたりしながら、何度も自分を責めた。新入社員の頃から誰よりも世話になってきた上司にそんな表情をさせたことが、悔しくて悲しかった。

駐車場には、メルセデスSが停まっていた。社用車だったが運転手はいない。兄はリモコンでドアロックを解除して、「土曜日ぐらいは自分で運転しないとな」と笑った。

たぶん、それは嘘だ。兄は僕のために、札幌に帰ってきた用件を話す時間と場所をつくってくれたのだ。ビジネス誌では「クールで合理的な新世代経営者」として紹介されることの多い兄だが、連続ドラマの最終回では必ず涙ぐんでしまうところもある。

だから、僕も「社長気分になっていい？」と笑って、助手席ではなく後部座席に座った。向き合うのはもちろん、横に並んでいても話しづらい相談だというのは、兄なら察しがつくだろう。そして、相談事が家庭のことでも仕事のことでもないのなら——もう残された選択肢は数少ないんだと、きっと兄ならわかるはずだ。

2

車は高速道路のインターチェンジを目指して走りだした。

僕はまず、両親の様子を尋ねた。

「親父もおふくろも元気だ。来年はおふくろの古稀だからな、段取りはこっちでつけるから、お祝いには家族で帰ってこいよ」

兄の口調は、「倉田」の長男として年老いた両親をしっかり守っているという自負と自信に満ちていた。

「病気は?」

「平気平気、親父がちょっと白内障気味で、おふくろも血圧が高めだけど、全然心配するほどじゃないし、二人ともいろんなところの名誉会長とか顧問とか引き受けちゃって、しょっちゅう出歩いてるよ」

「そう……」

「まあ、痩せても枯れても『倉田』の先代社長と社長夫人だからな、生臭い世界からは身を退いても、あいかわらず付き合いは広いよ」

悠々自適の暮らしぶりが目に浮かぶ。両親には人生でやり残したことはほとんどないはずだ。

後悔があるとすれば、次男が思いどおりに育たなかったということぐらいのもので、それも長男の頼もしさの前では取るに足りないことだろう。

東京に出て行ったきりで、籍まで抜いてしまった次男が、ガンになった——。

あんがい平気かもな、と思った。悲しむことは悲しんでも、泣いたあとで「しょうがない」とすんなり割り切ってくれるかもしれない。そうであってほしい。決して孝行息子ではなかった僕にも、年老いた両親に身を引き裂かれるような悲しみを味わわせたくないという思いは、ちゃんと胸にある。

「兄貴は？　おととし、尿酸値が高いって言ってなかったっけ？」

「ああ。あと血糖値もな。でも、だましだましやっていくしかないよな」

「会社のほうは？」

「キツいよお、もうキツいなあ。東京のほうは景気がよくなってるのかもしれないけど、こっちはだめだ、ずーっとトンネルだよ、北海道は」

大げさな口調に、かえって安心した。だいじょうぶ、なにも心配は要らない。父も母も、兄も、幸せに暮らしている。ふるさととの縁が薄い次男や弟がこの世界から消え去ったぐらいでは揺らぐことのない、確かな幸せだ。

その安堵感が消えないうちに、僕は言った。

「……倉田千太郎は？」

兄もそう訊かれるのを予想していたのだろう、「じいちゃんって呼んでやれよ」と苦笑して、「さすがにだいぶ弱ってきたな」と言った。

「そう……」

九十一歳――なのだ。

「体もそうだし、頭や心も、かなりヤバくなってる」

「どんなふうに？」

「徘徊《はいかい》とかめしを食ったことを忘れちゃうとかってのはないし、ふだんはまともなんだよ。ただ、ときどき、おかしくなるんだ。目がとおーくを見ちゃって、でも、なーんにも見てない感じで……ああいうのをうつろな目っていうのかなあ……で、そういうときは、もう、目の前のことが全然わかってない。俺のことなんかも、一緒にいるのに、ふっと忘れちゃうんだ」

「名前を？」

「っていうより、俺の存在そのものが消えちゃうのかな」

「……どういうこと？」

車はちょうどインターチェンジの進入路に入ったところだった。兄は車が料金所を抜けるまで黙っていた。ＥＴＣでゲートを通過したときも、「左ハンドルでも便利になったよ」と話を脇にそらす。合流車線で加速しながら、ようやく「俊介は嫌がるかもしれないけど……」と前置きして、教えてくれた。

「おまえのことを呼ぶんだよ、じいちゃん。俊介はまだか、俊介はどこに行ってる、早く呼んで、ちょっとここに連れて来い……って俺に言うんだ。俊介に話したいことがあるから、ちょっとそこのおまえ、早く連れて来い、なにやってるんだ……ってな」

兄の声色はあまり似ていなかったが、いつも怒ったような声でひとに命令する倉田千太郎は

――まだ現役で「倉田」を率いていた七十代の姿で、思い浮かんだ。

「いまさら言ってもしょうがないことだけどな、じいちゃんは俺よりおまえのほうを買ってたんだ。おまえに『倉田』を継がせたかったんだ」

わかっている。中学時代に直接言われたこともある。だが、その頃には僕はもう倉田千太郎のことを、怖れながら憎んでいたのだ。

車は時速百キロをはるかに超えるスピードで、原生林の中を突っ切っていく。森が深い。空が広い。高速道路の両側に見渡すかぎり広がる森の木々が根を張っているのは、紛れもなく、東京では実感できない大地だ。僕の記憶の中の倉田千太郎は、いつもその大地に仁王立ちしている。

「じいちゃんに何年会ってない？」

「十五、六年かな」

「もうそんなになるのか……」

兄は前を走る車を数台まとめて追い抜いて、「どうするんだ？」と訊いた。

「なにが？」

「じいちゃんに会うのか？」

僕はなにも答えなかった。兄にも、僕の様子をうかがっている気配はなかった。

車のスピードが落ちた。追い越し車線から走行車線に戻り、制限速度にも戻って、一息ついたようにネクタイをゆるめて、兄は言った。

「おまえの相談事って……じいちゃんに会わなきゃいけない話なんじゃないのか？」

兄は静かに僕の話を聞いてくれた。車のハンドル操作やスピードに変化はなかった。やはり、そういう種類の話だろうという心の準備はできていたのだ。

「四十がらみの男が、お盆や正月でもないのに一人で田舎に帰ってくるんだ。しかも日帰りだぜ。ろくな話じゃないってことは見当つくよな」

ゆうべからいろいろな想像をしていた。その中で最悪の想像が、現実になった。「空港でカマをかけたとき、おまえの顔色が一瞬変わったから……そんな気がしてたんだ、最初から」と兄は言って、「はずれてほしかったんだけどな」と付け加えた。

「……ごめん」

「俺に謝ることないだろ。謝るのは、恵理さんと哲生くんに、だろ」

「あと、親父やおふくろにも」

「それはいま言うなよ」

兄の声は、ぴしゃりと響いた。兄から弟への声だった。おとなになってからはそれほど意識しなくなっていた歳の差を、ひさしぶりに実感した。

「まだ治る可能性があるうちは、がんばるから、だけでいいんだ。そうだろ？　恵理さんと哲生くんにも、これから病気と闘うからいろいろ迷惑かけるっていう意味で謝ればいいんだ。一パーセントでも可能性があるんだったら、ひたすらがんばればいいだけで、万が一、もうどうにもならなくなったら、最後の最後に、一言言えばいいんだ」

「……うん」

「親父とおふくろには、五年生存率は黙ってればいい。肺ガンになったってことと、放射線治療で治すっていうことだけ説明してやれよ。俺も一緒にいるからフォローしてやるし、こういうことって、先に知っていようがあとから知ろうが同じことなんだし……だったら、つらい思いをする時間は短いほうがいいだろ」

そういう考え方も——ある。きっと、そうではない考え方もあるのだろうが、いまは兄にまかせることにした。

「だいいち、『肺ガン』って言葉を言ったら、そのあとどんなくわしい話をしても、親父もおふくろも聞いてないって。もう、ショックで頭の中は真っ白だよ」

「……そうかな」

「あたりまえだろ」

「もっと冷静なんじゃないの？　泣いたりするのって、あんまりピンと来ないんだけど」

「なに言ってるんだ」

怒られた。子どもの頃のように。

「泣くよ、泣くに決まってるだろ、二人とも。おまえの前では泣かなくても、あとで泣くんだよ、それくらいわかるだろ、おまえだって親なんだから……」

兄は車のハザードランプを灯し、路肩の駐車帯に停めた。

「俺だって……頭の中、真っ白なんだよ……」

兄はハンドルに突っ伏し、声を押し殺して泣きだした。僕の目にも涙が浮かぶ。胸が熱いものでいっぱいになった。

だが——。

倉田千太郎は泣かないだろうな、と思っている自分も、自分の中に確かにいた。

3

高速道路を降りて札幌の市街地に入ると、車は家へ向かう交差点を素通りした。

「ちょっと会社に寄っていけよ。俺も一つアポイントメント入れちゃってるし、家の前で降ろしてやるつもりだったけど、おまえも泣いたあとの顔で家に帰るのはうまくないだろ」

そう言う兄のほうが、目を泣き腫《は》らして、よほどひどい顔になっている。

「土曜日も忙しい?」

「ふだんはゴルフばっかりだけどな、ちょっと今日は取材を入れちゃったんだ。今週は忙しかったから、今日しか時間とれなくて」

「取材って、マスコミ?」

「そんな大げさなものじゃないんだ。タウン誌だよ。なんか、札幌にある会社の社長インタビューってページが新連載になって、その一回目に出てほしいっていうんだよ。面倒くさいんだけど、ウチも広告を出してる雑誌だし、大学生もたくさん読んでるっていうから、まあ、入社案内にもなるし、付き合いだ、付き合い」

兄は照れくさそうに言う。「新連載の一回目っていうのは、すごいよ」と僕が言うと、もっと照れくさそうに「手近なところですませただけだって」と笑う。

それでも、若者向けの雑誌が「倉田」の社長を取材するようになったんだと思うと感慨深い。

兄が社長になって三年――専務として父の社長時代を支えた頃からだと十年をかけて、「倉田」は生まれ変わった。七十代の終わりまで社長の座を譲らなかった倉田千太郎時代の放漫経営をあらため、人事や組織を刷新して、えたいの知れない連中とのかかわりをすべて切った甲斐あって、いまの「倉田」には炭鉱時代の面影は残っていない。昭和四十二年の事故のことも、当時を知る社員はもうほとんど定年退職してしまった。

「俊介は新しい本社に来るのは初めてだろ」

「うん……」

「ビルの壁がハーフミラーになってて、けっこうカッコいいぞ。東京の有名な建築家に頼んだからな。コストはかかったし、親父やじいちゃんにはぶつくさ言われたけど、こういうのは看板だからな、会社の」

「二人が会社に来ることはあるの？」

「いちおう部屋はつくってあるんだけど、親父は週に一度顔を出すかどうかだし、じいちゃんなんて全然寄りつかない。嫌いなんだよ、あのビルが」

なんとなく、わかる気がする。両親と兄の一家が暮らす広い二世帯住宅には、倉田千太郎のための部屋も用意してあるが、同居どころか、家にあがったことも数えるほどしかないという。七十代の前半で連れ合いを亡くしてからはずっと一人暮らしをつづけ、通いだった家政婦を「火のもとが心配だから」と住み込みにするだけでも、うんざりするほど説得に時間がかかったらしい。

「じゃあ、いまはなにやってるの？　あのひと」

「じいちゃんって呼んでやれ、って言ってるだろ」

「……嫌だ」

やれやれ、とため息をついた兄は、呼び名についてはそれ以上はなにも言わず、僕の訊いたことに答えてくれた。

「最近またすごいんだ、仏像の集め方が。先月もタイだったかベトナムだったか忘れたけど、いかにも怪しそうな輸入業者から四、五百万円出してトラック二台ぶんの仏像を買って……会社からじいちゃんにつけてる秘書も頭抱えてた」

「北都観音に運んでるの？」

「ああ、『倉田』にもじいちゃんのことを知らない若い社員が増えたから、あの観音さまのことを説明するの、一苦労なんだ」

兄は「まあ、『倉田』の経営に口出しさえしないんだったら、少々の道楽はゆるすしかないよな」と苦笑した。本音ではどう思っているかはともかく、それを「道楽」と呼べるのが兄で、呼べないのが僕だった。

「それでな、じいちゃん、もうすぐ引っ越すかもしれないんだ」

「どこに？」

「帰りたいって言ってるんだ、北都に」

「……なんで」

「くたばるときには、北都観音の見えるところがいい、って」

車は本社ビルの地下駐車場に入る。兄は「さあ、取材だ、取材、男前に撮ってもらわなきゃな」とネクタイを締め直し、車を降りる前に、言った。

「北都に帰れば俊介に会えるって思ってるみたいだぞ、じいちゃん」

十五階建てのビルの最上階にある社長室では、すでに取材のセッティングが進められていた。

僕は部屋の外で待っているつもりだったが、「小一時間かかるから、いいよ、応接セットでもミーティング用のテーブルでも、好きなところに座っててくれ」と兄に言われ、背中を後ろから押されて、社長室に入った。

札幌の街を一望できる部屋だった。社長机と応接セットとミーティングテーブルを置いても、まだ十分に余裕がある。だが、その広さを忘れさせるほど、部屋には何人もひとがいた。

秘書室長に紹介され、総務部長に紹介され、広報部長に紹介され、若手を五、六人まとめて紹介された。兄は僕のことを「弟だ、独立して東京でがんばってる」と紹介してくれた。いちばん年かさの総務部長はそれを聞いて、あ、このひとが例の……という顔になったが、他の社員は社長に弟がいることじたい知らなかったようで、きょとんとした顔で僕に名刺を渡した。

つづいて、取材スタッフが兄に挨拶に来た。タウン誌の編集長と広告担当デスクと編集担当デスク、カメラマン、記事をまとめるライター。兄は全員の名刺を受け取ってから、僕をさっきと同じように紹介した。

すると、ライターが驚いた顔で僕を見た。まだ若い女性のライター——渡された名刺には「神内美唄」とあって、「美唄」に「ミウ」とふりがながついていた。

「あの、すみません……」

ミウさんは僕を見たまま、「一つおうかがいしていいですか?」と訊いた。

怪訝なままうなずくと、「俊介さん、ですか?」と言われ、もっと困惑しながらうなずいた。

ミウさんは、うそぉ、という顔になり、勢い込んで「あの、じゃあ」と重ねて訊いてきた。

「子どもの頃のあだ名って、シュンさん、ですよね?」

兄は僕たちを交互に見て「なんだよ、知り合いなのか?」と訊いた。僕は黙ってかぶりを振る。タウン誌のスタッフはミウさんにあわてて目配せしたが、ミウさんはかまわず、僕だけを見つめてつづけた。

「ちょうど一週間前、北都で美智子さんに会ったんです。ミッチョさん。トシさんにも、あと、先月はユウさんにも」

言葉が出てこない。

「北都観音にも上りました。美智子さんに案内してもらって、てっぺんまで」

タウン誌のスタッフが話に割って入り、兄と僕に愛想笑いを浮かべながら、なにごとか言い訳するようにしゃべった。だが、言葉は音の流れになって耳をすり抜けていくだけで、なにを言っているのか、ちっとも聞き取れなかった。


インタビューの間は、やはり社長室の外で過ごすことにした。気をつかって話しかけてくる部長たちに応えるのも面倒だったし、とにかく頭の中を整理したかった。

広い廊下をぶらぶら歩き、ハーフミラーの壁から札幌の街を見るともなく眺めながら、さっきのミウさんの言葉を反芻した。

懐かしい友だちの名前が、全員、出てきた。それも子どもの頃と同じ呼び名で。トランプのカードが出そろったようなものだ。でも、なぜ——？　ミウさんは、あの街と、俺たちに、どういう関係があるひとなんだ——？

廊下の突き当たりまで来ると、踵を返して、また戻る。突き当たって、また戻る。何往復かして社長室の前にさしかかったとき、ドアが開き、中からミウさんが出て来た。僕に気づくと、ここにいたんですかぁ、というふうに笑って、音をたてないようにドアを閉める。

「インタビュー、終わったの？」

「ええ。いま、撮影です。撮影の間はわたしがいてもしょうがないんで」

だから僕を捜しに外に出たところだ、と言った。訊きたいことや、確かめたいことや、伝えたいことがある、とも言った。

僕はドアの前から離れ、ミウさんもついてきた。さっきと同じように廊下を歩きながら、ミウさんが北都に来て美智子たちと知り合ったいきさつを聞いた。

ここでもまた、真由ちゃんの事件が出てきた。僕たちとはなんのかかわりもなく起きたはずの事件が、ぞっとするくらい僕たちを結びつけている。まるで殺された真由ちゃんの霊に手招かれているみたいに。

「でも、わたしは、いまはあの事件とは関係なく取材しようと思ってるんです」

北都の街を。そして、北都観音を。

「……北都観音が建てられた理由は、知ってるの？」

「ええ。雄司さんや美智子さんから聞きました。北都村の頃からの開拓の歴史と、炭鉱のことと、あと、爆発事故のことも」

「じゃあ、倉田千太郎のことも知ってるんだな」

ミウさんはうなずいて、「二人に聞いただけじゃなくて、札幌に帰ってからもいろいろ調べました」と言った。

ウェンカムイ——という、倉田千太郎の異名も知っていた。

アイヌの言葉で「悪魔」「悪の神」という意味だ。もちろん、そんな通り名は新聞記事を検索しても出てこない。倉田千太郎の強引なやり方に泣かされ、傷つけられ、あの男のことを身震いするほど怖れてきたひとたちが、ひそかに言い交わしていた名前だ。それは、倉田千太郎が年老いて、当時を知るひとたちも死んでいくにつれて忘れ去られてしまった異名でもあった。

「本格的に調べたんだな」

「いちおうプロですから」

照れくさそうに笑ったミウさんは、逆に僕に訊いてきた。

「札幌にはよく帰ってくるんですか？　美智子さん、シュンさんはほとんど東京に行ったきりだって言ってたんですけど」

「ひさしぶりだよ」廊下の突き当たりまで来て、立ち止まった。「このビルに来たのは初めてだし」

帰郷した理由を答えるつもりはなかったが、ミウさんは「倉田千太郎さんにも会うんですか？」と訊いてきた。「もし会うんだったら、わたしも連れて行ってもらえませんか？」

「……どういうこと？」

「取材したいんです」

倉田千太郎を――。

昭和四十二年の事故で坑内に水を入れたとき、翌年に北都観音を建立したとき、神さまや仏さまを観音像の胎内に集めはじめたとき、そして、いま――なにを思っているのか……。

「わたし、どうしても知りたいんです。記事にするとかじゃなくて……記事にするなっていうんなら、しません、約束します。でも、知りたいんです、どうしても知りたいんです。連れて行ってください、お願いします」

「やめとけよ」

「お願いします」

「頼むんだったら兄貴に頼んでくれ。どっちにしても俺は会わないから、あのひとには」

「だって……」

「今日中に東京に帰るんだ」

「じゃあ、北都にも……」

「帰る理由がないだろ、家は札幌なんだし」

ミウさんは納得できない顔でなにか言いかけたが、その前に社長室のドアが開いて、どやどやとひとが出てきた。

ミウさんは悔しそうに目を伏せ、僕はほっとして窓枠に手をかける。ほんの三十分ほど廊下を歩いていただけなのに、脚が鉛のように重くなり、息も切れかけていた。

「一つだけ、訊いていいか」

「はい……」

「倉田千太郎のどこに興味があるんだ?」

「あのひとは、ゆるされたいひとだと思ったから」

「……ちょっと、意味がよくわからない」

「会わせてくれたらわかります。あのひとはずーっと誰かに謝りつづけてるひとで、誰かにゆるされたいひとだと思うから……だから、わたし、好きなんです」

編集長がミウさんを呼んだ。ミウさんは、振り向いて「すぐ行きます」と返してから、僕に向き直る。

「わたしも一つだけ、最後にシュンさんに訊かせてください」

表情やまなざしのちょっとした変化も見逃すまいとするように、じっと僕を見つめて、言った。

「美智子さんとシュンさんって、どういう関係だったんですか?」

僕はミウさんから目をそらさず、「友だちだよ」と言った。「古い友だちなんだ」

ミウさんは黙ってうなずくと、そのまま僕に背を向けて、小走りにスタッフのもとへ戻っていった。途中で振り向くだろうかと思っていたが、僕のほうを見たのは、愛想笑いで会釈する編集長と広告担当デスクだけだった。

4

十年前に兄が二世帯住宅に建て替えた家は、僕の実家ではあっても、ほんとうの意味での帰る場所ではない。

一階に住む兄世帯の客間に通され、「俊介はそっちでいいだろ」と床の間を背にした上座に座らされると、ここではお客さんなんだな、とあらためて思い知らされる。

義姉の早苗《さなえ》さんがお盆にビールを載せて入ってきた。「お義父さんとお義母さん、すぐに下りてくるって」と言って、ビールの栓を抜こうとするのを、兄は手で制した。

「俺はお茶にする」

「そうなの?」

「ああ、あとで車を出すから。俊介はいいぞ、飲むんだったらどんどん飲んでくれ」

どうします? と早苗さんに目で尋ねられたが、僕もお茶を頼んだ。

早苗さんが怪訝そうな顔のままお茶をいれにキッチンに戻ると、兄は「親父やおふくろが来る前に訊いておきたいんだけど……」と声をひそめた。

生命保険のことだった。

「死んでからのカネじゃなくて、入院中のカネだ。ほら、一日入院したら何万円とか、ガンって診断されたら何万円とか、そういうやつ。おまえ、どうなんだ? しっかり入ってるのか?」

掛け捨ての保険には入っている。ただ、それは死亡給付金も入院給付金も微々たる額の小さな保険だ。四十歳になったらもっと大きな保険に入り直そうか、と恵理と話していた矢先だったのだ。
兄は腕組みをして「そりゃあまあ、そうだよな。まだ三十九なんだもんな」とつぶやき、僕の
預金口座の番号を尋ねてきた。
「とりあえず、週明けにでも少しまとまった額を入れとくから、番号教えてくれ」
「そんなのいいって」
「なに言ってるんだ。俺もくわしいことはよく知らないけど、健康保険の利かない治療もたくさ
んあるんだろ？　あと、民間療法や、ガンが消える水とかお茶とかキノコとか、そういうのも可
能性があるんだったらぜんぶ試せばいいんだ」
「うん……」
「そのときにカネがつづかないからあきらめますって……そんなの悔しいじゃないか。だった
ら、カネのある奴が出せばいい。それだけのことだ」
「でも、要らないって。貯金だってあるし、自分でなんとかするから」
「おまえの気持ちはわかるよ。でもな、男の意地とかプライドとかの前に、現実を考えなきゃど
うしようもないだろ。俺がおまえなら、万が一のことだけど……もし自分が死んだら、一銭でも
多く家族にカネをのこしておいてやりたい。貯金にはなるべく手をつけたくない。だったら、カ
ネのある身内からカネをひっぱる。俺ならそうするし、おまえにも、そうしてほしい」
たぶん、ここが兄と僕の人生の分かれ道だったのだろう。兄は現実を見ている。だから、昭和
四十二年の事故のことも、北都観音のことも、倉田千太郎という人物そのものも、まるごと呑み

込んで、受け容れている。僕は違う。僕が見ているものは兄とは違う。だが、じゃあなにを見ているんだと自分に訊いてもわからない。現実ではないもの――それを理想と呼ばれても、幻想と呼ばれても、嫌だ。

「口座番号、いまはわからないから。東京に帰ってから調べるよ」

半分逃げるように答え、兄がさらになにか言いかけたとき、廊下から足音と話し声が聞こえてきた。

兄は「じゃあ、すぐに教えてくれよ」と早口に言って、居住まいを正した。僕も座り直し、背筋を伸ばす。父が入ってきた。そのあとに母もつづいた。父も母も表情は微妙にこわばっている。いい話ではないということは見当がついているのだろう。

僕の向かい側に両親が並んで座り、早苗さんがお茶を置いて部屋を出ると、兄は僕に目配せした。早く話したほうがいい。前置きを長くしても、両親が不安に駆られる時間を長引かせるだけだというのが、兄の考えだった。

「あのね、さっき俺も俊介から聞いてびっくりしちゃったんだけど……」

また目配せされて、僕も口を開いた。

「病気になっちゃったんだ」

父が僕を見つめる。母も、僕をじっと見つめる。なぜだろう、両親のそのまなざしを受けたとき、ああ、だいじょうぶだ、と思ったのだ。迷子になってあせっていた子どもが、人混みの中に両親の姿を見つけたときのように、不安感や緊張感がすうっと消えた。

「ガンなんだ。肺ガンで、もう転移もしてて、手術はできないって言われて……」

父も母も黙っていた。表情は変わらなかった。兄が「でも、放射線が効くんだよな、レントゲンみたいなのをあてて、それで治そうっていうことになったんだよな、俊介」と明るい声で言っても、両親の表情は変わらない。僕を見つめるまなざしも動かない。驚いているようにも、悲しんでいるようにも見える。それでいて、すべてを悟っているようにも見える。

「まあ、いまはガンでもけっこう治るし、放射線治療も受けるから、その結果に期待するってことだ」

兄は座卓に身を乗り出して両親に話しかけたが、両親の目は僕を見つめたままだった。

僕も、もう兄の助けを借りることなく、話をつづけた。

「心配かけちゃうと思うけど、こっちはだいじょうぶだから。恵理と一緒にがんばるから」

父は身じろぎもしなかった。母は黙って、小さく、何度かうなずいた。

「よし」——兄が座卓に手をついて立ち上がった。「俊介、そろそろ空港に行くか」

チケットを予約してある最終便にはまだ時間がたっぷりあったが、三度目の目配せを受けた。ゆっくり泣かせてやれよ、と兄の目が伝える。僕も、わかった、と目で応えた。

「また帰ってくるよ。放射線治療も通院ですむし、仕事もいままでどおりにできるんだ。今度は恵理と哲生を連れてゆっくり帰るから」

ほんとうにそうするかどうかは、わからない。ただ、本心から言った。

「あ、そうだそうだ、俊介、今度部長に出世するんだって。すごいよなあ」

兄の言葉に、父は初めて頬をゆるめた。母は、今度もまた何度もうなずくだけだった。

兄の運転する車は、高速道路の方角へは向かわなかった。

幹線道路を右や左に曲がり、やがて住宅街に入った頃には、行き先の見当はついていた。僕はもうなにも言わない。カーナビのアナウンスが「間もなく目的地周辺です」と告げたとき、ちらりとミウさんの顔が思い浮かんだが、ため息と一緒に消し去った。

自分から近づいているという実感はない。ただ、向こうから迫ってくる。北都の街も、北都観音も、カシオペアの丘も、古い友だちも、そして倉田千太郎も。

車が停まる。初めて訪ねる倉田千太郎の家は、一人暮らしには広すぎる屋敷で、高い塀に囲まれていた。いかめしい玄関の門もオートロックだった。兄がインターホンを押してモニターの前に立つと、ガチャン、という音とともにロックが解除された。施錠するときの音は、もっと大きく、冷たく響くのだろう。

「悪いな、無理やり連れて来ちゃって」

門をくぐってから、初めて兄が謝った。

「いいよ、やっぱり会わなきゃいけないんだと思うし」

そうだよな、と自分に言い聞かせた。

会いたいわけではない。最後の最後まで会わずにすませたいという思いも、心の半分にはある。だが、残り半分では、見てみたい、とも思う。

会うのではなく、見る。見届ける。かつてウェンカムイとまで呼ばれたひとが、年老いて、うつろなまなざしをして、現実と幻の区別がつかなくなっている姿を、この目で見届けたい。

そして——。

訊きたい。

あなたにいちばんかわいがってもらって、あなたのことをいちばん憎んでいた孫が、もうすぐ、もしかしたらあなたより先に死ぬかもしれない。それを、あなたは、自分がやってきたことの報いだと思うだろうか……？


住み込みの家政婦と秘書が玄関で僕たちを迎えてくれた。秘書は若い男──むしろボディガードと呼んだほうがふさわしいような体格の、目つきの鋭い男だった。

「どうだ、じいさんの様子は」

兄が訊くと、秘書は僕を横目で見て、答えるのを躊躇《ちゅうちょ》した。

「俺の弟だ。じいさんの孫だよ。ときどきじいさんも言ってるだろ、俊介、俊介、って」

秘書はそれで納得したようにうなずき、「今日は朝から、あまり調子がよろしくないです」と言った。

「また帰りたがってるのか、北都に」

「ええ……さっきも、いますぐ物件を探してこいと言われました」

「そりゃあ、あそこには空き家はいくらでもあるけどなあ……まいったよなあ……」

うんざりした顔で笑った兄は、僕を振り向いて言った。

「おまえが来てくれたことも、明日になれば忘れてるかもしれないな」

「……それでいいよ」

わかってるわかってる、と兄は僕の肩を軽く叩き、秘書に向き直り「応接間に連れてきてくれ」と言った。その口調はなんだかモノを扱っているようで、それが倉田千太郎のいま生きている現実なのだろう。

家政婦に通された応接間は、きれいに片づいていた。家具や飾り物もいかにも高級そうなものが並んでいる。だが、ここにはひとが出入りしている温《ぬく》もりがない。革のソファーも大理石の床も、しん、と冷え切っている。まるでこの部屋だけ、秋を飛び越して冬になってしまったようだった。

「ときどきな、北都に帰らせてやるか、とも思うんだ」

兄はぽつりと言って、「じいちゃんにとっては、いいことも悪いことも、やっぱり北都がいちばん記憶に残ってるはずだしな」とつづけた。

僕がものごころついた頃、敏彦の父親の命を呑み込んだ第二炭鉱はすでに閉山して、倉田千太郎も本拠地を札幌に移していた。北都に残したビジネスホテルや温泉施設の経営は父に任せ、事業を次々に拡大していた。僕たち家族が倉田千太郎に会うときも札幌の家を訪ねることがほとんどで、あのひとが北都に来るのは、年に数回――二月の事故の日に合わせて営まれる慰霊祭と、五月の『桜まつり』と、八月の精霊流し……あとはときどき北都観音をふらりと訪ねるだけだった。

北都から逃げていたのだろうか。最近、思う。昔はそうではなかった。事故のことを忘れて、北都を見捨ててしまったのだと思っていた。いまは違う。忘れられるはずがないじゃないか、と思うようになったのは、おとなになって――僕自身が、北都のことを忘れられないまま背を向けてしまってからだった。

「もし北都に家を建てるんだったら、雪が積もる前にしないとなあ……」

つぶやいた兄は、ゆっくりと顔を上げた。

廊下から「相談役、こちらです」と秘書の低い声が聞こえた。「だいじょうぶですか、お手伝いいたしましょうか」という声も。

「脚も思うように動かなくなってるからな」兄が小声で言った。「ゴツい奴を秘書につけてるのは、それもあるんだ」

秘書が戸口に立ち、小さく頭を下げて、倉田千太郎を招き入れる。

磨《す》りガラス越しに見る廊下の暗がりを、大柄な人影が揺れるように動く。杖をついている。一歩、いや、半歩ずつ、よろよろとした足取りで、人影は戸口に近づいてくる。

秘書が一歩下がって、戸口を広く空け、いつでも手を差し伸べて体を支えられるよう身構えた。

倉田千太郎が姿を見せた。

抜け殻——だと思った。僕の正面のソファーに座った倉田千太郎は、もう、僕の知っている倉田千太郎ではなかった。

体の前についた杖に両手を載せて、まっすぐに僕を見る。けれど、なにも見ていない。瞳が灰色に濁っている。光や、音や、動くものをすべて吸い込んでしまったような、妙に白々として、だからこそ暗い灰色だった。

秘書が毛布を膝に掛けても、家政婦が大ぶりの湯飲みにお茶を注いでテーブルに置いても、なんの反応もない。僕の顔を見ても、驚いたそぶりすらなかった。

「今日はかなりひどいな」

兄はため息交じりに首をかしげ、手のひらをメガホンのようにして、ゆっくりと、大きな声で言った。

「じいちゃん、俊介だ、俊介。東京から来てくれたぞ、じいちゃんに会いたいって、話があるって、わざわざ来てくれたんだぞ」

その声も灰色の瞳に吸い込まれてしまい、倉田千太郎は、やはり、なんの反応も見せなかった。

オールバックにした白髪――かつてはライオンのたてがみにも似ていた髪は、いまはもうほとんど残っていない。むしろ、顎や頬をまばらに覆った無精髭のほうに、昔の面影がある。顔には深い皺が刻まれ、中途半端に開けた口はかすかにわななくように震えていた。

若い頃よりずっと縮んでしまったが、それでもまだ十分に大柄な体だった。骨も太い。頬が昔より痩せこけたぶん、頬骨の張り具合がよくわかる。杖のグリップに載せた手の甲も分厚く、節くれ立った指も太い。

だが、倉田千太郎は、いま、体の内側から生を終えようとしている。いまもなお威圧感のあるたくましい体は、少しずつ抜け殻になっている。

「じいちゃん……」

何年ぶりだろう。子どもの頃のように、倉田千太郎を呼んだ。「俊介だよ」と、笑うつもりなどなかったのに優しい顔になってしまった。

「じいちゃん、俺、病気になっちゃった。肺ガンなんだ。治ればいいけど、ひょっとしたら、俺、じいちゃんより先に死ぬかもしれない……」

もっと冷ややかに言い放つつもりだったのに。嘲笑うように言ってやるつもりだったのに。

倉田千太郎の口が、動いた。

「……俊介」

僕を呼んだ。思わず「なに？」と聞き返して、身を乗り出した。

「帰ろう……俊介……じいちゃんと一緒に……帰ろう……」

灰色の瞳に、僕は映っていない。なにも映っていない。

誰かに謝りつづけてるひとで、誰かにゆるされたいひとだと思うから——。

ミウさんの言葉がよみがえる。

「帰ろう……早くしろ……俊介、じいちゃんと帰ろう……」

倉田千太郎は口の端に泡を溜めながら、うわごとのように、同じ言葉をただ繰り返した。

第七章　メリーゴーラウンド

1

ずっと留守番電話になっていた。「電話をください」とメッセージを何度残しても、雄司からのコールバックはない。

最初の電話から一週間待ちぼうけをくって、とうとうアタマに来て、昼休みの職員室を抜け出し、体育館の裏に回って「ちょっと、いいかげんにしてよ、一言あんたに言いたいことがあるんだから、電話して！」と怒鳴り声のメッセージを録音した。「これで最後だからね！　無視するんだったら、もう、絶交だから！」

体育館の窓が開く。床のすぐ上の、風を通すための小さな窓だ。

「ミチコ先生、なにキレてんの？」「びっくりしちゃった」「夫婦ゲンカ？」と、六年生の女子が、狭い窓から顔を順番に出して笑いながら訊いてくる。

「違う違う、友だちに電話したの」

あわてて笑ってごまかすと、今度は「友だちってオトコ？」「不倫？」「こーゆーの痴話ゲンカっていうんでしょ?」と、からかう顔が順繰りに出てくる。木のウロから顔を出してはピュッと隠れるエゾリスみたいだ。

「みんな、なにしてるの?」

「バスケ」「フリースロー」「ケイちゃん、ちょーうまいの。三連発で成功だもん」

かわるがわる顔を出すのが面白くなったのだろう。小学生は楽しいことを見つける天才だと、いつも思う。

「天気いいんだから校庭で遊べばいいのに」

「でも、校庭ってバスケのゴールないもん」「男子がサッカーしてるし」「あと、なんか広すぎるよねー」

「校庭って広いからいいんじゃない」

「でも広すぎるよ」「そうそうそう、低学年の頃より広くなってるよね」「ボールが転がっていっても、拾ってくれる子いないから、体育館のほうがいいの」

べつに考えを組み立てて話しているわけではない。思いついたことをそのまま口にしているだけなのに、小学生は正しいことを見つける天才でもある。

いまの六年生が入学した頃、クラスは全学年とも二つずつあった。全校児童二百七十人。昼休みの校庭は、いまよりずっとにぎやかだった。遊びに夢中になった子ども同士がぶつかって、たんこぶやすり傷をつくって保健室に駆け込むことも、年に何度もあった。

いま、児童数は二百人を割ってしまった。六年生が入学してから毎年、どこかの学年が二学級を維持できなくなって、単学級になった。この子たちも、五年生のクラス替えのときには一組と二組に分かれていたのに、クシの歯が抜けるように同級生が転校していって、六年生に進級した四月に単学級になってしまった。

わたしたち現場の教師は、最後まで二学級にこだわった。子どもたちにクラス替えのドキドキや、同じ学年でもクラスが別々という微妙な距離感を味わわせてあげたかったし、同じクラスになったりならなかったりという小さな別れや出会いを経験するのは、子どもの成長にとって大切なことなんだと信じてもいた。

一クラスの人数に上限はあっても下の制限はない。予算さえあれば、たとえ十人ずつという形でも、二学級を維持することはできたのだ。でも、市の財政状況がそれを許さなかった。クラスが減れば人件費も減る——あたりまえの理屈が冷たく適用された。

三人の女子はいったん窓から離れ、作戦会議をするみたいにぼそぼそと話し合ってから、また顔を出した。

「ねえ、ミチコ先生」「先生って昔、東京にいたんでしょ?」「東京ってどう?　すごく大きいの?」

「大きいよお、もう、びっくりしちゃうから」

「怖くなかった?」「ハラジュクとか行ったりした?」「ナンパされた?」

「怖くない怖くない、原宿にはたまに買い物に行ったけど、ナンパはされなかったなあ」

「だめじゃーん、それじゃ」「あ、でも、カレシいたらナンパされないし」「先生、カレシいたの?　東京で」

あはは っ、と笑った。答えはそれだけ。逆に、こっちから訊いてみた。

「みんなも東京に行ってみたいの?」

「行きたいけど怖そーっ」「でも、面白いよね、絶対ね」「札幌より大きいんだよね、すごいよね」

「北都より、よさそう?」

「そりゃそうっしょ」「北都、つまんねーっ」「遊ぶ場所なんにもないじゃん……って、カシオペアの丘忘れてたりして」

東京かどうかはわからない。札幌かもしれないし、もっと手近な旭川や帯広あたりに落ち着くのかもしれない。ただ、この子たちも、いつかはここを出て行ってしまう。都会に出たきり帰ってこない子も多いだろう。そして、それほど遠くない将来、この学校は統廃合されてしまうはずだ。母校が消えたニュースを、この子たちは、どこの街で、どんな暮らしを営みながら聞くのだろう。

「ミチコ先生はさー、なんで北都に帰ってきたの?」「東京のほうが面白いでしょ?」「親に帰ってこいって言われたの?」

「いろいろあったんだよ、オトナの事情で」

「あ、わかった。カレシだよ、カレシ」「カシオペアの丘の園長さんが待ってたんだ、先生が帰ってくるの」「だよだよだよ、でしょ、でしょ、でしょ?」

うるさい、と軽くにらんで、話を変えた。

「招待券、届いた? 『北都だより』に付いてたでしょ。遊びに行ってよ、せっかくタダなんだから」

カシオペアの丘の今年の営業は、あと一ヵ月余りで終わる。今度の週末――九月最後の週末から十月の最終日曜日まで、北都市民は入園料無料になる。毎年恒例の、市民の皆さんへのささやかなお礼……いや、お詫びのしるしだ。

でも、三人の反応は鈍かった。「うん」「はーい」「そだね」と気のない返事をして、また窓から離れて作戦会議をする。

どうしたんだろうと思っていたら、一人が窓から顔を出した。

「ねえ、先生……カシオペアの丘がつぶれちゃうって、ほんと？」

次の子も「それ、わたしもお母さんから聞いたんだけど」と言って、三人目の子が「すごい赤字だったんでしょ？」と話をわたしに預けた。

わたしはせいいっぱいの笑顔をつくって、「つぶれるわけじゃないよ」と言った。「来年から、ちょっと形が変わるかもしれない、っていうだけ」

「どんなふうに？」「新しい乗り物がデビューするの？」「温水プールつくってくれるの？」

そういう変わり方だったら、ほんとうに楽しいのだけど。

「いま市議会で話し合ってるところだから、決まったら『北都だより』に載るわよ。それ見れば、ぜんぶわかるから」

「えーっ、なんで、教えてよぉ」「先生、知ってんでしょ？」「プールでしょ、プール」

さあねー、どうなんだろーねー、と鼻歌を口ずさむように言って、窓から離れた。

あの子たちは、たぶん知らないだろう。全天候型のインドアプールをつくる計画は、実際にあったのだ。

北都市や、「倉田」とともに第三セクターをたちあげた東京の電鉄会社は、カシオペアの丘を北海道随一のリゾートにするんだと宣言して、いくつものプランを練っていた。系列のディベロッパーがつくった数次にわたる開発計画には、ドーム型のプール建設も含まれていた。「銀世界の中の常夏」と謳い文句のついていたプールの完成予想図は、いまも事務所の書類ボックスの中にしまってあるはずだ。

カシオペアの丘の経営問題は、市議会でも最重要課題としてとりあげられている。九月の定例議会は会期切れで乗り切ったけど、十二月の議会ではまた同じ話が蒸し返されるはずだ。十二月には、今年の営業期間中の収支も出ているので、今度という今度はアウトだろう——と、敏彦も半ば覚悟を決めていた。

議会では、カシオペアの丘を入場無料の市民公園にする方向で話がまとまりつつある。大がかりな遊具はすべて処分し、スタッフもさらに減らして、ただそこにあるだけという公園にするのだ。

営利事業として赤字を垂れ流すのは問題でも、市民のための福利厚生事業であれば、最小限の赤字はなんとか許容できる。なにより、閉園してしまうと、計画にGOサインを出した萩原市長の責任問題が浮上する。来年二月の選挙で苦戦が噂されている市長としては、こんなタイミングでケリをつけるわけにはいかない。

「銀行が不良債権を抱えたまま、赤字を計上しないのと同じだよ。トランプのババをつかみたくないんだ」

敏彦は吐き捨てるように言って、「でも、誰かが、どこかで、終わりにしてやらなきゃだめなんだ……」とつづけた。

そんなことないよ、とは言えなかった。がんばってつづけてれば、お客さんも増えるかもしれないし——二十代や三十代前半の頃なら言えた言葉が、いまは言えない。

「だって、かわいそうだと思わないか?」

「誰が?」

「カシオペアの丘だよ」

生まれ変わることも死ぬこともできずに、ただ寂れていくしかないカシオペアの丘を見るのはつらい。敏彦は言う。いっそつぶしてくれたほうが、よっぽどいいんだけどな。

でも、もしも実際に閉園が決まったら、誰よりも怒り、誰よりも悲しむのは敏彦だ。それがわかっているから、わたしは、そうだね、とだけ答えた。

2

待ちわびていた電話がかかってきたのは、最後のメッセージを残した三日後——九月最後の日曜日の昼間だった。

わたしはカシオペアの丘にいた。市民の無料開放に合わせて出店した福祉センターのチャリティー屋台で、店番の手伝いをしているところだった。

職員さんにことわって、テントの裏に回った。大きな声を出しちゃだめだ、と自分に言い聞かせて通話ボタンを押したけど、「もしもーし、ミッチョさんですかぁ」と雄司ののんきな声が耳に流れ込むと、思わず「ちょっと、いままでなにやってたのよ！」と声がとがった。

「え……いや、ゆうべまで海外だったんだけど。ずっとオーストラリアでロケしてて、大変だったんだ」

なに言ってんの、そんなことやってる場合じゃないでしょ——とカッとしたまま言いかけて、あわてて口をつぐんだ。

「『熟女トリオのワガママ旅』って、ミッチョ、知ってる？　その仕事だったんだけど、おばさんたち、ほんとワガママなんだ。芸能人はだめだ、ベテラン女優はだめだ、もう、ヤんなっちゃってさあ……」

「留守番電話、聞いてくれた？」

「うん、聞いた聞いた、だから電話したんじゃん……で、なんなの？　なんか、気のせいかもしれないけど、ちょっと怒ってるような感じだったけど」

「怒ってるの」

「マジ？」

「そう、思いっきり、本気で怒ってる」

「なんで？」

「嘘ついたでしょ」

ぴしゃりと言って、まわりに誰もいないのを確かめてから、「シュンのこと」とつづけた。

「……なにが？」

「ユウちゃん、シュンに連絡つかなかったって言ってたよね」

雄司の返事はワンテンポ遅れた。「そうなんだよ、俺、あいつの会社の名前忘れちゃってて、電話番号を書いてたメモも探したんだけどなくなってて」と答えた声もうわずっていた。

こういうところでうまく嘘がつけない性格だというのは、よく知っている。

「シュン、札幌に来たのよ」

「マジ?」

「うん、お兄さんの会社に来てた。たまたまミウさんが雑誌の取材で会社に行ったら、シュンがいた、って」

「ミウちゃんが?」

「そう、電話してきたの、わたしに」

勝負は、ここから——。

「シュン、やっぱり病気だったんだね。お兄さんがぽろっとミウさんにしゃべっちゃった」

わたしは雄司よりは嘘がうまい、はずだ。そして雄司は、ひとの嘘を見抜くことも、それほどうまくない——学生時代のままだとすれば。

「……マジかよぉ」

やっぱり、へただった。

「なんであんな嘘ついたの? なんで教えてくれなかったの?」

「あ、いや、そんな、嘘じゃなくて、マジにわかんなくて……」

ほんとうに、へたなのだ。

「ごまかさなくていいから、もうぜんぶわかってるから」

「……そっかぁ」

ねばり腰もない。昔となにも変わっていない。それが情けなくて、悔しくて、でもなんとなくうれしくて、だからよけい悲しい。

「かなり悪いんだってね、ガン」

「うん……そうなんだよなあ」

ばか、と目をつぶった。

「ユウちゃんには、シュン、どんなふうに言ってたの」

「だから……手術も無理だし、抗ガン剤も期待できないって。放射線療法を試してみるって言ってたけど、どうなんだろうなあ……」

ほんとに、ばか、と唇を嚙んだ。

「ミッチョに隠すつもりはなかったんだけど、やっぱり、困っちゃうだろ、そういう重い話を振られても。俺はあいつになにもしてやれないし、ミッチョだって……もっと、なにもしてやれないだろ?」

わたしは目をつぶり、唇を嚙んだまま、なにも答えなかった。

「でも、あいつ、なんで札幌に来たんだろうなあ。北都には寄らなかったんだろ?」

「日帰りだった、って」

「親に会いに行ったのかなあ」

なんのために——は、考えなくてもわかるし、考えたくない。話が途切れた。ヴィヴァルディの『春』のメロディーが聞こえた。メリーゴーラウンドが回りはじめたのだ。

「ねえ、ユウちゃん……」

言いかけたわたしの言葉をさえぎって、「俺がこまめに連絡とるよ」と雄司は言った。「今度は、ちゃんとミッチョにも報告するから」

嘘をつくのも見抜くのもへたで、ヘンなところで気をつかって、要するに優しいひとなのだ。昔からずっと。

「もう、いいよな?」

「なにが?」

「ミッチョ、もうシュンのこと恨んだり怒ったりしてないよな? いま、トシと幸せなんだもんな?」

「……最初から、そんなこと思ってないよ」

「トシもそうだよな?」

「あたりまえじゃない」笑って言った。「いままで一度もそんなの聞いたことないよ」

「だよな、あれは事故なんだし、どうしようもないことなんだし……どうしようもないことって、世の中とか人生には、たくさんあるんだもんな」

「出たね、お得意の人生論」

口では笑いながら、俊介もそうなんだ、と嚙みしめた。

学生時代の俊介はヘビースモーカーだった。風邪をひくと咳《せき》が長引いていたから、もともと肺が弱かったのかもしれない。あの生真面目な性格なら、仕事のストレスだって溜まっていただろう。でも、それを言い出してもしかたない。すべては、どうしようもないことなんだと、思う。

「ユウちゃん、最後に一つだけ教えて」

「うん……なに？」

「シュンは……」

言い方に迷いながら、結局いちばんストレートで、素直で、悲しい言葉を選んだ。

「あとどれくらい生きられるの？」

雄司は少し黙って、「そういう会話って、もっとじいちゃんやばあちゃんになってからやりたかったよな」と笑った。

「ほんとだね」とわたしも笑った。

くわしいことはわからない、と雄司は言った。今度は嘘じゃないから、ほんとに聞いてないんだ、と付け加えて、でも、とつづけた。

「手術ができないぐらいだから、ガンはかなり進んでるんだと思う」

「……入院してるの？」

雄司は「今度電話してみるから、様子がわかったら教えるよ」と言った。電話番号は教えてくれない。わたしも訊かない。

「俺は、あいつに北都に帰ってみろって言ったんだけどなあ」

先回りして、言ってくれた。雄司はそういうひとだ。そして、札幌から日帰りしてしまった俊介も、そういうひとなのだ。

「そっち、もうだいぶ寒くなってきただろ」

「うん……そろそろ初霜がおりるよ」

「来週から十月だもんなあ」

「星、きれいだよ」

うん、うん、と雄司は喉を鳴らす音で二度応えてくれた。メリーゴーラウンドの運転が終わる。『春』のメロディーがすうっと消えて、上下しながら回っていた木馬もエアの抜ける音とともに停まった。

「また四人で会えたらいいんだけどな」

ぽつりとつぶやいた雄司は、わたしの返事を待たずに、「また連絡するから」と電話を切った。


テントの裏からお店を覗き、お客さんが来そうな気配がないのを確かめて、メリーゴーラウンドのほうへ歩きだした。

無料券を配った甲斐あって、ふだんの日曜日よりはお客さんの姿が多かったけど、にぎわっているというほどではない。メリーゴーラウンドの乗り場を担当する伊藤さんも、操作台を置いた小屋の中で手持ちぶさたにしていた。昔の教え子の女子高生だ。いまどきの高校生で、相場の半分以下の時給で働いてくれる子はめったにいない。小学校時代の恩師——かどうかは知らないけど、とにかくそういう縁を頼って、「先生を助けると思って、お願い」と手を合わせないと、アルバイトすら確保できない状況がつづいている。

マニュアルでは、メリーゴーラウンドの運転のインターバルは三分間になっている。三分間の待ち時間のあと、三分間回って、また三分間休む、という繰り返しだ。お客さんが十人以上になれば随時運行というのもマニュアルには定められているけど、それは——無料券を配った日曜日でさえ、めったにないことだ。

いまサークルの中にいるお客さんは九人。あと一人来ればすぐに木馬は回りだしてくれるのに、乗り場の近くに人影はない。この様子だと三分間きっちり待たされることになりそうだ。

小屋の窓から「ねえ」と伊藤さんに声をかけた。

「あ、どーも、先生、こんにちは」

「もういいんじゃない？　動かしても」

「あ、でも、まだ九人なんで……」

「平気だって」

「あ、じゃあ、先生が乗ってくれたらＯＫですよ」

わたしは笑って首を横に振った。メリーゴーラウンドは自分が乗るより、ぐるぐると回る木馬をサークルの外から見ているほうが好きだ——と、あのひとは言っていた。

「伊藤さん、乗りなよ」

「えーっ、ヤバいでしょ、それ、仕事中だし」

「だいじょうぶだいじょうぶ、ウインドブレーカー脱いじゃえばわかんないよ。運転は先生がやるから、ほら、乗っちゃって」

戸惑う伊藤さんから、強引にスタッフ用のウインドブレーカーを借りた。伊藤さんが木馬に乗ると乗り場の柵を閉め、小屋に入る。

運転開始のスイッチとタイマーを同時に入れた。『春』のメロディーが流れ、木馬が動きだす。

最初はギシギシ、ミシミシと軋んだ音をたてて重たげに、でもすぐにスピードに乗ってなめらかに、木製の馬は上下にゆっくりと跳ねながら走る。

定員五十名たらずの小ぶりなメリーゴーラウンドだ。五年前の開業に合わせて、どこかの遊園地で長年使われていた中古を買った。経費節減で、ペンキの剝げたところは敏彦と二人で塗り直した。でも、二年目からはペンキを買う経費すら切りつめなければならなくなって、機械の最小限のメンテナンスを業者に頼むのがせいいっぱいだった。

木馬はどれも色がくすんでしまい、素人のわたしたちが塗り直した箇所がまだらになってしまった馬もある。イルミネーションの電球は量販品ではないので、取り替えるのにもお金がかかる。去年と今年は、電球が切れてもそのままにしておくしかなかった。いまはもう、ちゃんと点滅する電球のほうが少ないぐらいだ。支柱と屋根に付けた鏡も何枚か割れてしまったままだし、音楽もときどき、ぷつんと切れてしまう。

もしかしたら、日本中の遊園地でいちばんみすぼらしい遊具かもしれない。でも、わたしたちにとっては、かけがえのないメリーゴーラウンドだ。

そうだよ――。

小屋を出て、三角屋根の上に広がる秋の空を見上げた。

俊介がこのメリーゴーラウンドを見たら、なんと言うだろう。

ケチをつけたりしたら怒るからね――。

空の青い色がくっきりとしすぎて、目がちかちかする。

東京にいた頃は俊介と二人で――ときどき雄司も入れて三人で、「俺ってむなしいポジションだよなあ、お邪魔虫だよなあ」とぼやく雄司に笑いながら、しょっちゅう遊園地に出かけた。東京から日帰りできる距離の遊園地は、ほとんど回ったんじゃないかと思う。

乗り放題のチケットを買えるほどお金に余裕はなかった。入場券を買って、遊具に一つだけ乗って、あとはベンチに座ったり散歩したりするだけのこともあったし、遊具に乗らずじまいのときもあった。

一つだけ乗れるときには必ずメリーゴーラウンドを選んだ。乗れないときにも、メリーゴーラウンドの前のベンチで長い時間を過ごした。

あの頃乗ったメリーゴーラウンドの中から一つだけ選ぶとしたら、わたしなら、としまえんのエルドラドにする。一九〇七年につくられた、現存する世界最古のメリーゴーラウンドだ。ドイツで生まれて、移動遊園地でヨーロッパ中を巡って、アメリカのコニーアイランドに買い取られたあと、一九七一年に日本に来た。

手作りの木馬やアール・ヌーボー様式の装飾は、昼間見ると、いかにも古くさかった。定員が百五十四人というスケールの大きさも、なんだか間延びした印象だった。でも、夜になってライトアップされたエルドラドは、ため息が出るほどまばゆく、美しかった。夜空の星を集めて飾り付けたような——俊介は「銀河ってこんな感じなのかな」と言っていた。

あれから二十年近くたって、東京近郊の遊園地は次々に閉園してしまった。でも、としまえんは、まだある。俊介は、家族を連れてとしまえんに出かけることもあるのだろうか。エルドラドはいまも、あの頃のようにまばゆく輝いているのだろうか。

思いだしてほしい、とは言わない。でも、あの頃のことを忘れてほしくはない。隣にいる女性の顔は、暗い闇に隠されていてもかまわないから。

「先生、ミチコ先生、先生ってば！」

伊藤さんの声で、われに返った。

「鳴ってたよ、タイマー！」

木馬の上から小屋を指差して、そのまま、わたしの前を通りすぎる。

あわてて小屋に入って停止ボタンを押しかけたけど、もうちょっと『春』のメロディーを聴きたくて、ぽんこつの木馬の追いかけっこを見ていたくて、窓から顔を出した。

一周して戻ってきた伊藤さんに「特別サービス！」と笑って声をかけた。

「えーっ、なに、それ……」

伊藤さんの木馬が遠ざかるのを手を振って見送った。何分乗っていても、何周しても、メリーゴーラウンドの木馬はどこにも行けない。遠ざかった後ろ姿が見えなくなっても、やがてまた戻ってくる。

ひとの人生はどうなのだろう。歳月や時間をただ前に進みつづけて、過去に背中を向けたまま、いつか長い旅を終えてしまうものなのだろうか。一度だけ戻ってきて、それから遠くへと旅立っていく——そんな人生を、もしも神さまが気まぐれに用意してくれているのなら、俊介に与えてあげてほしい。

わたしのもとに戻ってこなくてもいい。戻ってこられても困るよ、と苦笑して停止ボタンを押した。ただ、カシオペアの丘には戻ってきてほしい。戻らせてあげたい。吹雪の季節になる前

——夜空に満天の星が輝いているうちに。

3

十月になってほどなく、初霜がおりた。その日の昼休み、職員室でおしゃべりしていると、同僚の一人がふと思いだしたように言った。

「そういえば、北都観音って、いま工事してるの?」

昨日の帰り道、国道を車で走っていたら、北都観音につづく一本道から土を山盛りにしたダンプカーが何台も連なって降りてきたのだという。

「わたしなにも知らなかったんだけど、誰かそれ知ってるひといる?」

その場にいた全員、怪訝そうにかぶりを振った——わたしも、そう。

「どうせだったら取り壊してくれてもいいんだけどね」「そうそう、あれはやっぱり異様だもん」「目印にはなっても、街ぜんたいが陰気に見えちゃうでしょ」と言葉がひとめぐりすると、「古くなったから修理してるんじゃないの?」ということでみんなの考えはなんとなくまとまり、おしゃべりの話題は別のものに移った。

でも、北都観音は「倉田」から市に寄贈されている。たとえ管理は全面的に「倉田」が請け負っていても、所有者はあくまでも北都市だ。ダンプカーを使うほどの大がかりな修理や修繕をするときには市役所にもなんらかの連絡があるはずだけど、敏彦からはそんなことは一言も聞いていない。

おしゃべりの輪からそっと抜けて、敏彦に電話をかけて訊いてみた。やっぱり、敏彦もなにも知らなかった。「なんだよ、それ」とムッとした声で言って、すぐに市役所に問い合わせてみるから、と電話を切った。

数分後にかかってきた電話では、敏彦の声はさっきよりさらに怒っていた。工事は昨日から始まったらしい。建物の建築確認を受ける前に基礎工事にとりかかっているのだという。

「だって、北都観音は市のものじゃないの？」

「観音像はな。でも、土地は『倉田』の名義だから、市が文句をつける筋合いはないんだ」

「なにが建つわけ？」

「『倉田』は社員寮とか保養施設とか言ってるらしいけど、たぶん違う。あんなところに寮や保養所をつくってどうするんだよ」

「……じゃあ、なに？」

「わからないよ、そんなの俺に訊かれても」

やつあたりまがいに声を荒らげた敏彦は、「……悪い」とすぐに謝り、気を静めるように大きく息をついて、「どっちにしても、ろくなものじゃないってことは確かだよな」と言った。

「でも、こんな時期に工事するの？」

ふつうはありえない。初霜がおりたあとは冬の訪れまではあっという間だ。

「だから急いでるんだ。建築確認を待つ間に基礎工事を終えて、確認がとれたら、すぐに……確認が下りなくても、やるよ、勝手にやって事後報告だ、あいつらなら。そうしないと雪が積もる前に建たないからな」

「なんでそんなに急いでるの？」

「だから、わかんないって言ってるだろ」

声がまたとがった。ふだんの敏彦は、負けず嫌いではあっても決して短気で怒りっぽいひとではない。むだな文句や泣き言を言うぐらいなら黙々とやるべきことをこなす性格で、そうでなければ苦しいリハビリに耐え抜くことなどできなかっただろう。

でも、北都観音や「倉田」にからむ話のときは、例外だ。神経がささくれ立ったようにぴりぴりとして、ささいな言葉尻にも過敏に反応して嚙みついてしまう。いまさら言ってもしょうがないんだから、と頭では納得していても、心はずっと「倉田」を憎み、恨みつづけている。

それでいい、とわたしは思う。完璧でなくたっていい。忍耐強い努力家の敏彦が、どうしようもなく感情をあらわにしてしまう姿を、わたしは嫌いではない。

「ちょっと待ってて。わたしも調べてみる」

「調べるって？」

「ほら、ミウさん、彼女だったらなにか知ってるかもしれない」

「倉田」の動きは、北都にいるよりも札幌でのほうがよくわかるはずだし、倉田千太郎の取材を進めているミウさんは、持ち前の人なつっこさで、すでに「倉田」の幹部社員の何人かとは、お酒を飲みに行けるところまで食い込んでいるらしい。

敏彦は「ま、どうでもいいけどな」と吐き捨てるように言って電話を切った。

ほんとうに怒っている。いらだっている。ここしばらく見たことのなかった機嫌の悪さだった。「倉田」が敏彦に与えた傷はそこまで深いのだと、あらためて嚙みしめた。

放課後になるのを待ちかねて電話をかけると、ミウさんは「わかりましたよ！」と興奮気味に言った。「すごい話です、もう、急展開ですよ！」

北都観音の足元に建てようとしているのは、やっぱり社員寮でも保養施設でもなかった。

倉田千太郎の家――。

「どうしても北都に帰りたいって言って、きかないらしいんです。なんか、だいぶ認知症も進んでるらしくて……それで、社長さんも、そこまで言うんならって家を建てることにしたんです」

総務部長さんに聞いた話だから間違いないと思います、とミウさんは言って、さらにつづけた。

「今日、社長さん、工事の様子を見にそっちに行ってるはずですよ。お昼前に会社を出たって言ってましたから、もう着いてる頃じゃないですか？　直接訊いてみたら、もっとくわしいことがわかると思いますよ」

ミウさんの取材によると、「倉田」の内部にはひそかな権力闘争があるらしい。昭和の頃から倉田千太郎や先代社長を支えてきた古参の幹部は、ケンさんが進める急速な世代交代が気に入らない。逆に、現体制になってから抜擢された若い世代は、炭鉱時代から「倉田」に染みついた古い体質を一日でも早く取り除くべきだと譲らない。倉田千太郎が北都に帰ってくるのも、年老いた祖父のわがままに孫が付き合ってやったというだけの単純な筋書きではない、という。

「もちろん、総務部長さんはいまの社長さんの子飼いですから、そんなの認めるはずがないんですけど……わたし、これって一種の厄介払いだと思うんですよ。倉田千太郎が札幌にいると、たとえ惚けてても、反社長派のシンボルみたいなものですから、社長としては目障りだし、うっとうしいし、やっぱり怖いですよね」

だから——倉田千太郎を、北都に追いやった。これで名実共に隠居させようとした。

家を建てる話は、ごく一部の幹部以外にはなにも知らされていなかったらしい。反社長派はだまし討ちだと激怒し、逆に「倉田」発祥の地の北都を根城にクーデターを起こしてやるんだと息巻いているひともいるという。

ミウさんは「倉田」内部の軋轢《あつれき》について、いくつも例をあげて説明してくれた。

でも、それはほとんどすべて、耳をただすり抜けていくだけだった。

倉田千太郎が帰ってくる——。

あの男が、北都の街に帰ってくる——。

腕を後ろから不意に鷲づかみにされたような感じだった。それも、来るとしたら右腕のほうだと思っていたのに、つかまれたのは左腕だった、というような。

北都の街は、「倉田」に見捨てられたはずだったのに。ここは、倉田千太郎が一代で財と地位をなすための踏み台にすぎない街だったはずなのに。

わたしがいつも思い描いていたのは、ニッカボッカーを穿いて炭鉱を睥睨《へいげい》する——実際には見たことのない、最前線で「倉田」を率いていた頃の倉田千太郎の姿だった。

スーツの上にボア付きの防寒ジャンパーを羽織った倉田千太郎が、コワモテの男がドアを開けた黒塗りの車に乗り込む姿も、よく浮かんだ。これは炭鉱事故の慰霊祭のときに実際に目にした光景でもあった。

マスコミに登場した倉田千太郎の姿も、よく思いだす。「倉田」の名前は汚職や談合事件が報じられるたびに取りざたされ、逆に、地元経済の担い手を紹介する番組や記事にも「倉田」は欠かせなかった。テレビカメラを向けられ、マイクを突き出された倉田千太郎は、疑惑を追及されているときにはあくまでも堂々として、記者を圧倒する迫力を全身からたちのぼらせていた。追従《ついしょう》まがいのインタビューを受けるときの上機嫌な笑顔にも、一筋縄ではいかない眼光の鋭さがにじんでいた。テレビの画面の中にいる倉田千太郎は、もう北都のことなどすっかり忘れ去り、捨て去ってしまっているように見えた。

すっかり年老いた倉田千太郎が、わずかな側近だけを連れて北都に帰ってくる――そんな姿、想像すらしたことがなかった。おそらく、この街のひとは誰も。

なおもつづくミウさんの報告をさえぎって、わたしは言った。

「いつぐらいに引っ越してくるの?」

「家ができあがったらすぐ、みたいです。工事は根雪が積もる前に仕上げるって言ってましたから、十一月……遅くとも年内には、そっちに行くんじゃないですか?」

ミウさんはそう答え、「ちょっと、この展開、わたしとしても興味あります」と言った。

「……そう?」

「だって、『リア王』みたいじゃないですか、シェイクスピアの」

「ごめん……わたし、文学とかそういうの弱いから、よく知らない」

年老いた王が、国を譲った長女と次女に裏切られて追放される物語だった。安住の地を奪われ、荒野をさまようリア王は、一度は勘当した末娘コーディリアに救われる。

手早くあらすじを紹介したミウさんは、「コーディリアって、倉田千太郎の場合だと誰になるんでしょうね」と言った。

わたしにはわからない。でも、ミウさんの口ぶりは、答えを知っている様子だった。

しばらく黙ると、ミウさんは自分から話を引き取った。

「わたしは、それ、シュンさんだと思います」

静かに、きっぱりと言った。

4

車がカシオペアの丘に着くと、敏彦はすでに車椅子で駐車場の前に来ていた。

「遅いよ、なにやってたんだよ」

顔を見るなり、叱られた。

リフトアップ式の助手席を下ろし、敏彦が車椅子からシートに移ると、上昇ボタンを押して、その間に車椅子を折り畳んで荷台に入れる。ほんの二、三十秒でも、敏彦はそれを待ちきれずに「まだか？　早くしないと間に合わないぞ」といらだたしげに言う。

国道に出てからも、敏彦は「自分の車で行ったほうが早かったよ、絶対に」「美智子の車って、車高が高いから、体がぐらついて気持ち悪くなってくるんだよなあ」と文句を言いどおしだった。昼休みの機嫌の悪さは、夕方になったいまもまだ——さらに深まっているようにも見える。

いらだっている敏彦の気を静め、わたしたちには工事を止める権利も倉田千太郎に「来るな」という権利もないんだと、念を押した。

「……わかってるよ」

敏彦はぶっきらぼうに言って、サイドウインドウを少し下ろした。吹き込んでくる風で、敏彦なりに頭を冷やそうとしているのだろう。

やっぱり学校から電話をかけたのは失敗だったかもしれない。あらためて悔やんだ。

ミウさんの電話を切ったあと、動揺し、困惑したまま、敏彦に連絡をした。動揺や困惑を一人で背負いたくなかっただけなんだ、といまは思う。話を聞いた敏彦が、いまから北都観音に行くと言い出すのは、最初からわかっていたはずなのに。

「工事の様子を確かめたら、すぐに帰るからね。それでいいよね?」

繰り返し念を押すと、敏彦は横を向いたまま小さくうなずいて、「ケンさんがいなかったらな」と付け加えた。

「いたら、どうするの?」

「訊いてみる」

「倉田千太郎のこと?」

「違うよ、そんなのどうだっていいし、あいつの名前なんて聞きたくもない」

「……だよね」

「シュンのことだよ」

ケンさんなら少しはくわしいこと知ってるだろ、とつづけた。

わたしは前を見つめたまま、唇を噛んだ。

「冗談みたいな想像だけど……いま『倉田』が建ててる家に、倉田千太郎とシュンが一緒に暮らすってこと、ありえないのかな」

わたしも——それは考えないわけでもなかった。ミウさんも言っていた。倉田千太郎は、現実と幻とが混じり合いはじめた意識の中で、北都に帰れば俊介に会えると信じているらしい。絶対的な家長だった自分に逆らって家を出た俊介のことが、いまは愛おしくてしょうがないのだという。

「なあ」敏彦にうながされた。「美智子はどう思う？　シュンが北都に帰ってくる可能性って、まったくゼロなのかな」

「ゼロじゃないとは思うけど……」

あの日以来、雄司からの連絡はまた途絶えてしまった。留守番電話に「例の件、どうなった？」とメッセージを吹き込んでおいても反応はなく、そんなふうにわたしが雄司に訊いていることを、敏彦は知らない。ややこしく、わずらわしくて、ずっと気が重い。そばにいるひとに秘密を持ちつづけるというのは、そういうことなんだ、と思う。

「でも、倉田千太郎と一緒に暮らすことはないんじゃない？」

「そうかな」

「だって……もう家を出ちゃったひとなんだし、シュンは倉田千太郎を憎むことはあっても、ゆるすことはないと思うよ」

「いまでも……そうなのかな」

敏彦は窓をさらに開け、前髪を風にあおられるにまかせて、「あいつがじいちゃんのことを憎んだり恨んだりする筋合いはないと思うけどな」とつまらなさそうに笑った。

わたしは黙って、車のスピードを上げる。

正面に見える遠くの山並みには、雪の積もった白い筋が何本も通っている。つい一週間前まではなかった筋だ。やがて山ぜんたいが白く染まって筋が見分けられなくなり、暗い色の雲が山のてっぺんを覆い隠すようになると、この街にも冬が訪れる。

沈黙の重さに耐えかねて、『リア王』の話をした。「こんなの絶対にないと思うんですけど、もしも、もしも、万が一のもしも、シュンさんが北都に帰ってきたら、ほんとうにリア王とコーディリアになるじゃないですか」――俊介の病気のことを知らないからこそ、無邪気に「もしも」を重ねられるミウさんの言葉も伝えた。

すると、敏彦はあきれたように「その話、つづきがあるんだぞ」と言った。

「コーディリアと一緒に暮らしておしまいじゃないの？」

「違う違う、コーディリアはリア王を救うために姉貴たちと戦争するんだよ」

「で、勝つの？」

「負ける」

「……そうなの？」

「コーディリアは殺されるんだ。リア王はコーディリアのなきがらを抱いて、泣き叫んで、そのまま死ぬんだ。なんの救いもない悲劇なんだよ、あれは」

呆然とするわたしに、敏彦は横を向いて窓を閉めながら「だから……」とつづけた。

「シュンがコーディリアなんて、絶対に言うな」

言葉と同時に窓がぴしゃりと閉まる。まるで自分の口にした言葉を外に放ったまま、二度と戻ってくるな、というように、敏彦はそのあとはもう窓を開けなかった。

工事は想像していた以上に大がかりだった。パワーショベルが土を掘り起こし、クレーンで下ろした鉄骨の柱を杭《くい》打ち機が地面に打ち込むまわりでは、セメントの流し込み作業やアスファルト舗装の工事もおこなわれている。数十人の作業員は誰もが忙しそうに立ち働き、わたしたちの車に気づいたひとは誰もいない。

逆に、こっちが先に、黒塗りのメルセデスSを見つけた。

車のそばにひとが立っている。スーツの上にトレンチコートを着込んで、現場監督らしいひとに説明を受けているのは——ケンさんだった。

「美智子、行こう」

敏彦は車椅子の電動スイッチを入れ、わたしが止める間もなくケンさんのほうに向かっていった。でも、荒れ果てた駐車場は、あちこちで舗装が剝げて、穴ぼこも開いている。

「ちょっと待ってよ」

スピードをいっぱいに出して、最短距離をまっすぐに進むのは危ない。

「待ってってば!」

わたしの声に、ケンさんたちも驚いた顔でこっちを振り向いた。ちょうどそのタイミングで、車椅子の右側の前輪——方向を決める小さな車輪が、穴ぼこに落ちた。

がくん、と車椅子ごと右にかたむいてしまった敏彦は、強引に前に進もうとして前進のレバーを力まかせに押した。でも、穴ぼこは深く、えぐれた縁に前輪が入り込んでしまって、後輪はただ地面をこするだけで、ぴくりとも動かない。

「お願い、無理しないで！　危ないよ！」

わたしは敏彦に駆け寄って、背もたれのハンドルに手を伸ばした。でも、その前に、バランスをくずしてしまった車椅子はゆっくりと右に倒れて——シートベルトを締めていなかった敏彦の体は外に投げ出されてしまった。


わたしは倒れた車椅子を起こした。自分の力では立ち上がれない敏彦を肩に背負って体を起こし、車椅子に座らせてくれたのは、ケンさんと現場監督だった。

「トシくんだろ？　で、ミッチョちゃんか？」

ケンさんはわたしたちのことを覚えてくれていた。でも、表情には懐かしさよりも訝《いぶか》しさのほうが先に浮かぶ。

「なにしに来たんだ？　こんなところに」

敏彦は黙って、ウインドブレーカーの右袖についた砂利や土を手で払っていた。悔しそうだった。誰かにではなく、自分自身に対する歯がゆさなのだろう。車椅子に座り直したときには、二人に礼を言う前に肘掛けを握り拳で叩いて、それきり顔を上げない。

しかたなく、わたしが言った。

「北都観音で工事してるって聞いたんです」

「ああ……これな」

「みんな全然知らなかったから、びっくりしちゃって」

「市役所の許可はとってるし、もともとここはウチの土地だから」

「ええ……それはわかってます」

ケンさんとじかに会うのは、何年ぶりだろう。このまえの市長選で萩原市長の応援演説に来たとき以来だから、もうすぐ丸四年になる。まだ専務だったあの頃に比べると、いまはもう、どこから見てもひとかどの実業家の貫禄を漂わせている。

「ごらんのとおりだ。ちょっと騒がしくしてるけど、まあ、近所迷惑になるような場所でもないし、ひとけがあったほうがヒグマも出なくていいだろ」

ははっ、とケンさんは鷹揚《おうよう》に笑った。でも、わたしはあいまいにしか笑い返せず、敏彦はうつむいたまま、にこりともせずに、もう汚れの落ちたウインドブレーカーの右袖をしつこくはたきつづける。

ケンさんも怪訝そうに表情を戻し、現場監督に仕事に戻るよう目で伝えた。

「一人で来たんですか?」

わたしが訊くと、「運転手は付けてるけどな」とうなずいて、「じいさんの頃のように大名行列を見せても意味ないだろ」とつづける。

「あの……ここに建つのって……社員寮なんですか?」

ケンさんは、「そうだ」とも「違う」とも答えず、「北都の街に迷惑はかけないから」とだけ言った。「それは俺の責任で約束する。信じてくれ」

「だったら」――初めて、敏彦が顔を上げて言った。「ついでに北都観音も取り壊してくれませんか」

ケンさんは、ふっと笑った。あいかわらずだな、と懐かしむような笑い方だった。

「それは『倉田』の一存じゃできないだろ。所有者は市なんだから。市長や議会が取り壊すって決めてくれないと、こっちはなにもできない。昔も言わなかったかな、トシくんには」

「『倉田』が取り壊す気にさえなってくれれば、市長も議会もすぐに動きますよ」

それはそうだな、とケンさんはさっきと同じ笑顔でうなずいた。こういうところでとぼけたりごまかしたりはしない。余裕がある。かつて北都の街を支配し、いまも影響力を持ちつづけている「倉田」の、王としての余裕が。

「俺も、正直言って、こんなものさっさと取り壊せばいいと思ってる。でも、じいさんが生きてるうちはな……それはトシくんにもわかるだろう?」

「その呼び方やめてくれませんか」

「……ああ、ごめん、子どもの頃のイメージのままだったから。浜田さんだよな、もう。浜田敏彦さんと、浜田美智子さん、うん、そうだよな」

「美智子は旧姓で仕事をやってます。辻村《つじむら》です。辻村美智子のままです」

いいよ、そんなのどっちでも、とわたしは小声で言った。覚悟していたこととはいえ、ここまでケンさんにつっかかるとは思わなかった。

でも、ケンさんは鼻白んだそぶりも見せず、穏やかに笑ったまま「北都観音の話は議会で出てないのか?」と訊いた。「野党はつっこんできてもいい話なんだけどな」

「その前に、カシオペアの丘のことがありますから。そっちで手一杯です、議会は」

「ああ……そうだよな」

「『倉田』が手を引いてから、ぜんぶだめになってるんです。それはケンさんがいちばんよく知ってるんじゃないんですか？」

ねえ、やめて——。

わたしの声を、いいよいいよ、とさえぎって、ケンさんは言った。

「先に手を引いたのは東京の連中だ。バブルがはじけたっていうのにわざわざ東京から北海道にちょっかい出して、ヤバそうだっていうんで逃げ出した……。身勝手なものだ。ウチだってけっこうな損を出したんだ、遊園地の運営では」

「工事でいくら儲けた！　土地を売っていくら儲けた！」

敏彦は声を裏返らせて怒鳴った。工事現場の作業員が何人も振り向き、黒塗りのメルセデスからは、屈強な体格の運転手も出てきた。

でも、ケンさんは怒らなかった。運転手を手振りで車に戻し、作業員を振り向いて、だいじょうぶだ、と笑って、わたしたちに向き直ったときの顔は——悲しそうにゆがんでいた。

「言いたいことは、わかるよ。でも、いまはやめてくれ、頼む」

頭を下げた。敏彦にも、わたしにも。

「子どもの頃の……俊介の友だちにそんなことを言われると、いまは、ちょっと……キツいんだ……」

わたしと敏彦は顔を見合わせた。

俺が訊く——と、敏彦は無言で伝え、感情を押し殺した声で言った。

「シュンがガンって、ほんとなんですか」

「……知ってるのか、きみらも」

「はい……ぜんぶ」

そうか、知ってるのか、あいつ、きみらにも話してたのか、とケンさんは深いため息をついた。ほんの少しだけほっとしたように見えたし、俊介が北都の幼なじみに病気を打ち明けたことを、なんとなく俊介のために喜んでいるようにも見えた。

だから――。

「ゆうべ、俊介から電話があったんだ」

口調からよそよそしさが消えた。

「余命……三ヵ月……長くても半年だって、宣告されたらしい……」

目の前が一瞬暗くなった。首の後ろがすうっと冷たくなった。

血の気がひく――という感覚を、初めて味わった。

第八章　川原さん

1

「嘘みたいなんだ」

乾杯のビールのかわりにウーロン茶を一口啜《すす》って、僕は言った。

懐かしい友だちは「そりゃあ、まあ、そもそも最初から嘘みたいな話だからな……」と口元をもごもごさせて、テーブルに置いたばかりのビールのジョッキに手を伸ばした。

「食事もふつうどおりにできるんですか？」

懐かしい友だちが連れてきたひとは、僕が枝豆を口に入れるのを見て、意外そうに訊いた。

僕は笑ってうなずき、枝豆を歯でしごいてサヤから出した。

「消化器系の病気じゃないんで、よっぽど刺激の強いものでなければ平気なんですよ」

特に、豆類は免疫力を高めると言われている。本を読んでそれを知った恵理は、朝晩の食事に必ず納豆や煮豆をつけるようになった。枝豆も同じ豆類だが、さすがにそろそろ枝豆の時季も終わりだな、と水っぽい豆を嚙みながら思う。

「まあ、めしが食えるっていうのはいいよ、希望だよ」

懐かしい友だちは自分の言葉に大きくうなずいた。よかった。変わっていない。懐かしい友だちは、昔のままの、ユウちゃんでいてくれた。髭づらになって髪が薄くなった雄司を見ていると、不思議と、最後に会った三十代前半の頃よりも、小学生の頃の面影のほうが先に浮かんでくる。

雄司の隣にいるのは、初めて会うひとだ。少なくとも向こうにとっての僕は初対面の相手だった。だが、僕はこのひとをよく知っている。顔も、名前も、年齢も、職業も、住んでいる街も、奥さんや娘さんの名前も、そして、娘さんが殺され、その犯人と奥さんが不倫をしていたということも——すべて、テレビや新聞や雑誌が教えてくれた。雄司が仲立ちをして居酒屋で顔を合わせた今夜は、だから、僕にとってはジグソーパズルの最後のピースをはめこむようなものだった。

川原さんが持っている僕のピースは、名前、年齢、雄司と幼なじみだということ。あとは、僕の肺がガンに冒され、進行が予想以上に速く、つい数日前に三ヵ月から半年の余命を宣告されたこと——それ以外は、雄司はまだなにも話していないはずだ。

「いや、でも……シュン、ほんとに体調だいじょうぶなのか?」

「悪くないんだ。さっき嘘みたいだって言っただろ」

「痛くないのか?」

「ああ。まだ、たいしたことない。食欲もあるし、夜もぐっすり眠れるし、その気になったらビールだって飲んでも平気だと思うんだよな」

「俺たちに心配かけたくなくて言ってるんじゃないのか?」

「違う違う、ほんとなんだ」

実際、嘘でも強がりでもなかった。摂生をつづけているぶん、体の調子はむしろ夏頃よりもいいぐらいなのだ。

「放射線だっけ、その治療が効いてるってことなのか?」

それは——答えることが難しい。放射線治療は、昨日でちょうど半分が終わった。ガンを小さくする効果は出ていないし、数日前には新たな転移もわかった。肋骨と鎖骨。根治がほぼ望めない骨に転移したことで、井上先生は「すべてのことが最悪にはたらいた場合ですが」という前提付きで僕に余命を告げたのだ。

「じゃあ、全然だめってことかよ」

「いや、そういうわけでもないんだ。放射線のおかげでこの程度に進行を食い止めてるっていう考えもできるし、実際、骨転移しても痛みはたいしたことないし」

「いや、だけど……」

「いまはガンをおとなしくさせてるって、医者は言ってたけどな」

「でも、ガンは死んでないんだろ」

「うん」

「ってことは……」

「また動きだすかもな、いずれ」

さらりと言えた。表情をこわばらせてなにか言いかけた雄司を制して、「でも、その前にガンが消えるかもしれないんだ」と笑うこともできた。

決してあせることはありませんから――と井上先生にも言われていた。放射線治療はまだ前半戦が終わっただけだし、治療を終えた二、三ヵ月後に腫瘍の縮小が認められる例も少なくないのだという。

「いや、だけどさ、その前に……」

「時間切れになるかもしれない」

絶句した雄司から話を引き取って、川原さんが「どっちが早いかっていうことですか」と言った。

「そうです。競争です。もっと言っちゃえば、賭けですよね。いまの治療が効くのかどうか、効いたとして、ガンが僕の体を食いつくすのとどっちが早いか……誰にもわからないんですよ、ここから先のことは」

川原さんは黙ってうなずいた。

僕は通りかかった店員を呼び止め、ウーロンハイを注文した。「いいのか?」と驚く雄司に「一杯ぐらいなら平気だよ」と返し、川原さんに向き直った。

「まあ、賭けとしては、あまり分のいい勝負じゃないんですけどね」

これもさらりと、笑いながら言うことができた。

あせってはいない。不安や恐怖にさいなまれてもいない。すべてを絶望してあきらめているわけではないが、かといって、万が一の希望にやみくもにすがるつもりもない。

冷静でいよう、と自分にいつも言い聞かせている。冷静でいられるはずだとも信じているし、なんだ、意外とやっていけるものなんだな、と少し感心してもいる。

ビールを日本酒に替えた雄司と、焼酎のボトルを頼んで自分でお湯割りをつくる川原さんを前に、僕は話をつづけた。


一日二回――午前と午後、僕は棺桶《かんおけ》に入る。体を固定されて身動きがとれない状態で、約十分間の短い死を繰り返す。

曲線を多用した放射線照射室のデザインは、圧迫感や閉塞感を抱かせないように工夫されているのだという。色づかいもやわらかい。それでも閉ざされていることに変わりはない。小部屋というよりカプセル、そして棺桶――骨壺とまでは、さすがにまだ思わないけれど。

音も光もにおいも、温もりすらない放射線を胸に浴びながら、いろいろなことを考える。昔のこと、いまのこと、これからのこと、自分のこと、自分以外のひとのこと、明るい想像、暗い想像……。

「最初のうちは、考えが全然まとまらないんだ。考えれば考えるほど頭の中が混乱して、大声で叫び出しそうになるほどだったんだ」

雄司に言って、川原さんに「弱かったんだと思うんです、精神的に」と言った。

「でも、一週間たって、ひとりきりで部屋にいるのを十回以上繰り返すと、急に、すうっと気分が落ち着いたんです」

川原さんに言って、雄司に「なにかきっかけがあったわけじゃないんだけど、ほんとに気持ちが楽になったんだ」と言った。

二人は黙っていた。雄司はときどきなにか言いたげなそぶりを見せたが、結局、口は開かなかった。川原さんはじっと僕を見つめ、お湯割りのグラスを黙々と口に運ぶ。

シュンというひとに会ってみたい——。

川原さんは、雄司にそう言ったのだ。

いつものように川原さんをカシオペアの丘に連れて行こうと説得していた雄司が、なかなか首を縦に振らない川原さんに業を煮やしながら、僕のことを——ガンで余命三ヵ月を宣告された幼なじみがいるんだ、と話した。べつにそれを説得の材料にするつもりだったわけではない。途切れてしまった会話の場つなぎで話しただけだ。だが、川原さんは僕の話に興味を示した。うつむきどおしの顔を上げ、表情をひきしめて、「一度会えませんか、そのひとに」と言った。

なぜ川原さんがそんな気になったのかは知らない。僕と会って、なにをどうしたいのかもわからない。ただ、僕は、自分でも意外なほどすんなりと、川原さんと会うことを受け容れた。心の中の半分では訝しみながら、残り半分で、川原さんの申し出に不思議と納得もしていた。

頼む、俺を助けると思って、と電話で訴える雄司に言ってやった。

俺も会いたいよ、川原さんに——。

だから、いま、僕はここにいる。

一人娘の命を奪われ、妻に裏切られた男と、一人息子と妻をのこして死ななければならない男が、居酒屋の小上がり席で、テーブルを挟んで向き合っている。

「放射線を浴びてる時間があったおかげで、自分がこんなことになっちゃったいきさつを整理することができたんです」

僕は二杯目のウーロンハイを啜りながら、健康診断の再検査から告知までを順を追って話した。誇張もせず、話を端折りもせずに、淡々とした口調で、夏から秋にかけての日々をたどっていった。

川原さんは黙って話を聞いていた。焼酎のボトルは、半分空いた。

「ガンっていうのは、不思議な病気だと思うんです。不思議っていうか、哲学的です。本を読めば読むほど、つくづくそう思います」

ガンは、ウイルスや細菌がもたらす病気ではない。外から傷つけられたり異物が入り込んだりして起きる病気でもない。

思いきりシンプルに説明するなら、ガンは、遺伝子の突然変異によって正常な機能を失ってしまった細胞が、とめどなく増殖を繰り返していく病気だ。つまり、ガンは僕の体で生まれた。僕自身がガンをつくった。誰を恨むわけにもいかないし、「あのときこうしていれば」「こうしていなければ」と悔やむこともできない。

「極端なことを言えば、これって、意図せざる自殺だと思いませんか？　僕は毎日ごはんを食べて、仕事をして、家族と暮らして、知らないうちにせっせと自分を殺す細胞をつくって、育ててたんです」

皮肉な話だと思う。他人のことに置き換えられるのなら、それは、哀れで滑稽な話でもあるだろう。

「でも、自分を責めてもしょうがないなって気づいたんです。だって……最後の最後は死んじゃう自分を責めるのって、むなしいし、かわいそうじゃないですか」

そうでしょう？　と笑いながら二人を見た。雄司は腕組みをして、眉間《みけん》に皺を寄せた険しい顔で壁をにらんでいた。川原さんはさっきと変わらず僕をじっと見つめたまま、ごくん、と喉を鳴らして焼酎を飲んだ。

これは自殺なのだ。心が選んだものではなくても、僕は自ら死んでいくのだ。意図せざる自殺ではあっても、せめて、覚悟の上の自殺ではありたいと思う。その覚悟を決める時間を、ガンという病気は与えてくれるのだ。

「なにかの本に書いてあったんですよ。ガンになったのは確かに不運なことだけど、必ずしも不幸なことではない、って。最初に読んだときはただの詭弁《きべん》だと思っていたんですが、最近は、なるほどなあって思います」

三杯目のウーロンハイを頼もうとしたら、「お茶にしろよ」と雄司に強い声で言われた。だいじょうぶだよ、と笑ったが、雄司は僕のほうを見ていなかった。

川原さんは焼酎を啜る。目つきやしぐさに酔いがはっきりと出ていた。無遠慮なまでにまっすぐ、じっと、僕を見つめる。あと少し酒を飲んだらこてんと眠ってしまいそうな気もするし、急に悪酔いしてしまいそうにも見える。

僕は店員にウーロン茶を頼んで、「だから……」と雄司に言った。

「いまは、ほんとに冷静なんだ。精神的に安定してる。それが自分でもいちばん助かるし、うれしいんだ」

雄司は壁をにらんだままだった。

食べないんならもらうぞ、と雄司の焼き鳥を頬張って、話をつづけた。

「ユウちゃん、知ってるか？　末期ガンの人間が死ぬまでには五つの段階があるんだ。俺も本で読んで知ったんだけど、最初は、否認だ。そんなはずはない、と打ち消すわけだな。次に怒りが来る。なんで俺だけが、って思う。それから取引。もしも奇跡が起きたらなんでもしますって、神頼みだ。そのあとに抑鬱。もう気力を失って、でも、最後は受容だ。自分の運命を受け容れるしかないって気づくわけだよ」

雄司は「知ってる」と低い声で言った。「キューブラー・ロスの『死ぬ瞬間』っていう本に出てる」

「意外とくわしいんだな」

「先週読んだ」

「仕事かなにかで？」

雄司は「違うよ」と吐き捨てて、「おまえのために読んだんだよ」と酒を呷った。

「……まあいいけど、それで、俺はいま、受容の段階に来てるような気がする。あっさりここまで来たんだなあ、って」

雄司は黙って、ゆっくりと僕に目を戻した。

そして、長い間をおいて、言った。

「やめろよ、嘘」

「嘘じゃないって……」

「おまえは嘘をついてるつもりじゃなくても、いまの話はぜんぶ嘘だ。それだけは言っとく」

「おい……ちょっと待ってくれよ……」

困惑して、あせって、腹も立った。ユウちゃんになにがわかるんだよ――と言ってやりたいのをこらえて、川原さんに苦笑いを送った。

「嘘なんですかねえ……正直な本音をしゃべったつもりなんですけど」

そうですよね、とうなずいてくれると期待していた。初対面の遠慮も手伝って、とりなす愛想笑いぐらいは浮かべてくれるものだと思い込んでいた。

だが、川原さんも、長い間をおいて言った。

「私も……嘘だと思います」

言葉を失った僕に、さらにつづけた。

「人間は、そんなに強くないと思います」


川原さんは僕をじっと見つめる。にらみつけている、のほうが近い。酔ったせいだけではない、ぞっとするような強いまなざしだった。

「そんな話を聞きに来たわけじゃないんですよ、私は」

いままでなにかにくるまれていたものが、不意にむき出しになった。僕は気おされて目をそらす。雄司は黙って、僕にも川原さんにも目を向けずに日本酒を啜る。

「泣かないんですか、ねえ、柴田さん……あなた、泣かないんですか。さっきから笑ってばかりだけど、あなた、泣かないんですか」

胸ぐらを小突いてくるような口調に、僕も「泣きましたよ」とむっとして返した。「さっきも言ったでしょ、さんざん泣いたすえに病気や運命を受け容れたんですよ」

「……もう涸れたんですか」

ねえ、あなたの涙、もう涸れちゃったんですか、それだけなんですか、と身を乗り出して、僕の顔を下から覗き込む。

「私は、あなたに会いたかった。会って訊きたかったんですよ」

「なにをですか……」

怒っていいですよ、私のこと怒っていいですからね。川原さんは逆に自分のほうが怒ったような声を出して、さらに強い目で僕を見据えた。

「遺言、もう考えてるんですか」

息を呑んだ。とっさに言葉を探す間もなく、川原さんはつづけた。

「あなた、なんで奥さんのことしゃべらないんですか、息子さんいるんでしょ、なんで息子さんのこと言わないんですか。あなた、一人で死ぬんですか。誰にも見送られずに死ぬんですか。違うでしょう、あなた家族いるじゃないですか、でも、さっきから一言も言わないじゃないですか、家族のこと。おかしいですよ、嘘ですよ、そんなの、嘘じゃないんだったら、あなた、家族なんてどうでもいいんだ、違いますか、ねえ、違いますか……」

テーブルについた手がよじれるように曲がって、川原さんは突っ伏しそうになった。それでも顔を上げ、僕をにらんで、つづける。

「なにを言うんですか、奥さんと息子さんに……最後に、あなたは、どんなことを言ってあげるんですか……教えてほしいんですよ、それを……」

いないんです、と川原さんは言った。私には、もう、誰もいないんです。

僕には——いる。

「真由にね、真由に、話したいこと、たくさんあったんですよ。女房とね、これからがんばろうってね、二人で、言ってたんですよ。でも、いないんですよ……もう誰もいないんですよ、私……あなた、いるじゃないですか、なんで泣かないんですか、奥さんと子どものために、なんで泣かないんですか……」

肘が折れ曲がる。倒れかけた焼酎のボトルを手を伸ばして支えた雄司は、初めて僕を見た。川原さんをとりなすのでもなだめるのでもなく、そうだよ、と寂しそうに頬をゆるめてうなずいた。

「自分一人できれいごと言って、楽に死のうなんて……冗談じゃない……」

肩が落ちる。テーブルの縁にこめかみをぶつける。体ぜんたいをぐらつかせながら顔を上げたとき、僕を見つめる目には涙が浮かんでいた。むき出しになったものは怒りではなかった。悲しみだった。僕は悲しみを語らなかった。家族のことを口にしなかった。わかっていた。嘘をついたつもりも逃げたつもりもなかったが、わかっていた。

泣けるわけないじゃないですか、と言い返したかった。家族をのこして死ぬ僕が先に泣いちゃったら、のこされるほうはどうすればいいんですか。笑って、納得して、死んでいくしかないじゃないですか。

悔しさなのか、悲しさなのか、まぶたが急に熱くなった。

「ほら、まだ涙、涸れてない……」

川原さんは泣き笑いの顔になった。

僕を見据える目がひくひくしながら閉じたのは、それからすぐのことだった。

2

テーブルに突っ伏して寝入ってしまった川原さんを苦笑交じりに見つめて、雄司は言った。

「もともと酒は弱いひとなんだ。それに、とにかくずーっと疲れが溜まってるしな。悪い、勘弁してやってくれ」

「……なにもわかってないんだ」

僕は吐き捨てる。まぶたをぬぐうと、手の甲が濡れた。涙はそれだけだった。

「シュンの気持ちはわかってるって、俺も川原さんも」

「じゃあ、なんで嘘なんて言ったんだ」

雄司は少し考えてから、「おまえが一人で死のうとしてたからだよ」と言った。「おまえの話の中にはおまえしかいなかった。川原さんもそう言ってただろ」

俺に言わせれば、とつづける。

「家族が出てないだけじゃなくて、思い出もなかった。楽しかった思い出とか、悲しかった思い出とか……なあ、人間って、そういうのと一緒に生きて、死んでいくんじゃないのか?」

それが全然ないんだったら、やっぱり嘘だよ——。

雄司は諭すように言って、「俺の人生論、ひさしぶりだろ」と笑った。僕は笑い返さない。腹を立てているのではなかった。川原さんに言われたことが、いまになって少しずつ、胸に染みてきた。

「やり残したこと、シュンにもあるだろ」

「ああ……ないわけないだろ」

「でも、それ、のこされるほうも同じだぞ。家族とか友だちって、みんなそうだろ。相手になにかをしてやりたいとか、なにかをしてほしいとか、ずーっと思ってる。でも、死なれちゃったら、できなくなるんだ」

雄司は川原さんの丸まった背中にそっと顎をしゃくって、「わかるだろ」と言った。「このひとなんて、真由ちゃんだけじゃなくて、典子さんにまで、生きてるのに死なれちゃったようなものなんだからな」

鮭はいいよなあ——。

不意に、話が変わる。

「覚えてるか、三年生のときに鮭の捕獲センターに社会科見学で行っただろ。川をのぼってきた鮭を捕まえて、採卵して、ってやつ」

「ああ……」

「鮭は自分の人生を終えるときに、なーんにも思い残すことないんだろうなあ。イクラのほうも、自分の父ちゃんや母ちゃんのこと、なーんにも知らなくても平気なんだよなあ」

あいつら脳みそ小さそうだし、と笑う雄司に、今度は付き合って笑えた。ろくすっぽ本を読んでいないくせに人生論や青春論が好きだった大学時代の雄司は、理屈に詰まるといつも唐突で強引なたとえ話を始めていた。変わっていない。それがうれしくて、悲しくもなった。思い出と一緒に死んでいくというのは、そういうことなのかもしれない。

「でも、俺たちは、鮭とは違うからな」

こうやって、こう、と自分の胸から何本も糸を引き出すしぐさをして、つづけた。

「人間関係の中で生きて、死んでいくわけだ。一人で死ぬわけじゃない。夢があったり、思い出があったり、家族がいたり、友だちがいたりして……」

言葉を途中で切って、そうだよっ、と勢い込んで膝を叩く。

「わかった。シュンのさっきの話、嘘でもほんとでもどうでもいいんだ」

「なんだよ、それ」

「おまえの話す死に方、寂しすぎたんだ。だから嫌だったんだ」

強くても寂しい。雄司は言った。でも、人間はそんなに強くない――川原さんの言葉を繰り返して、そうなんだ、そうなんだよ、最初から最後まで一人だったようなふりして死ねるほど強くないんだよ、と膝を何度も叩く。

店員が空いた皿を下げに来た。雄司は新しいお銚子を注文して、僕はボトルの焼酎を少しだけウーロン茶に足した。今度は、雄司はなにも言わず、話をつづけた。

「俺は、川原さんとずっと一緒にいたからな。このひとが、いちばんキツくて、ぐちゃぐちゃになってるとき……そばにいて、見ちゃったからな……」

絶望という言葉の意味を初めて知った、という。

順番が逆なら、まだよかった。先に妻の典子さんの不倫を知って、真由ちゃんの事件がそのあとだったなら――「やっぱりだめか、真由ちゃんが殺されちゃ意味ないか」と雄司は首をかしげたが、言いたいことはよくわかる。

真由ちゃんが殺されたとき、川原さんと典子さんは、まだ仲むつまじい夫婦だった。少なくとも川原さんはそうだと信じていた。だからこそ、一人娘を無惨に殺された悲しみや苦しみの中でも「生」をつなぐことができた。

真由ちゃんが殺されてから犯人逮捕までの四日間、川原さんと典子さんは片時もお互いのそばを離れなかった。川原さんは真由ちゃんのなきがらにすがりつく典子さんの背中をさすり、肩を抱き、泣きじゃくる典子さんを胸で抱き止めて、警察の事情聴取を受けるときにも二人でしっかり手を握り合っていた。

「夜も抱き合って寝たらしい。抱き合うだけで、べつになにもするわけじゃないんだけど、二人ともぴたーってくっついて、寝返りも打たずに、朝まで抱き合ったままだった、って」

「……わかるよ、その気持ち」

「俺、こんな仕事をやってるから、事故や事件の遺族、たくさん取材してるんだ。そうしたら、わかってくることがあるんだよな」

「どんな?」

「悲しみって、二人いれば、なんとか耐えられるんじゃないかな、って」

悲しみを分かち合うという意味ではない。半分になるというのとも違う。雄司はそう念を押して、「同じ悲しみを背負ってるひとがそばにもう一人いれば、押しつぶされるぎりぎりのところでも耐えられそうな気がするんだ」と言った。

お銚子を運んできた店員には目もくれず、まっすぐに僕を見つめてつづける。

「川原さんのそばには典子さんがいた。だから耐えられたんだよ。真由ちゃんのためにも幸せに生きていこう、もうずっと離れずに生きていこうって思えたんだ」

犯人逮捕の第一報が入ったときもそうだった。川原さんは、その知らせをなにより真由ちゃんのために喜び、そして、典子さんと自分のためにも喜んだ。

「憎む相手ができたんだ。恨む相手がどこの誰なのか、やっとわかったんだ。典子さんと二人で犯人を一生憎みつづけて、恨み抜いてやるって……真由ちゃんの祭壇の前で誓ったんだよ、川原さんは、典子さんと一緒に」

だが、それが裏切られた。支え合うはずの二本の柱のうちの一本が、不意に折れてしまった。

「わかるか？　シュン」

雄司はやっと店員からお銚子を受け取り、そのまま熱燗の酒をぐい飲みに注いだ。酒が、あふれ、こぼれる。お銚子を持つ手は、怒りなのか悲しみなのか、小刻みに震えていた。

「犯人の名前が植田雅也だっていうのがわかったときも、川原さんは典子さんと一緒にいたんだよ。典子さんの顔色が真っ青になって、急に震えはじめたのも、川原さん、すぐそばで見ちゃったんだよ」

絶望とはそういうことなんだ、と雄司は言った。希望をなくすことじゃない。もう、誰ともつながれなくなることなんだ。誰かのためにとか、誰かと一緒にとか、そういうのをぜんぶ奪われちゃうことなんだ。

だから——。

「おまえはまだつながってる。東京でも、北都でも。じゃあ、もっとじたばたしていいんだよ。しなきゃ嘘なんだよ」

僕は黙ってうなずき、テーブルに突っ伏したままの川原さんに目をやった。小さないびきをかいていた。かすれがちのいびきは、おとなの体をした子どもがすすり泣いているような、せつなく、悲しい音だった。


雄司は「どうせ寝るんなら、体ぐらい伸ばせよなあ」と川原さんを座敷に寝かせた。二つ折りにした座布団を枕にして頭の下にあてがい、自分の着ていたジャケットを毛布代わりに川原さんに掛けた。

「最後はいつもこのパターンなんだ。寝ちゃうんだよ、ほんとに、すぐに」

「よく飲んでるのか」

「ああ、ここ一、二週間は毎晩だな」

最初のうちは、雄司が一方的に押しかけているだけだった。ほとんど門前払いだった。まあ、しょうがないよな、と雄司は苦笑する。その頃の川原さんにとっては雄司はあくまでもマスコミの一人で、マスコミとは、被害者のはずだった典子さんをあっさりと加害者の側に裏返してしまう連中のことだったのだ。

「でも、川原さんは、マスコミの前では一言も典子さんを責めなかったんだ。マスコミとしては、このタイミングがいちばんおいしいんだ。よくあるだろ、涙の独占インタビューとか週刊誌の独占手記とか、あれはたいがい、このタイミングだよ。向こうは怒りのはけ口が欲しい、こっちは遺族の生の声が欲しい、うまくできてると思わないか？」

川原さんのもとへも依頼が殺到した。週刊誌の記者の中には「このまま事件を風化させたら、真由ちゃんが浮かばれませんよ。それでもいいんですか？」と脅しまがいのことを言ったひともいたらしい。

だが、川原さんはその誘いに乗らなかった。妻の不倫相手に娘を殺された父親――という悲劇の主人公の役を引き受けなかった。

「なんでだと思う？　シュン」

「……ユウちゃんが怒りのはけ口になってたから、か」

雄司は「それもないわけじゃないと思うけど」と首を横に振った。「もっと肝心なことがあるだろ」

少し考えてから「プライドか」と言ってみた。これ以上世間のさらし者にはなりたくない、という思いは、僕にもわかるような気がする。

だが、今度は「いかにもシュンらしい発想だな、それ」とあきれ顔で笑われた。

「好きだからだよ。川原さんは、典子さんのことが大、大、大好きなんだよ。だから悪口言わないんだ。簡単なことじゃないか」

雄司は川原さんの肩から落ちかかったジャケットを掛け直しながら、「なあ、大好きなんだよなあ、典子さんのこと。つながりたいよなあ。でも、つながれないんだよなあ。切りたくても切れないんだよなあ」と、子守歌のようにゆったりと声をかけた。「だから、つらいんだよなあ、あんた、ほんとにつらいんだよなあ……」

川原さんはぐっすりと寝入って、目を覚ましそうな気配はなかった。

雄司は僕のグラスが空くのを待って「焼酎、もうちょっと足すか?」と訊いてきたが、「そろそろ帰るよ」と首を横に振った。

「川原さん、シュン、そろそろ帰らなきゃいけないんだって」

揺り起こそうとする雄司を、いいよいいよ、と制した。

「悪いな、自分から会いたいって言って、これなんだもんなあ。ひでえ話だよなあ」

被害者だからって甘えちゃだめだっての、と雄司は息だけの早口で言って、いたずらっぽい顔で肩をすくめた。それだけのことが言える関係になっているのだろう。

「ドキュメンタリー、つくれそうなのか?」

「なんとかなるんじゃないかな」

最初は雄司が一方的に押しかけていくだけだったが、いまは川原さんのほうから酒に誘ってくることも多いのだという。一週間ほど海外ロケに出たときも、帰国すると、携帯電話の着信記録には川原さんの番号が何件も入っていたらしい。

「でも、ユウちゃん……俺、よくわからない。なんでカシオペアの丘なんだ?」

ずっと思っていた。僕と同じようにふるさとを出て行った雄司が、どうしてこんなにカシオペアの丘にこだわるのか。ドキュメンタリー番組の見せ場にするため——だけではないことは、わかる。わかるから、わからない。僕の知っている雄司は、もっと単純なものの考え方をする男だったはずだ。

雄司は酒のしずくをわざと音をたてて啜り、「酒飲みの意地汚さ、ってか」とつぶやいて、畳に後ろ手をついた。天井から下がった民芸調の明かりを見つめ、へへっと思い出し笑いを浮かべて、意外なひとの名前を、軽く、口にした。

「怒られたんだ、ミッチョに」

海外ロケから帰国してすぐ――「留守電でギャンギャン怒鳴ってるんだもん、あいつ」と、また思いだし笑いを浮かべる。

「シュン、帰ろう」

あの街へ。

カシオペアの丘へ――。

「ミッチョも、トシも、待ってる。遊園地がつぶれる前に見てやれ」

「いや、だから……」

いいから聞けよ、と手のひらでさえぎられた。

「二人ともカシオペアの丘に帰ればいいんだ。おまえはミッチョに会えばいいし、川原さんは真由ちゃんの大好きだった遊園地で、真由ちゃんと典子さんのことを、幸せだったよなあって思いだせばいいんだよ」

「思いだしてどうするんだ」

「どうもしないよ。おまえがミッチョと会ったって、ガンが治るわけじゃないし」

「……なんだよ、それ」

「でも、懐かしい場所があるんなら、素直に帰ればいいんだ。そこから先のことは、それから考えればいいんだよ、ほんとに」

雄司らしい屁理屈だ。子どもの頃からそうだった。へらへら笑っていても、自分が正しいと思ったことは絶対に譲らない。負けず嫌いな敏彦を「あ、また怒った怒った」とからかいながら、ほんとうは敏彦以上に負けず嫌いで——勝ち負けを決められることそのものに負けたくない、と意地を張ってマイペースを貫く奴だった。

「さっきのシュンのきれいごと、一つだけ正しかったよ。時間があるんだ。なにかをする時間は、ちゃんと残されてるんだ」

そうだな、と僕はうなずいて言った。

「家に帰るよ」

ゆっくりと立ち上がる。「カミさんと息子が懐かしくなった」と笑って、千円札三枚と一緒に焼酎のボトルを雄司の前に置いてやった。

雄司は明かりを見つめたままだった。

「いま、ほんとに体調がいいんだ。でも、いつだめになるかわからない。後ろを向く気分にはなれないよ、もったいなくて」

返事はない。なくてもかまわない。じゃあまたな、と手を軽く振って、最後に川原さんの寝顔をちらりと見て、小上がり席から降りた。

「シュン……ミッチョは会いたがってたぞ」

雄司は明かりしか見ていない。僕もなにも応えない。

「と、俺は思ったけどな」

付け加えた言葉に、僕は笑わなかった。

店を出て、駅に向かって歩きだしたとき、急に吐き気を感じた。あわてて電柱の陰に入って背中を曲げたが、そのときにはもうおさまっていた。

みぞおちをさすり、息を整えて、道路に戻る。だいじょうぶ。体調はいいのだ、ほんとうに。頼んだぞ、とガンに言った。おまえだって俺なんだから、もっと長生きしたいだろう？

歩きだす。僕は僕の帰るべき場所へ帰る。駅に着く少し前に携帯電話から恵理にメールを送った。あと一時間で帰るから、と伝えると、すぐに返事が来た。

〈哲生、Aチーム入り決定！　お祝いにケーキ買ったので、おみやげはフルーツでOKです〉

ガッツポーズをつくった。哲生の入っている少年サッカーのチームは、五年生と六年生中心のAチームと、二軍扱いのBチームに分かれている。四年生の哲生にとってはAチーム入りは大抜擢と言っていい。ベンチ入りのメンバーに選ばれたら、次の試合には応援に行ってやろう。帰りにはひさしぶりに焼肉でも食べよう。

だから——時間をくれ、と右胸をさすった。一日でも長く、俺に時間をくれ。違う、そうではないんだと雄司と川原さんは言ったのだ。

俺たちに時間をくれ。俺と、恵理と、哲生に、時間をくれ。

いまから流れる時間は、僕一人のものではない。恵理と哲生と三人で、もう決して長くはない同じ時間を生きる。それは悲しいけれど、幸せなことなんだと、いま、気づいた。一人きりの時間を生きる川原さんと典子さんを思って、あのひとの怖いほどまっすぐだったまなざしを思いだして、僕はくちびるを噛んで歩く。

奥さんと息子さんに……最後に、あなたは、どんなことを言ってあげるんですか……。

川原さんに訊かれたときになにも答えられなかった自分を、初めて、恥ずかしいと感じた。

3

翌日、午前の放射線照射を終えて一階のロビーに下りたら、声をかけられた。

振り向くと、川原さんがしょげかえった様子で立っていた。

「雄司さんに病院の名前、訊いたんです。週に五日通ってらっしゃるっていうんで、ここで待ってれば会えるかな、と思って……」

肩をすぼめ、うなだれて、ゆうべの酔態を詫びた。こっちが恐縮してしまうぐらい深々と頭を下げて、ほんとうにすみませんでした、ひどいことばかり言って、と繰り返す。

「そんなことないですよ」

素直に返せた。「こっちこそ、川原さんに大切なことを教えてもらって、感謝してます」――きれいごとではないはずだ。

「ずっと、ここで待ってたんですか?」

「ええ……朝から」

二時間近く、ということになる。

「でも、家にいるより、外のほうがずっといいんです」

うまい言葉を見つけられないまま「気分転換、大事ですもんね」と言うと、川原さんは「どうなんでしょうね」と首をかしげた。「気分転換なんかしちゃいけないって言ってましたけどね、雄司さんは」

「そうなんですか？」

「じたばたするなバカ、落ち込むときは黙って落ち込んでればいいんだ、って」

なんなんだあいつ、と苦笑した。川原さんも「常識と逆ですよねえ」と笑いながら、「ただ……」とつづけた。

「雄司さんの言うこともわかるんですよ。気分転換っていうのは、要するに束の間だけでも元気になれっていうことでしょ」

「ええ……」

「私、サッカーだとレッズ、野球だとタイガースが好きなんですよ。友だちが心配してくれて、スタジアムや球場に連れて行ってくれたんです、それこそ気分転換にね」

「どうでした？」

「元気になりましたよ、それはね、その場ではね」

サッカーのときはレッズが後半に同点に追いついて、ロスタイムで決勝ゴールを決めた。野球のときはタイガースが終盤のピンチをしのいで、『六甲おろし』を歌うことができた。

「そのときは、やっぱり頭から抜け落ちてました、真由のことも女房のことも。でも、忘れたわけじゃないんですよ。ただ思いださなかったっていうだけで、消えてるわけじゃない。あたりまえのことですけど」

家に帰ると、現実に引き戻される。部屋の明かりを点け、真由ちゃんの仏壇に線香を立てると、せき止められていた水が流れ出すように、悲しさや寂しさが迫ってくる。自分だけ楽しい思いをしてきたことにたまらない申し訳なさを感じて、真由ちゃんに謝ってしまう。パパだけ楽しんできて、ごめん、真由はもう笑うことも遊ぶこともできないのに、ごめん、ごめん、ごめん……。

「それでよけい落ち込んじゃうんですから、意味ないんですよね。むしろ逆効果だったりするわけで」

だから、と川原さんは言った。

「いまは柴田さんを待ちながら、ずっと考えつづけてました。真由のことと、女房のことを。楽しかった思い出をずっとたどってて、カシオペアの丘も、出てきました」

あなたのことも――。

微笑みをたたえた目で、僕を見る。ゆうべのにらむような目よりも、ずっと深いところまで届くまなざしだった。

「思い出じゃないのに、なんか、むしょうに懐かしいんですよ。シュンさんのことが」

呼び方が変わる。ごく自然に、ほんとうに懐かしさに導かれたように。

「トシさんがいて、ユウちゃんがいて、あと、ミッチョさんですか」

「……雄司から聞いたんですか」

「ええ、ゆうべ家まで送ってもらったあと、酔い醒ましにスポーツドリンクをがぶがぶ飲まされながら……観音さまのことも、炭鉱の事故のことも、シュンさんと実家との関係も、トシさんの車椅子のことも」

それから、あなたとミッチョさんのことも——。

僕は目をそらし、「ガキの頃からおしゃべりだったんです、あいつは」とため息交じりに言った。

「すみません、関係ないのに」

「いえ……それは、いいんです……」

ため息と一緒に苦笑いも浮かんでいた。雄司の気持ちは、なんとなくわかる。遠足のとき弁当を忘れて泣いている友だちがいたら、惜しげもなく自分の弁当を半分差し出す奴だった——ただし、自分の使った箸を渡して「ほら、食え、食わなきゃあとで腹減るぞ」と。

「いろんなことがあったんですよ、僕たち」

「ええ……」

「あいつ、内輪の恥をぼろぼろさらしちゃうんですよね、まったく」

「でも、カシオペアの丘にもう一度行ってみたくなりましたよ」

ちょっとだけ、ですけどね。川原さんは付け加えて、「シュンさんは?」と訊いてきた。「あなたはどうなんですか?」

黙って、さっきとは違う苦笑いを浮かべた。

川原さんも最初からそれはわかっていたように、小さくうなずいた。

「……午後も治療があるんでしたっけ。いったん家か会社にお帰りになるんですか?」

「いえ、時間が中途半端なんで、病院の中や近所で休んでます。体調の悪いときはベッドを借りて、調子がよかったら談話室や、外に出たりして」

「今日は……」

「向かいのファミレスに行こうかと思って」

「付き合わせてもらっていいですか」

断るつもりはなかった。川原さんは「お酒は飲みませんから」と、初めて冗談めいたことを言って頬をゆるめた。


温かいミルクを啜るように飲みながら、川原さんの話を聞いた。真由ちゃんとの別れ――僕が、もしよかったら聞かせてほしい、と求めた。川原さんは「そんな話しちゃっていいんですか？　嫌な気分になりませんか？」と心配そうに念を押したが、僕に迷いはなかった。無念を噛みしめたい。悔しさを、そっくり同じものを感じることはできなくても、刻みつけたい。命を断ち切られた真由ちゃんと、のこされた川原さん、二人分の。

紅茶を頼んだ川原さんは、砂糖をかき混ぜるスプーンから手を離さず、問わず語りに、つぶやくような声で話していった。

子どものお葬式でいちばんつらい瞬間って、いつだと思いますか？　それはまあ、最初から最後までずーっとつらいわけなんですけどね、私は出棺のときだったなあ。棺に蓋をする前の、ほら、最後のお別れっていうやつあるでしょ。みんなで棺を取り囲んで、菊の花を中に入れて……あのときがいちばんキツかったんですよ。

棺の小ささが、つらかった。祭壇に安置されて供花や灯明や果物に飾られているときにはそれほど意識しなかったが、最後のお別れで棺だけ祭壇から取り出されると、子ども用の棺は、あっけないぐらいに小さかった。

六人でした、六人で棺を囲むと、もう一杯なんですよ。棺が隠れちゃって、外からはなにも見えなくなるんです。それを見たとき、ああ、真由はちっちゃかったんだなあ、まだこんなにちっちゃいんだなあ、と思ったんですよ。これからもっともっと大きくならなきゃいけなかったんだなあ、いま死ぬなんてありえないことなんだよなあ、死んじゃいけなかったんだなあ……ってね。

棺はたちまち白菊の花で埋まった。蓋をする前の正真正銘のお別れのとき、川原さんと典子さんはかわるがわる真由ちゃんの顔に頰ずりをして、口づけをした。棺の中は菊の花の香りに満ちていた。川原さんは泣きながらそれを嗅いで、むせ返りそうになって、だからいまは花屋の店先で菊の花を見るだけでも嫌だという。

出棺するでしょ、棺を抱えて運ぶでしょ、親戚のみんなが集まってくれるんですけど、人数要らないんですよ、そんなに。四人で十分でした。二人でもよかったのかもしれません。おかしいでしょ、たった四人でね、肩がぶつかるほどくっついてね、運ぶんですよ。

あんな不格好な出棺はないですよ、と川原さんは悔しそうに言った。

学校や幼稚園の頃の友だちもたくさん来てくれたんですけど、いけませんよ、あんなに小さな子どもがたくさん参列するようなお葬式は、あってはいけないことなんですよ。友だちにもかわいそうなことしましたよ、悲しい思い出をつくらせちゃって、申し訳なかったなあ、って……。

真由ちゃんの顔が浮かぶ。

ごめん――と謝った。見ず知らずのおじさんが、自分のためにきみの悲しい死に触れようとしている。ひどいことかもしれない。ごめん。

僕は相槌を打たない。口も挟まない。ただ黙って聞くことが、真由ちゃんに対しての、せめてものお詫びだとも思っていた。

話が途切れ、川原さんはやっとスプーンをカップから引き上げてソーサーに置いた。

ふう、というため息をついてから、声は少し大きくなった。

「真由はなにも知らなかった。犯人とママのことを……ねえ、そんなの、夢にも思わずに、いきなり落とされちゃったんですよ。それだけは救いだったと思うしかないですよね。だから、真由はいまでもパパとママのことが大好きなんですよ、うん、天国で、パパとママ、仲良くしてね、って言ってるような気がするんですよ」

紅茶を一口啜る。また、ため息をつく。

「待ってるんです」

そう、私、待ってるんですよ、とつづけた。

「真由がね、夢に出てこないかなあと思ってて……パパ、ママは？　ママはどこなの？　なんで一緒にいないの？　って言ってくれたら……私ね、迷いませんよ、絶対に迷わない……」

なにを――とは言わなかった。

「でも、出てこないんですよねえ、昼間あれほど真由のこと思いだしてるのに……思いだしすぎちゃうと、かえってだめなんですかねえ……」

まあ、でも。

「夢で会うのが怖い気もするんですよね、正直言うと。もしもですよ、もしも、真由が夢の中で、ママのことゆるせないとか、そんなこと言ったら……言いませんよ、言わないです、あの子はほんとにパパとママが大好きだったんだから……でもね、やっぱりね、怖いんですよ……」

だからね、私ね。

「女房より先に死ななきゃと思ってるんです。先に天国に行って、真由に言っとかないと。ママは、パパとはちょっとアレだったけど、真由のことは大好きだったんだよ、絶対に、大好きだったんだよ、だから、ママのことゆるしてあげようね、って」

どんな大怪我でもいいんですよ、生きててくれれば、よかったんです。

「だってそうでしょう、生きててくれれば伝えることができるんですよ。でも、死んじゃったら、パパが言いたいこと、なんにも言えないじゃないですか、聞いてもらえないじゃないですか……さよなら、も言えなかったんですよ、ほとんど即死ですもん、私いなかったんですよ、ゴルフ行ってたんです、日曜日は家族と過ごさなきゃだめなんです、だめだったんです、私が一緒に買い物に行ってれば、あんなことにはならなかったんです……女房じゃないんです、私なんですよ、真由に謝らなきゃいけないのは……」

しだいに大きくなってきた声が、まわりのテーブルにも届くようになった。他の客の視線を川原さんも察して、すみません、と紅茶を啜った。

「シュンさん」

「……はい」

「私がゆうべ、あなたに会いたかったのって、そういうことだったんです」

僕には、言葉を伝える相手がいるから。

僕に、言葉を伝えたい相手がいるから。

「生きてるんですもん、奥さんも息子さんも。あなただって、それは……余命は限られていても、生きてるんですもん、いまは」

そうでしょう？　とうながされ、黙ってうなずいた。

「友だちだっている。メールを送りつけて終わりなんてずるい、って雄司さん怒ってましたよ」

あのおしゃべり――。

川原さんは「帰ります」と静かに言った。「真由に会いたいから、さっさと寝ます」と席を立った。僕は見送りに出るかわりに、真由ちゃんにもう一度謝った。ごめん、真由ちゃんの大好きなパパに、また悲しい思いをさせてしまって、ほんとうに、ごめん。

4

放射線治療を始めて四週間――通算四十回目の照射を終えたあと、井上先生に説明を受けた。
前回の照射のあとに受けた検査の結果が出ていた。ＣＴ画像を見せられる前に、先生の表情から、いい話にはならないことを察した。

「肋骨と鎖骨の痛みはうまく抑えられてるようですが、肝心の肺の腫瘍がちょっと大きくなってます。あと二週間ありますから、ここで効果なしと決めつける必要はないんですが、ベクトルを少し変えてみる発想もありうるかもしれませんね」

放射線で根治を目指すのではなく、まだ体力のあるこの時期を大切にする――。

「要するに『治療』よりも柴田さんの『人生』を優先させるということです。週五日、ほとんど半日の拘束でしょ、いまは。それでいて効果が見られないというのは、柴田さんから貴重な時間を奪っているだけのような気もするんです」

医師としては、もちろん治療をする。しかし、僕が望むのなら、そうではないやり方も考える、と先生は言った。

「いかがですか、胸の痛みや息苦しさは感じますか?」

「いえ……特には」

それでも、この数日、少し疲れやすくなったようには感じる。ゆうべも会社から帰って、遅い夕食が食卓に並ぶのを待つ間、背広を脱いだだけでリビングのソファーに横たわってしまった。

「肝細胞の腫瘍マーカーの数値も、上がってきてます」

ガンが動きだした、ということだった。

「もしも体調に変化があったら、どんなに小さなことでもけっこうですから、すぐに連絡してください」

先生は最後まで硬い表情のままだった。

電車を乗り継ぎ、一時間以上かけて会社に戻った。

電車の中ではずっと座って、目を閉じていた。通勤電車では立っていられても、病院との往復、特に帰りは、座っていたい。途中で何本も快速や急行に追い抜かれる各駅停車を、あえて選ぶ。流れる風景を目で追うとまぶたの裏に重い疲れを感じるので、なにも見たくない。これも——この数日のことだ。

少しずつ、残り時間が減ってきている。認めるしかない。僕の体がつくりだしたガンは、生みの親に逆らって、どんどん悪い仲間を増やし、死への道を急いでいる。

ばかだな。俺が死ぬとおまえだって死ぬんだぞ。どうしてそれがわからない。細胞には、それじたいに生きようとする力が備わっているのだと、なにかの本に書いてあった。だとすれば、ガンは、死のうとする意志の宿った細胞なのだろうか。

腕組みをしたまま、指でそっと右胸に触れてみた。手探りでもわかる。乳首より少し上の、少し内側——肺にあてる放射線照射の目印の×印がサインペンで記されている。肌を切り裂き、肉を開き、肋骨をどければ、ちょうどそこに、僕の体が最初につくりだしたガンがある。

冷静になれ、と自分に言い聞かせる。放射線照射の効果は、明日からあらわれるかもしれない。時間はある。僕はまだ元気だ。×印を指で強く押しても、痛みはない。息を大きく吸い込んで、ゆっくりと吐き出して、だいじょうぶだ、と確かめる。

電車が揺れる。駅に近づいてブレーキをかける。電車の運転が乱暴になったように感じるのは、気のせいだと、思う。

会社に戻ると、留守中に届いたメールやファックスの処理に追われた。といっても、留守の時間が長かったので仕事が溜まっているだけのことで、ふつうに席にいれば時間を持て余してしまう程度の忙しさにすぎない。

先週たちあがったニュータウン開発のプロジェクトは、一期上の遠藤さんを部長にしてチームが組まれた。僕の昇進の話は、結局、内示の段階で流れてしまった。高沢部長は「俺にできるのはここまでだったよ」と、僕をチームのメンバーには残してくれた。ただし、与えられた仕事は、すでに会社とは別のプロジェクト専用のオフィスに詰めている遠藤さんたちの補佐――リクエストされた資料を集め、向こうからあがってくるリポートを整理するだけの役目で、もともとの仕事からはずされたぶん、かえって暇になってしまった。

「それでいいんだよ。いまは治療に集中しろ。ガンが消えたらいくらでもこき使ってやるから、ちょっとでも調子が悪かったらすぐに休めよ。無理しなくていいんだからな」

なだめるように言う部長に、僕はまだ、放射線治療に効果が出ていないことを報告していない。体調を尋ねられたら「ばっちりですよ」と笑って答え、部長も「うん、そんな感じだなあ」とうなずいてくれる。

だが、今日初めて――僕の席の近くを通りかかった部長は、首をかしげながらそばに来て、小声で言った。

「おい、柴田……顔色悪いぞ、だいじょうぶなのか」

ちゃんと笑って「ばっちりですよ」と答えたのに、部長は険しい表情のまま「無理だけはするなよ」と言って、自分の席に戻った。

洗面所の鏡で、確かめた。だいじょうぶ。問題ない。ニッと笑ってみた。ごくふつうの、あたりまえの笑顔が鏡に映し出される。今度からVサインも付けて答えたほうがいいかもな、と鏡に向かって指を二本立てて、もう一度笑うと、目の下にうっすらと隈《くま》ができていることに気づいた。

定時で仕事が終わった。いつもなら残業している同僚を横目にひきあげるのが嫌で、とりたてて急ぎでもない仕事を無理に見つけてパソコンに向かうところだったが、今日は机に座っているのがなんとなく億劫《おっくう》で、少し横になりたかった。

たまには早く帰ろう。哲生と、ひさしぶりにゆっくり話をしよう。この週末、哲生はAチームに入って初めての試合を迎える。先発はさすがに無理でも途中出場を狙っている哲生に、練習の手応えを訊いてみよう。「五年生とか、けっこうヘタだったよ」と強気なことばかり言う哲生の笑顔が、今朝見たばかりなのに、急に懐かしくなった。

パソコンの電源を落としたとき、携帯電話が鳴った。『イン・マイ・ライフ』のメロディーがふだんより寂しげに聞こえ、気のせいだって、なにやってるんだ、と自分で自分を笑って、フリップを開いた。

兄からだった。留守番電話に自動的に切り替わる寸前、電話に出た。

兄は挨拶抜きで「具合どうなんだ?」と訊いてきた。僕からの連絡が全然なかったので心配していたらしい。「口座番号も早く教えろよ、すぐに振り込むから」と怒った声で言われ、お金なんて要らないよ、ほんとにだいじょうぶだから、と返すのも億劫になって、「いまはわからないから、また連絡するよ」とだけ言った。

「まあ、いいけど……どうなんだ、放射線だっけ、それ、うまくいってるのか」

「そこそこ、だけど」

「効いてるのか」

とたんに声をはずませるから、僕は「まあね」としか答えられなくなってしまう。

「おふくろも心配してたから、教えてやったら喜ぶよ」

「……うん」

「用事はそれだけなんだけど……いちおう、おまえにも報告しといたほうがいいかなって話があるんだ」

「なに?」

「じいさんのことなんだけど、札幌の家、引き払うことになったから」

北都に引っ越す。身の回りのものだけをまとめ、秘書もつけずに、あの街に帰っていく。

「一人暮らしってわけにはいかないから、とりあえず家政婦さんは手配して、会社の若い奴も北都の市内ぐらいには住まわせようと思ってるんだけど……まあ、じいさんの最後のわがままに付き合ってやるしかないよな」

黙り込む僕に、兄はさらに、絶句するしかないことを告げた。

「カシオペアの丘、つぶすことになったから」

つぶれる――ではない。

つぶす――という言い方をした。

「二月の市長選、そろそろ世代交代させなきゃいかんだろう。次は石井さんってことで、もう根回しはあらかたすんでるから、次の議会でカシオペアの丘の閉園が正式決定して、そもそもの誘致の責任問題になって、それでいまの萩原市長は死に体だ。二月の選挙は、こっちがなにもしなくても石井さんに決まるよ」

それが、北都と「倉田」の関係だった。覚悟はしていた。兄に聞かされるまでもなく、あの立地条件で経営が成り立つと思うほど、僕はもう世間知らずの子どもではない。

「……観音は？」

「うん？」

「……北都観音は、どうするの。一緒に取り壊すわけ？」

兄は「じいさんがくたばってからの話だよ、それは」と言って、笑いながらつづけた。

「ミッチョやトシと同じこと言うんだな、おまえも」

そして――。

「二人も心配してたぞ、おまえの病気のこと」

右胸が不意に重くなった。内側からじわじわと壁を押してくるような、鈍い痛みがする。

ガンがむっくりと起き上がったのを、確かに感じた。


会社を出ると、タクシーを拾った。混み合った電車に揺られる気力……いや、駅まで歩く気力が、どうしても出てこなかった。

行き先を告げると、運転手は妙に愛想良くなって、こんな時間にロングの客はひさしぶりだとか、こんなご時世にお客さんの会社はよっぽど羽振りがいいんですねえとか、しゃべりどおしだった。

高速道路に入る前に、うんざりして「少し黙っててもらえませんか」と言った。すると、運転手は一転して不機嫌になってしまい、高速に乗ってからは制限速度をはるかに超えるスピードで車をとばした。

休む間もなく上がっていくメーターの数字を見ていると、少し気分が悪くなった。

今日だけだ。今日は特別に調子がよくないから、たまにはタクシーを使ってみたくなった、それだけのことだ。明日からはまた電車に揺られる。サラリーマンなら誰だってやっていることだ。今朝の僕だってやっていた。夕刊紙を読んでいれば、すぐに着く。だいじょうぶだ。明日からはまた、電車に乗って通勤できる。僕はまだ、へばってはいない。

胸を両手で抱きかかえ、右胸を手のひらで覆った。

頼む——。

治らなくてもいい。おまえは、ここに、このままいればいい。そのかわり動くな。じっと眠っていてくれ。あと三十年、四十年、一緒に生きていけばいいじゃないか。

頼む——。

頭がクラクラする。体がだるい。もう少しゆっくり走ってもらえませんか、と運転手に言いたいのに、声が出ない。ガンのせいではない。放射線照射の副作用でめまいや全身の倦怠感《けんたい》に襲われることがある、と井上先生も言っていた。ネクタイをゆるめ、ズボンのベルトをはずした。車は郊外に出て、通行量が減ったぶん、さらに運転は荒々しくなる。風景が動くのを見ることがキツくなって、目をつぶった。汗が出る。額の生えぎわがじっとりと濡れて、シャツが背中に張りつく。右胸をさする。×印の上を何度も撫でる。

ここにあるのは「死」だ。あらためて思う。僕は右胸に「死」を抱いている。そして、その「死」は、生きている「死」だ。動いて、育っている「死」だ。

自分の「死」をそんなふうに考えたことは、いままでなかった。ひとが死ぬというのは、「生」が傷つけられ、奪われた結果だと思っていた。「生」が動きを止めた状態が「死」なんだと思い込んでいた。だが、僕の体は僕自身が気づかないうちに肺の中に「死」を生み、いまも育てている。「死」は、「生」とともに僕の体の中の――ここに、ある。

窓を開けた。頬に外の風をあてて火照《ほて》りを冷ましながら、そっと目を開けた。車が高速道路に乗った頃には西の空に残っていた陽も、いまはもう暮れ落ちた。星が遠くに、小さく光っている。

カシオペアの丘がなくなる。遊園地がつぶれる。兄に聞かされたときにはすんなりと胸に沈んだものが、いま、じわじわと浮き上がる。僕たちの夢が終わる。トシとミッチョと――ユウちゃんと俺も入れてくれ。あの丘は俺たちの丘で、遊園地は俺たちの夢だった。

ミッチョ――。

初めて、名前を呼んだ。

俺、ガンだってさ、あと三ヵ月から半年の余命だってさ、信じられないだろ。嘘みたいだろ。

冷静になれ。

ミッチョ、ラッキーだったよ、おまえ。

どんなときでも冷静でいよう、と決めたはずだ。

貧乏クジをひいたのは、俺たちと同い年の、ミッチョの知らない、恵理というひとだ。

病気を受け容れて、死を受け容れて、まっすぐに前を向いていられるはずだった。

ミッチョ、恵理はおまえとちっとも似ていない。でも、友だち同士で出会ったら、きっと仲良くなれそうな気がする。

強い人間でいたい。夫として恵理を苦しめることなく、父親として最後に、哲生にたいせつなことを教えるために、強い人間でいたい。

ミッチョ、俺の息子は素直でわんぱくな子どもだ。昔の、あの頃の、車椅子に乗る前のトシみたいだぞ。

運命を恨むな、と自分に言い聞かせていたはずだ。できるよな、と訊くと、できるさ、と答えていたはずだ。

ミッチョ、俺たちがあのまま結婚していたら、俺とおまえの人生は、いまとどう違っていたのだろう——。

人間は、そんなに強くないと思います。

川原さんの声がよみがえる。

それをかき消して、運転手がぶっきらぼうに言った。

「お客さあん、寒いしうるさいからさあ、窓閉めてくんない?」

第九章　哲生

1

風が砂埃《すなぼこり》を舞わせる河川敷のグラウンドに、子どもたちの歓声が響きわたる。

土手にレジャーシートを敷いて座った恵理は、タクシーを降りた僕に気づくと、こっちこっち、と手を振って、ほらあそこ、とベンチを指差した。

背番号32――哲生がいる。

「まだ出てないんだろ？」

「うん、いま後半が始まったばかりだから」

「スコアは？」

「負けてる。０対３」

恵理は悔しそうに言ったが、僕は「いいパターンだよ」と小声で返した。「ワンサイドゲームになれば出番あるぞ、哲生にも」

ベンチに座った哲生の背中は、両隣の子どもよりも一回り小さい。逆に背番号の数字は、ぴょこん、と跳ね上がったみたいに大きい。

「まわりの子、みんな上級生なんだろ？」

「そう。六年生だって」

「四年生は？」

「ベンチ入りできたのは哲生だけ」

よしっ、と大きくうなずくと、「だめよ、他の子の親も来てるんだから」と苦笑いでたしなめられた。

「それより……どう？　具合」

「うん、だいじょうぶ、ちょっと寝たら楽になったから」

ほんとうは恵理と一緒に、試合の最初から観るはずだった。出がけに立ちくらみと吐き気がして、恵理を先に車で行かせ、ベッドでしばらく休んだ。いまはもうだいじょうぶ。波や風と同じだ。迫ってくる一瞬をうまくやり過ごせば、あとはなにごともなかったかのように、ふつうの状態に戻る。

「明日、井上先生に相談してみたら？　副作用のキツいときって、薬、出してくれるんでしょ？」

「ああ……そうだな」

「まいっちゃうよね、病気を治すための治療で逆に具合が悪くなっちゃうんじゃ、意味ないよね」

「ある程度はしょうがないって先生は言ってたけどな」

「でも、最近、具合が悪くなる間隔が短くなってない？　やっぱり、薬ほどじゃなくても副作用あるのよ、放射線って」

明日、照射のあとで訊いてみるよ——と話を終えた。途中からは恵理には目を向けなかった。恵理もきっと、グラウンドを見つめたまま話していたのだろう、と思う。吹きつけてくる砂埃に目がしょぼつく。空はよく晴れているが、風が強い。いまも哲生のチームのゴールキックが、向かい風を受けて大きく押し戻された。

恵理は気づいていないのだろうか。ほんとうの副作用は、恵理のほうに出ている。薬では抑えることのできない、やっかいな副作用だ。

放射線治療を始めてから、恵理は「ガン」という言葉をつかわなくなっていた。すべて「病気」と言い換える。「抗ガン剤」さえ口にしない。そして、最近の僕の体調の悪さは、放射線の副作用なんだと——ほんとうに信じているのかどうかはともかく、僕の前ではそう信じて疑わない態度をとりつづける。

苦しめている。看病や介護で恵理に苦労をかけることは覚悟していたが、こういう形で恵理に精神的な負担をかけるとは思ってもみなかった。気をつかわなくてもいい。恵理まで一緒に重荷を背負い込むことはない。放射線照射室で過ごすひとりきりの時間は、いつだって、ガンになったのはおまえなんだぞ、他の誰がなったのでもなく、他の誰とも分かち合うことのできない、おまえ自身が背負うしかないものなんだぞ、と教えてくれているのだから。

相手チームに四点目が入った。勝負はほぼ決まった。ピッチの中の選手たちはもちろん、ベンチのメンバーもがっくりと肩を落としていた。

だが、哲生はすぐに顔を上げ、両手をメガホンにして「ファイトーッ!」と声を出した。それにつられて、まわりの選手も「まだまだ!」「時間あるぞ!」と元気を取り戻す。

いいぞ、と僕は笑う。いいぞ、ほんとに、いいぞ、哲生。

元気な子どもだ。明るい少年だ。算数の成績は悪くても、毎日楽しそうに学校に通い、自分がいまこの世界にいることがうれしくてたまらないように、笑って、走って、ときどき失敗したり叱られたりしてしょんぼりしても、すぐにケロッと立ち直って走りだす。

もしも僕の人生で得た一番大きな幸せを挙げろと言われたら、迷うことなく、哲生という息子を持ったことだと答える。二番目に大きな幸せは、これも迷わない、恵理と出会って、人生の後半を一緒に過ごしたことだと答える。

だから——僕の人生にやがて訪れるはずの一番の悔いは、哲生と恵理に悲しい思いをさせてしまうことになるのだろう。

風がひときわ強く吹き渡り、砂埃が舞い上がった。川の向こう岸を霞ませるほどの砂埃は、地面に戻る前に風にあおられ、ざらざらと音をたてて飛んでくる。

「やだ、もう、この風……」

恵理はトートバッグからウェットティッシュを取り出して、僕に渡した。鼻と口を覆うと、ティッシュに染みた消毒薬のツンとしたにおいにむせかけた。

恵理は「だいじょうぶ?」と顔色を変える。

「平気だよ」

答えたそばから、咳き込んでしまった。恵理はあわてて背中をさする。いいから、だいじょうぶだから、と咳をしながら手振りで恵理を制し、もう一方の手で胸を押さえる。

喉の奥が濁った音をたてる。息を詰めると、うめき声が裏返ったような音も混じる。目をつぶる。閉じたまぶたの裏で、光がいくつもはじける。涙がにじむ。こめかみから汗が染み出てくるのがわかる。こらえきれずに、また咳き込んだ。恵理が差し出す水のペットボトルを受け取る余裕もなく、体を折り曲げて、咳をつづける。頭がクラクラする。横になりたい。だが、レジャーシートに倒れ込んでしまうと、そのまま起き上がれなくなりそうな気がする。

やがて、波は去った。僕は肩で息をつき、呼吸を整えながら、目尻に溜まった涙をぬぐう。やっと水を受け取って、ひくつく喉を刺激しないように、口に含んでからゆっくりと喉に送った。

恵理は心配そうに僕を見つめる。近くにいたひとたちも、だいじょうぶですか、というふうにこっちを見ていた。笑い返せよ、と自分に言った。ほら、早く、みんなに心配かけないように、元気に笑え。

だが、咳の波が去ったあと、ぐったりとした疲労感が次の波になって迫っていた。横になりたい。体の重みをぜんぶ地面に預けて、全身の力を抜いて、眠ってしまいたい。

「ねえ、あなた……帰ろうか、ね？　車の中で少し休んで、もう帰っちゃおうよ、ね？」

うつむいて、首を横に振った。声を出す力はない。顔を上げて恵理を見る力もない。

「だって、どうせ哲生の出番ないわよ。四年生なんだもん、ベンチ入りできただけでいいじゃない、ね？　それで今日はバンザイ、帰ろう、ね？」

だいじょうぶだ、と振り絞るように声を出して、顔を上げた。

いつのまにか、ベンチから背番号32の姿は消えていた。恵理もそれに気づき、「あれ？」と声をあげて……その声が、小さな歓声に変わった。

哲生はベンチから離れて、ウォーミングアップをしていた。一緒に走っているのは二人。残りのサブのメンバーはベンチに座ったままなので、形だけの準備ではない。

「出番、あるんじゃない？」

「うん……」

「あるよね？　哲生の出番、あるよね？」

恵理は胸の前で手を組んで、祈った。

僕がそれをただぼうっと見ているのに気づくと、「わたし一人にやらせないの」と笑ってにらむ。「ほら、あなたもお祈りして」

神さまや仏さまに祈るのは嫌いだ。ずっとそう思っていた。だが、「二人でお祈りしたら、気持ち、絶対に伝わるって」と恵理に言われると、自分でも意外なほど素直に、胸の前で手を組むことができた。

「哲生はパパにほめられるのがいちばんうれしいんだもん、だいじょうぶ、出番あるわよ」

「試合に出なくたって、いくらでもほめてやるって」

たとえばさっきの「ファイトーッ！」の声――僕はほんとうにうれしかったのだ。

「でも、出ないよりは出たほうがいいでしょ？」

「まあな……」

「じゃあ、がんばってお祈りしなきゃ」

恵理は組んでいた手をはずし、今度は合掌にした。こうべを垂れる。目をつぶる。ほんとうは哲生ではなく僕のために祈ってくれているのだろう。哲生がサッカーをするところを見るのは、これが最後になるかもしれない。僕も祈る。僕のためではなく、哲生のために。パパの前でカッコいいところを見せたんだ、という思い出を一つでも多くあいつに残させてやってください、と神さまに祈る。

ぼくのいのちとひきかえに。

子どもの頃の祈りの言葉が、不意によみがえる。

かみさま、ぼくのいのちとひきかえに、あいつをげんきにしてください。

小学五年生の僕だ。敏彦のために祈っていた。北都観音に背を向けて、旭川の方角の空に手を合わせていた。それがあの年の秋から冬にかけての日課だった。誰にも話さなかった。誰かがいるところではやらなかった。だが、いつも祈っていた。本気で、命と引き替えにしてほしいと思っていた。

敏彦は旭川の病院に入院していた。六年生になるまで退院できないだろう、と担任の先生は言っていた。僕の目の前で崖から落ちた敏彦は、退院してももう歩けない。事故は僕のせいではない。あいつが勝手に落ちた。それでも、僕のせいだった。僕がいなければ、あいつは決して崖から落ちることはなかった。敏彦は僕のせいで歩けなくなった。事故の原因をずっとたどっていけば、それは、倉田千太郎のせいでもあった。

だから、敏彦の母親は僕をゆるさなかった。「倉田」をゆるさなかった。

雄司や美智子は、日曜日に何度も旭川までお見舞いに行った。ほかの同級生も何組かに分かれ、担任の先生に連れられて、敏彦の病室を訪ねた。だが、僕は一度もお見舞いに行けなかった。敏彦の母親が会わせてくれなかった。先生も、僕の両親も、どうすることもできなかった。

途方に暮れる僕に、両親は初めて、昭和四十二年の炭鉱事故のことをきちんと話してくれた。おじいちゃんが悪いんじゃない、おじいちゃんだって悲しかったんだ、苦しかったんだ、炭鉱を守るためにはしかたなかったんだ、と繰り返しながら、敏彦の父親が亡くなったいきさつを打ち明けた。

ほんとうは、僕はもう知っていた。あの日、崖から落ちる前の敏彦に聞かされた。知っていたのだ。ただ信じなかっただけなのだ。だから僕は謝らなかった。謝らない僕に腹を立てたまま、敏彦は自転車ごと崖から落ちた。

僕はお見舞いに行きたかったのではない。謝りに行きたかったのだ。ゆるしてほしい、という語彙《ごい》は小学五年生の少年にはなかった。ただ一言、ごめんな、と謝りたかった。俺のじいちゃんがトシのお父さんにしたこと、ごめんな、俺がなにも知らなくてごめんな、おまえに教えられたのに信じなくて、ほんとうにごめんな。

だが、僕にはそれすらゆるされなかった。両親と一緒ならいいだろうかと思って、家族でお見舞いに出かけたときも、敏彦の母親は病室のドアの外に立ちはだかって中に入れてくれなかった。お見舞いのフルーツも受け取ってくれなかった。両親は怒ってしまって、もういいわよ俊介、あんたが悪いわけじゃないんだから、そうだよ俊介、ああいうのを逆恨みっていうんだ、会社のひとにもひどいことばかり言ってるんだから、もううんざりだ、と二度と病院には行かなかった。

僕は手紙を書いた。ごめんな、ごめんな、と謝って、早く良くなってほしい、と書いた。退院したらまた一緒に遊ぼう。いったん書いて消した。

敏彦の家に行き、郵便受けにこっそり入れて立ち去ろうとしたら、着替えを取りに病院から帰ってきた敏彦の母親に出くわした。母親は怖い顔をして、来ないで、と言った。あんたなんかもう絶対に来ないで、と泣きながら言って、倉田千太郎のことをひとごろしと呼んだ。僕を指差した。あんたはひとごろしの孫なんだから、あんたも「倉田」の跡を継いで偉くなったらどうせひとをころすのよ、と言った。トシくんのお父さんやトシくんみたいな、一所懸命こつこつがんばってるひとを、あんたたちはころすのよ。郵便受けから手紙を出して、こんなもの、こんなもの、と僕の目の前で破り捨てた。

その日から、僕は祈りつづけた。祈ることしかできなかった。敏彦がせめて歩けるようになりますように。ぼくのいのちとひきかえに。それくらいしてもいいと思ったし、ぼくのいのちなんかじゃだめかもしれないけど、と神さまに付け加えるときもあった。

五年生の終わりに敏彦は退院した。四月から学校に戻って来ることになった。だが、先生が校内の段差に板を渡しているのを見て、涙が出そうになった。敏彦はやはり歩けなくなって、車椅子に乗って学校に戻ってくるのだ。神さまは願いを聞いてくれなかったのだ。

六年生の始業式の日が近づくにつれて、怖くなった。敏彦は一生ゆるしてくれないかもしれない。不安に押しつぶされそうになり、それ以前に、車椅子に乗った敏彦を見るのが怖くてたまらなくなった。

僕は逃げた。始業式の前に札幌の学校に転校してしまった。神さまに手を合わせて祈ったことは、その後は一度もなかった。

だが、僕はいま祈る。一心に、祈りを捧げる。

いつのまにか願いごとはもっと大きくなっていた。

どうか——。

どうか、哲生を幸せに。恵理を幸せに。

ぼくのいのちとひきかえに。


ウォーミングアップの途中で、相手チームに五点目が入った。監督は三人の控え選手を揃ってベンチに呼び戻し、手短に指示を与えてピッチに送り出した。背番号32もいる。大柄な先輩二人に挟まれ、小さな体をはずませるように走って、審判のもとへ向かう。

「ねえ、あなた、出るのよね？　哲生、出るってことよね？」

「……ああ、出るんだ」

プレイが途切れた。主審が選手交代を認めた。少し悔しそうな顔でベンチに下がる先輩とハイタッチを交わして、哲生はピッチに駆け込んだ。

恵理は立ち上がって拍手を送り、「テッちゃん、がんばって！」と声をかけた。僕も座ったまま、手を大きく上げた。哲生が振り向く。まかせてよ、と言いたげに笑って、また全力疾走でポジションにつく。

いいぞ、哲生——。

がんばれ、哲生——。

胸が熱くなる。生きてるんだなあ、と思う。これから、この子は、長い人生を生きていくんだなあ、と噛みしめる。

プレイが再開する。哲生はボールを追って走る。相手チームの選手に肩をぶつけられ、転びそうになりながら、走る。ボールが逆サイドに振られ、素早く身をひるがえして、走る。こぼれ球を拾った。ドリブルに出た矢先、相手の選手にうまく体を入れられ、ボールを奪われた。追いかける。顔を真っ赤にして、走る。

哲生——。

がんばれ、哲生——。

ずっと見ていたい。おまえが大きくなって、好きなひとができて、おとなになるまで、ずっと見ていたい。

哲生——。

死にたくないよ、パパは——。

息が苦しい。胸が急に半分のサイズになってしまった。息を深く吸い込めない。

波が迫ってきた。いままでとは違う。大きな波が僕を呑み込む。頭がクラクラする。気持ちが悪い。胸が痛い。締めつけられる。波は去らない。僕を呑み込んだまま、どこにも流れ去ってくれない。咳き込んだ。胸の中の息をすべて吐き出しても、新しい息を吸い込めない。頭が痛い。溺れた。波に呑まれて、海の底へ沈んでいく。

風景が揺れながら、どこかに吸い込まれていくように遠ざかる。

哲生が揺れる。哲生が遠ざかる。

まぶしい光が目を灼いて、次の瞬間、僕は闇の中に落ちた。

「テッちゃん、がんばれーっ！」

恵理の声だけが、聞こえた。


夢を見た。たぶん、それは嘘だ。

懐かしい街にいた。懐かしい友だちがいた。たぶん、それも嘘だ。

夢の中で、僕たちは遊園地にいた。夜の遊園地で、きらめくイルミネーションに彩られたメリーゴーラウンドを見つめていた。僕はもう少年ではなかった。彼女も、もう少女ではなかった。ぜんぶ嘘だ、たぶん。

恵理に揺り動かされて意識を取り戻したとき、涙が頬を伝っていた。

そのことだけが、ほんとうだった。

2

家に帰り着くなり休日診療の当番医を探しはじめた恵理に、「だいじょうぶだよ」と言った。「もう楽になったから、このまま休んでれば平気だって」

恵理はまだ動揺した顔のまま、「でも……こんなの初めてだし……」と言った。

「立ちくらみと変わらないよ」

「ごめんね、ごめんね、気づかなくて」

「そのほうがよかったよ。大げさに騒いじゃうと、まわりに迷惑だったし」

倒れただけだ。静かに、きれいに体が横倒しになった。まわりのひとには気づかれなかったし、恵理が悲鳴をあげる前に目も覚めた。僕を呑み込んだ波は、いままでよりずっと激しかったが、いつかは必ず去ってくれるのだ、それが波であるかぎり。

「ねえ、でも、やっぱり行くだけ行こうよ、病院に。そのほうが安心するじゃない」

「いいって、もう全然平気だから」

それより——と、訊いた。

「哲生はこっち見てなかったよな?」

恵理はうなずいた。

「でも……途中で帰ったのは、わかってるんだろうなあ」

「しょうがないじゃない」

「急にパパの具合が悪くなったから、って言うしかないか」

「そんなこと言わなくていいわよ、わたしのせいにしようよ、うん、ほら、ガスの元栓が急に気になってとか、そういうことってよくあるじゃない、わたしが適当に言うから、あなたはなにも言わないで、ね、わたしにまかせて」

すでにこんなに不自然に早口になって、声もうわずっている恵理に、これ以上嘘はつかせたくない。

「またどこかに転移しちゃったのかもな」

「……放射線の副作用だって」

「ガンが大きくなって、いろんなところを圧迫してるのかもしれない」

「違うって、そんなことないって」

「あるよ」

微笑んで、「あるんだよ、それは」と繰り返すと、恵理はもうなにも言い返さなかった。

僕は微笑んだまま、窓の外に目を移してつづけた。

「今度の土日、北海道に帰ろう……札幌じゃなくて、北都に」

「……え？」

「体がちゃんと動くうちに、哲生とおまえを連れて行きたいんだ」

ミッチョ――。

トシ――。

笑って迎えてくれるだろうか、二人は。

「雪、積もってる？」

恵理の声は、まだ微妙にうわずっていた。

「いや、山の上のほうはもう白くなってるけど、街に根雪が積もるのは十二月になってからだよ」

「だったら……ねえ、お正月にスキーに連れてってよ」

「はあ？」

あきれて振り返った。恵理は笑って、真剣なまなざしで、つづけた。

「あと、二月には流氷見たいでしょ、オホーツク海で。連れてって。札幌の雪まつりもあるよね。それも見たい。あと、春になったら、函館に行ってみたいし、夏はラベンダー、ほら、富良野の。梅雨もないし、涼しいし、ドライブだね、キャンピングカーとかレンタカー借りて、ね、いいと思わない？　連れてってよ。秋は紅葉でしょ、牧場もいいよね。温泉もたくさんあるから、秋にも連れてって。ずーっと、一年中……来年も再来年も、ずーっと、連れてってくれるんだったら、今度の土日にも付き合ってあげる」

約束して——と言われた。ねえ、ほら、約束してよ、とせがまれた。恵理の目は潤み、声も震えていた。

「食べるものも美味《おい》しいんでしょ？　秋はなに？　鮭？　カニ？　冬は鍋よね、石狩鍋でしょ、ジンギスカン……って、あれは鍋じゃないか、でもいいや、ジンギスカンも食べたいし、春は山菜になるの？　エゾジカとか、そうだ、トドとかアザラシのお肉のカレーもあるんだよね、イノシシって北海道にいるんだっけ？　あと、なに？　イクラとかウニとか、ホタテだ、ホタテ、トウモロコシも美味しいし、ソフトクリームもあるし、イカそうめんも食べたいし、あと生ビールだね、ワインもあるでしょ、一年中美味しいものあるよね、北海道ってね、連れてってくれるんだよね？　これからどんどん遊びに行けるんだよね？　ね？　そういうことだよね？　約束して、ねえ、約束してよ、お願い、約束して……」

僕は黙ってうなずき、小指を差し出した。恵理の小指が、震えながら、そっとからむ。

「指切りげんまん、嘘ついたら……」

フシをつけて言った恵理の声は、そこで止まって、あとは嗚咽《おえつ》にかき消されてしまった。

埃まみれの格好で帰ってきた哲生は、「なんで途中で帰っちゃったの？　あのあと、シュート打ったんだよ、ぼく」と悔しそうに言った。

「悪い悪い、ちょっとパパの具合が悪くなっちゃってさ、ママに車で連れて帰ってもらったんだ」

ひやひやしながら、思いきって言ったつもりだったのに、哲生はあっさりと「なーんだ、タイミング悪いよなあ」と聞き流した。それでいい。無邪気で、のんきで、幼くて、ニブいぐらいでちょうどいい。

「で、シュートどうだったんだ?」

「だめだった。まぐれで捕られた」

「ゴールの枠には入ってたのか」

「あったりまえじゃん。向こうのキーパーが手を伸ばしたところにボールが当たっただけだもん、あんなのまぐれだって」

「試合は?」

悔しさがさらにぶり返したのだろう、哲生はウインドブレーカーを脱ぎ捨てて、「Aチームっていっても、ディフェンス全然サイテー、あれで六年生って信じらんないよ」と口をとがらせた。

0対6で完敗。惨敗と言ったほうがいいだろうか。

「なんだ、パパが帰ったあとも点を取られちゃったのか」

「うん……ぼくのパスミスから逆襲」

えへっ、と笑う。

「じゃあ哲生もひとのこと言えないじゃないかよ」

えへへっ、と肩をすくめて、キッチンにいる恵理に「ママ、お風呂沸いてる？　ソッコーで入っていい？」と声をかけ、「沸いてるよ」と返事を聞く間もなく廊下に駆けだしていく。

哲生が「ソッコー」と言えば、ほんとうに、ろくすっぽ体を洗いもせずに、あっという間に出てきてしまう。

僕はソファーから立ち上がり、キッチンを覗いた。

「俺も、風呂に入ってくるよ」

サラダの野菜を切っていた恵理は、包丁を動かす手を休めずに「背中、あんまり見せないほうがいいかも」と言った。

「なんで？」

「あのね……わかるの、痩せてるのが」

「背中？」

「そう。おなかのほうはあまり変わらないんだけど、背中とか肩の後ろが、痩せて、薄くなってるの」

包丁の音のリズムは変わらない。

「そういうのって、自分じゃあんまりわからないよね」

キュウリを切り終えて、セロリをまな板に置くと、すぐにまた包丁を動かす。

「でも、パジャマに着替えてるときとか、後ろから見てると、すごくよくわかるの。ああ痩せちゃったなあって……」

気づいていても、言わなかった。言えなかった。僕のためにも、恵理自身のためにも。

いま、ほんの少しでも恵理は楽になってくれただろうか。何日も一人で背負っていた荷物を――たくさんあるうちの一つだけでも、下ろすことができただろうか。

「哲生って、意外とそういうところ敏感だし、思ったことはなんでも口にしちゃうから……困るでしょ、訊かれても」

僕は黙って恵理の後ろに回り、肩に手を回した。

「……ごめん」

抱きしめて、うなじに顔を埋めた。恵理はセロリを切る手を休めず、「もういいから、のんびりしてると、哲生すぐに出ちゃうわよ」と笑った。そして、僕の手が肩から離れると、初めてこっちを振り向き、笑顔で言った。

「こういうときって、お詫びよりもお礼にしてくれない？」

これからも、ずっと――と付け加え、また僕に背中を向けて、包丁を動かす。

ありがとう。声にならなかった。息が詰まった。それがガンのせいでも放射線の副作用のせいでもないことを、泣きたくなるほどうれしく嚙みしめた。

「哲生、パパも入るぞ」

脱衣室から声をかけると、湯船に浸かっていた哲生は「じゃあ、交代」と言った。

「なに言ってんだ、まだ体洗ってないだろ」

「洗った洗った」

「シャンプーしたのか」

「したよぉ、ソッコーで」

掛け値なしのカラスの行水だ。やれやれ、と下着を脱ぎながら苦笑して、「洗い直しだ。パパが見ててやるから」と言った。

「えーっ、マジ？　狭いよ、二人だと」

「だいじょうぶだいじょうぶ」

「じゃあぼくが出るから、パパ入ればいいじゃん」

「いいから」

洗面所の鏡に裸の体を映した。背中は、よくわからない。ただ、横を向くと、確かに肩の後ろの肉が薄くなったような気がしなくもない。正面に向き直る。右胸の×印の真ん中に指をあてる。井上先生と放射線科の先生が長い時間をかけて決めた照射ポイントなので、風呂に入っても石鹸で洗って消さないよう言われている。×印は、他にも二ヵ所――脇腹に近い位置と首の付け根にも記されて、鏡に映すと、なんだか星座のように見えなくもない。

星がきれいなのだ、あの街は。雪に閉ざされる直前――一年で最も空気が澄みわたって、夜空が美しいのは、ちょうどいまの時季だ。

「よーし、じゃあパパも入るぞ」

失礼しまーす、とドアを開けた。哲生は湯船の中で体を縮めて、おちんちんを隠す。二人で風呂に入るのはひさしぶりだった。温泉の大浴場ならはしゃいで平泳ぎまでする哲生だが、わが家の風呂だと、微妙で複雑な恥ずかしさがあるようだ。わかるわかる、と笑って前を洗い、湯船に足を入れた。

「え？　マジ？　一緒に入るの？」

「そうだよ」

「無理だよ、狭いよ、お湯があふれちゃうってば」

「ケチケチするなって」

「ってゆーかさあ……」

「ほら、もうちょっと詰めてくれ」

体をお湯に沈めた。肩まで浸かる前に、お湯が勢いよくあふれた。なんとか座ることはできたが、脚と脚がぶつかって身動きもとれない。

「ほんとに窮屈だなあ」

「でしょ？　だから言ったじゃん。ぼく出るよ、のぼせそう」

「だめだ、お湯が減っちゃったから、おまえが出たら、パパ風邪ひいちゃうよ」

「なにそれ、信じらんない」

「そう言うなって」

哲生の耳の裏にお湯をかけて、すすぎ残しの石鹸の泡を洗い流してやった。

「パパ……これ、なに？」

首筋の×印を指差して、哲生が訊く。「マッサージのツボ？」——もっと、この子が大きくなるまで見ていたい。生きていたい。心から思う。

「まあ、そんなものだな」

「押すと気持ちいいの？」

「べつに気持ちよくはないんだけど……大事な場所なんだ、ここは」

だからさわるなよ、と×印を手のひらで隠して笑った。哲生も「ばっちいから、さわんないって」と笑い返したが、ふと、たいせつなことを思いだした顔になった。

「ねえ、さっき、具合悪くなったって言ってたよね……どんな感じだったの？」

一瞬、頬がこわばりかけた。だが、哲生はいたずらっぽい流し目で僕を見て、「ひょっとして下痢ピーとか？」と言った。そういう子どもだ。そういう息子で、そういう小学四年生で、そういうサッカー小僧で……僕は、哲生が大好きなのだ。

「今度の土日、北海道に遊びに行くぞ」

「マジ？　おばあちゃんちに泊まるの？」

「いや……札幌じゃなくて、別のところに遊びに行くんだ。北都っていう、北海道の真ん中にあるちっちゃな街なんだ」

「ホクト？　なんでそんなところに行くの？」

「パパの生まれた街なんだ、北都は」

「札幌じゃなかったの？」

「札幌は小学六年生になってからで、それまでは北都に住んでたんだよ。そこに遊びに行こう」

濡れて目にかかっていた哲生の前髪を掻き上げて、「遊園地もあるんだぞ」と言ってやった。

哲生は「やった！　絶叫ある？　絶叫系」と勢い込んだ。

「ジェットコースターとかはわからないけど……メリーゴーラウンドはあるよ、たぶん」

「なごみ系の遊園地なのぉ?」

「懐かし系、かな」

さすがに通じなかったようで、哲生はきょとんとした顔になった。

「メリーゴーラウンドとか、嫌いか?」

「嫌いじゃないけど、面白くないじゃん」

それはそうかもな、と笑った。一緒に星を見ようと誘っても、乗ってくるかどうかはわからない。だが、わざわざ見上げなくても、星は夜空いっぱいにまたたいている。降ってくるような星空に見守られていれば——僕は、たいせつなにかを、息子にちゃんと伝えられるかもしれない。

「今日の試合のとき、ベンチから先輩を『ファイトーッ!』って応援してただろ」

「うん、全然意味なかったけどね」

「あるんだよ、意味は、ちゃんと」

「そう?」

「元気になるんだ。試合は負けちゃったし、みんなヘタだったかもしれないけど、でも、哲生のあの応援で元気になったんだよ」

ほんとだぞ、と頭を撫でてやった。

「パパにも言ってみろよ。元気になるから」

「ファイト、って?」

「ああ……ちょっと、言ってみてくれよ」

哲生ははにかんで笑って、「やーだよ」と逃げるように湯船から出てしまった。

3

しばらくおとなしくしてくれていたぶん、週が明けてからのガンの進行は驚くほど速かった。肝細胞の腫瘍マーカーの数値は一気に跳ね上がり、気管支と膵臓もガンに冒された。すでに転移していた鎖骨の痛みも増してきて、肋骨にもさらに一本転移した。

そして木曜日、ガンは脳にも転移していることがわかった。

いまはまだそれに起因する自覚症状は出ていなかったが、井上先生は告知していた余命を訂正した。半年から三ヵ月だった余命が、長くて三ヵ月に変わった。僕はもう春を迎えられないことになった。

「現実的には、この段階まで来ると日数にはほとんど意味がないと思ってください。もう、いつ容態が急変してもおかしくないんです」

井上先生は言った。冬さえ迎えられないのかもしれない。いや、最悪の話をするなら、今夜いきなり、ということだってありうるのだという。明日の朝。今夜。一時間後。一瞬先の未来が、もう見えない。

入院を勧められた。積極的な治療というより、むしろ、僕に残された日々を守るために。

「鎖骨の痛みは、これからは耐えがたいものになります。鎮痛剤もモルヒネ系のものを使わないと抑えられません。脳のほうも、たとえば性格が変わってしまったり、錯乱したりと、柴田さんの人格を保てなくなってしまう恐れもあるんです。在宅ホスピスとしてならともかく、ご自宅や会社でいままでどおりの生活をつづけるのは、もう難しいだろうと思います」

時間がない。命に残された時間も、心に残された時間も。

「来週にはベッドの空きが出ます。予約を入れておきましょうか」

「……お願いします」

「外で会っておきたいひとや、やっておきたいことがあるんでしたら……ごめんなさい、少し残酷に聞こえるかもしれませんが、いまのうちです」

「週末に、一泊二日で北海道に行きます」

「北海道？」

「ええ、僕の生まれた街なんです」

ふるさとという言葉はつかわなかった。その言葉をつかう資格が自分にあるかどうかは、きっと、北都を発って東京に戻るときにしかわからないだろう。

「ご家族で？」

笑ってうなずくことができた。恵理は今日デパートに出かけて、旅行のための買い物をしている。僕のガンがわかって以来、デパートでゆっくり買い物をするのは初めてだった。本場のジンギスカンが楽しみでしょうがない哲生は、「土曜日は朝からなにも食べないからね、イブクロからっぽにしちゃうからね」と、できもしないことを言って張り切っている。

先生は「少し遠いですねえ」と言いながらも、数日分の薬を処方して、万が一の事態に備えてカルテのコピーを添えた紹介状も書いてくれた。「ご無事で帰ってきてください、とにかく」

——もちろん、とうなずいた矢先に、めまいと吐き気に襲われた。

嘔吐した。血が混じっていた。初めての吐血だったが、先生は驚いた様子もなく「少し休んでからお帰りになってください」と安静室のベッドを空けてくれた。

「心配は要りません。胃か食道から出血したんでしょう」

「でも……初めてですけど」

「全身がかなりダメージを受けてますから、これからは、どんなことがあっても不思議じゃないんです」

吐血したことよりも、先生の冷静な口調で、ああ、もう、ほんとうに死が近いんだな、と実感した。

「奥さんに迎えに来てもらうよう、電話しておきましょうか」

「……一人で帰るのは、無理ですか」

「これからは、誰かがいつもそばにいたほうがいいと思います」

もうそういう状態なのだ。レントゲン写真やＣＴスキャンの画像よりもずっとリアルに思い知らされた。

僕の体は、心よりも先に、死に向かって進んでいる。呼び戻すことはもうできない。だが、それは幸せなことなんだ、と自分に言い聞かせた。脳のガンが広がれば、やがて心も僕から離れて、死に向かっていくだろう。途中で心が体を追い越して、体より先に死んでしまったら——そのほうがつらい。

「先生……」

「はい？」

「いま、彼女はデパートにいるんです。ひさしぶりに買い物してるんだから、邪魔して、心配かけちゃうと、かわいそうですよね」

先生が、いや、しかしですね、と言いかける前に、つづけた。

「友だちがいるんです。忙しい奴ですけど……こういうときは、絶対に迎えに来てくれる奴なんです……」

そうだよな。髭づらの友だちに言った。子どもの頃の顔が先に浮かぶのではなく、いまの顔がすっと浮かんだ。それだけのことが、涙が出そうなほどうれしかった。


雄司はロケの現場から直接迎えに来てくれた。

「まいっちゃうよなあ、俺だってけっこう忙しいんだぜ」

思ったとおりのことを言って、「まあ、アレだ、ここで俺を頼ってくれるっていうのが、けっこううれしかったりするわけだけど」と笑う。

週末も、雄司に頼ることになっていた。土曜日、雄司は僕たちと一緒にカシオペアの丘へ行く。近所しか車を運転したことのない恵理にかわって、レンタカーのワゴンを運転してくれる。電話で北都に帰ることを告げたときの、そうか、そうか、そうか、と三度繰り返した雄司の声の温もりは、これからもずっと忘れないだろう。

車に乗り込んで病院を出ると、雄司は「どうする？」と訊いた。「まっすぐ家に送ってもいいけど、シュンさえだいじょうぶなんだったら、行きたいところに連れてってやるぞ」

僕はふふっと笑う。どうしてこんなに思い通りのことを言ってくれるのだろう。幼なじみというのは、おとなになってから知り合った友だちとは違って、性格のいちばん奥深く――いくつになろうと決して変わらないところをお互いに知っているから、なのだろうか。

「ユウちゃん……連れてってくれるか」

「ああ、どこでもいいぞ」

たとえば、と雄司が最初に口にした場所が、僕の行きたい場所だった。


そして僕は大学にいる。

十八歳のときに美智子や雄司と再会した場所にいる。

「お茶かなにか買ってくるよ」と雄司は一人で生協の売店に向かった。

僕は植え込みを縁取る円形のベンチに座って、校舎をぼんやりと見上げる。

キャンパスの中の他の校舎は半分近く建て替えられていたが、この十六号館は学生時代のままだった。それがうれしいような、逆に寂しいような、懐かしいような、懐かしさを感じることが照れくさいような、どちらにしても卒業して以来だ、ここに来るのは。

授業時間なのだろう、十六号館前のロータリーは閑散としていた。背広姿でロータリーにいると、もっと居心地が悪いだろうかと思っていたが、ぽつりぽつりと校舎を出入りする学生たちは僕に目も向けることなく、おしゃべりをしたり、イヤホンで音楽を聴いたり、携帯電話で話したり、メールを打ったりしながら、ベンチの前を通り過ぎていく。

そうだったな。僕だってそうだった。学生時代は、おとなの存在など目に入らなかった。背広にネクタイ姿で会社に通うことが、ちょっと考えればなによりもリアルなはずの未来だったのに、それを自分と結びつけることはなかった。身勝手なものだった。ひとより図抜けた才能や強烈な野心があるわけでもないのに、ひととは違う人生を歩むんだと決めつけていた。ずうずうしかった。甘かった。若かった。すべてをまとめて、要するに、生きることに対して傲慢でいられたのだと思う。

真冬でもトレーナー一枚でいられたあの頃の僕は、自分があと二十回ほどしか冬を迎えられないんだと、教えてやっても決して信じないだろう。

あの頃の僕の隣にいた女の子は、どうだろう。はなから冗談にして笑い飛ばしてしまうだろうか。縁起でもないことを言わないで、と怒りだすだろうか。

きみたちは、遠く離れた別々の街でおとなの日々を生きることになるんだぜ——。

女の子のきみは、もう一人の幼なじみと、ふるさとで結婚をする。男の子のきみは、東京に残って、東京で結婚をして、たぶん来年の夏になる前に、人生を終えてしまう。信じないだろうな。信じちゃだめだぜ、とも思う。

掲示板の前に、カップルがいた。肩を寄せ合って休講掲示を見ている。男の子がなにか言って、女の子が、やだぁ、と笑う。

僕と美智子に似ている——とは言わない。髪形が違う。ファッションも違う。それでも、まだたっぷりと残っている手つかずの未来を前に、今日をむだづかいしているような恋人同士の笑顔は、いつの時代の、どこの街でも変わらないのだと思う。

そんな日々は、いつか終わる。僕はそれを知っている。だが、いつか終わってしまうんだと知らないからこそ、いまがいとおしくなるんだということも、おとなになればわかる。

がんばれよ。掲示板の前から離れて校舎に入っていく二人を見送った。がんばれよってのはヘンかな、と笑って、二人の姿が消えたあとも、しばらく校舎の出入り口を見つめていた。

ロータリーに戻ってきた雄司は、温かいお茶のペットボトルを僕に渡して、隣に座った。

「どっちでもいいからな」

シュンがしゃべりたかったら付き合うし、黙って思い出を噛みしめるんだったら、俺も黙ってるから——。

一つだけ先に教えてくれた。

「ゆうべも電話したんだけど、トシもミッチョも、シュンが帰ってくるのをほんとうに楽しみにしてる」

「うん……」

「酒もごちそうもたっぷり用意してるって言ってたぞ」

カシオペアの丘のふもと——北都湖の岸辺にオートキャンプ場のコテージが並んでいる。キャンプ場の営業は夏休みまでだったが、敏彦が特別にそこを開けてくれた。園長の力を使うのもこれで最後かもしれないから、と敏彦は笑っていたらしい。

「もう一回言うからな。トシも、ミッチョも、シュンを待ってるんだ。わかるよな? 誰も怒ってないし、誰も恨んでない。おまえが謝ることなんて、なにもないんだ」

だから、と雄司は念を押して言った。

「楽しかったこと思いだせよな、せっかくここに来たんだから」

東京の大学に進むことは、ずっと前から——中学生の頃から決めていた。中学や高校も、できることなら遠い街の全寮制の学校に行きたかった。

東京に憧れていたというより、札幌を出たかった。「倉田」から遠ざかりたかった。一度「倉田」を出てしまえば、もう決して戻るつもりはなかった。

小学六年生のときと中高一貫校に通った中学時代は、倉田千太郎の家で寝起きした。高校に上がるとき、両親が札幌に引っ越してきた。父は北都湖の完成を置きみやげに、北都での事業を部下に任せ、札幌の本社で倉田千太郎を支えることになったのだ。北都はその時点で「倉田」から切り捨てられた。創業地ではあってもビジネスの拠点にはなりえなくなっていた。北都の人口が減るペースが速くなったのは、その頃からだった。

札幌での僕は「倉田」にことあるごとに反発した。事業を拡大する倉田千太郎の強引なやり口が嫌いだった。憎しみさえ抱いていた。一人暮らしができない中学生の幼さが悔しかった。高校生になって両親と暮らしてからは、倉田千太郎とは口をきくことすらめったになくなっていた。間に立った両親はおろおろしたり怒りだしたりしたが、当の倉田千太郎は、なんの感情も見せなかった。僕が青臭い正義をふりかざして「倉田」を批判しても、ただ黙って聞いているだけで、なにひとつ応えてはくれなかった。「倉田」を継ぐ気はないから、と言い放ったときも、そうか、と面倒くさそうにうなずくだけで、引き留めることはもちろん、腹を立てる素振りすら見せなかった。

すべてがそうだった。あのひとは、ほんとうは誰の言葉も聞いていなかった。怒る声も、恨む声も、呪う声も、追従の声も、称《たた》える声も、畏《おそ》れる声も、あのひとにとっては、荒涼とした事業の大地を吹き渡る風の音でしかなかったのだろう。

強いひとだったのだ。怖いひとでもあった。ウェンカムイとあだ名されるにふさわしい、王だったのだ。

「じいちゃんにつっかかってもむだだよ」

兄は僕を諭すように言った。「じいちゃんに会社を大きくしておいてもらえば、俺たちだって楽だろう? じいちゃんは根っからの開拓者なんだよ。まだこんなに拓《ひら》ける前の北海道の大地を知ってるひとなんだから、俺たちとは心の形が違うんだ」——じいちゃんが切り拓いた土地に親父が種を蒔《ま》いて、それを俺とおまえの代で収穫すればいいんだよ、と言う。いちばん得だろ、それが、と笑う。兄は北大の学生だった頃から、「倉田」の後継者として取締役に名を連ねていた。倉田千太郎は僕を見限った。怒りも失望も悲しさも見せず、地元の財界人や政治家に兄を引き合わせるときには「ウチの跡継ぎだから」とさらりと言うようになっていた。

一度だけ、中学三年生——まだ僕の心の中に北都での思い出がなまなましく残っていた頃、昭和四十二年の炭鉱事故のことを倉田千太郎にぶつけた。坑内に取り残された七人を見捨てたことをどう思っているのか、食ってかかるような口調で訊いた。

倉田千太郎はそのときも表情を変えなかった。大きな体をすぼめることもなかったし、くわえた煙草の煙が乱れることもなかった。どんなに「名士」と呼ばれるようになっても、あのひとは煙草の銘柄は安い『エコー』のままだった。

「どっちにしても同じだった」

低い声で言った。「中に入って助けることはできなかったし、生き残ってる可能性はほとんどゼロだった」とつづけて、「水を入れる前から死んでたんだ、あの七人は」と、顔にまとわりつく煙草の煙をわずらわしそうに手で払った。

「後悔してない?」と僕は訊いたのだ。

倉田千太郎は「するわけないだろう」と答えたのだ。「ヤマを守ったおかげで何千人の生活が助かったと思ってるんだ」

「でも、結局、閉山したじゃない」

「それは別の話だ」

「じゃあ、あの七人は、なんのために死んだの」

「……事故で死ぬことに理由や目的なんかあるか」

「トシのお父さんは……中にいるひとを助けるために入って、それで爆発に巻き込まれたんだよ。なんのために死んだんだよ、なんのためにじいちゃんは、トシの親父を……」

感情が極まって言葉に詰まった僕を、倉田千太郎は怪訝そうに見た。短くなった煙草を灰皿でもみ消しながら、僕に訊いた。

「なんだ、そのトシっていうのは。おまえの知り合いなのか」

あのひとはなにも知らなかった。あのひとにとって、事故で亡くなった七人など、名前や素性を覚えておく必要すらない存在だった。亡くなったひとがのこした妻のことや、息子のことなど、もちろん。

僕は涙をぽろぽろ流した。うめき声をあげながら泣いた。あの涙はなんだったのだろう。いまでもうまく説明できない。怒りを超えた。悲しみも超えた。感情ではなかった。もっと深いところの、心よりもさらに奥の、命が泣いていた、としか言えない。

不意に泣きだした僕を見て、倉田千太郎は初めて、ほんの少しだけ、戸惑った顔になった。新しい『エコー』を箱から出して、くわえて、だが火を点けずに灰皿に捨てて、黙って部屋を出て行った。

そのあとの記憶は曖昧だった。どんなふうに泣きやんだのかまったく覚えていない。ただ覚えているのは、灰皿に捨てた長い煙草の吸い口が歯形つきでひしゃげていた、ということだけだった。

それからほどなく、倉田千太郎は北都観音の改修工事を始めた。観音さまの胎内にエレベータを入れ、スロープを設けて、そこに神さまや仏さまを運び入れるようになった。倉田千太郎の心の中でなにがあったのか、なにが変わったのか、考えたくなかった。僕はもう、早く高校を卒業して、早く「倉田」を出て行くことしか考えてはいなかった。

大学に合格して上京したのは一九八六年だった。羽田空港に降り立ったときの解放感は、いまでも忘れられない。あんなに晴れやかな軽い気持ちで歩いたのは、もしかしたら、小学五年生のとき以来だったかもしれない。

新しい生活が始まる。「倉田」から解き放たれた、僕だけの生活が始まる。

キャンパスを歩いていた。ちょうどここ——十六号館の前のロータリー。十六号館での授業を終え、別の校舎でおこなわれる次の授業の教室に向かっていたら、声をかけられたのだ。

「シュン？　ねえ、シュン？」

女の子の声だった。驚いて振り向くと、もう二度と会えないだろうと思っていた懐かしい友だちがいた。「やっぱりシュンだ！」と声をはずませて駆け寄ってきて、「わかる？　わたしのこと覚えてる？」と訊いた。

ミッチョ——。

震える声で答えると、ミッチョは顔をくしゃくしゃにして「信じられない……」と笑いながら涙ぐんだ。

幼なじみの僕たちは再会して、やがて新しい関係の二人になった。

それが、僕たちが背負いつづける秘密の始まりだった。


楽しかった。幸せだった。

「なあ、ユウちゃん、学生時代ってほんと楽しかったよな」

ようやく口を開いた僕の一言に、雄司はほっと息をついて「楽しいこと思いだしてくれてたんだな」と笑った。「心配したよ、ずっと黙ってたから」

「……楽しかったよな、ほんとに」

「俺はいつも邪魔者だったけどな。俺なんだぜ、ミッチョと二人で上京したのは。俺とミッチョがくっつくのがスジだろ？　そりゃあ、俺は予備校生だったし、おまえとミッチョは大学生だったけど……なんなんだよ、俺だけ幼なじみのまんまでさ」

冗談交じりに怒る雄司に、「ユウちゃんが一緒にいてくれたから、もっと楽しくなったんだよ」

と言ってやった。

　本を読んで、酒を飲んで、レコードを聴いて、アルバイトをして、映画を観て、旅行に出かけ、勉強をして、ライブハウスに通って、ときどきつまらないことでケンカをして、たまに長い議論をして、コーヒーを飲んで、レンタカーでドライブをした。ごくあたりまえの、平凡な学生時代だった。それでもかけがえのない日々だった。

　雄司は酒に酔うと、いつも議論をふっかけてきた。青春とはなんだ、幸せとはなんだ、平和とはなんだ、恋とはなんだ、愛とはなんだ、友情とはなんだ。僕と美智子は顔を見合わせて苦笑しながら、最後はいつも堂々巡りで終わってしまう雄司の話に朝まで付き合っていたものだった。

　美智子はなんでもそつなくこなすように見えて、じつは料理が苦手だった。シャツのボタンをつけるのも、やってみたら僕のほうが上手かった。そのかわり、美智子がベランダで育てたアサガオは、夏になるときれいな花を咲かせた。昼過ぎには花がしぼんでしまうのが惜しくて、僕たちは朝早くからベランダの前にしゃがみ込んで、花が開くのを二人でじっと見つめていた。大学三年生の夏――僕と美智子は、六畳間にダイニングキッチンがついているだけの狭いアパートで、一緒に暮らしていた。

　楽しかった。幸せだった。

　すべてを失ってから、それに気づいた。


「優しかったよな、ユウちゃんも、ミッチョも」

「なんだよ、おい、急に」

「トシのこと……俺の前で、ほとんど話さなかったもんな」

「べつにシュンに気をつかったわけじゃないって。あの頃がいちばん遠かったんだよ、トシとは。若い頃ってそういうものだろ。目の前にいて付き合ってる奴らがすべてなんだから」

敏彦は中学を卒業すると、札幌の郊外にある全寮制のリハビリセンターに入って、通信制の高校に通っていた。美智子や雄司と再会したばかりの頃、それを雄司に教えられ、「シュンが黙って転校しちゃったこと、すごく残念がって、会いたがってたぞ」とも言われた。だが、僕は連絡をとらなかった。雄司にも「俺のことは黙っておいてくれ」と口止めした。雄司はそれを守ってくれた。知っていたのだ、美智子も雄司も――僕が北都から逃げ出したあと、おとなたちから聞かされたのだ。昭和四十二年の事故のことと、僕と敏彦がほんとうは友だちになってはいけない二人だった、ということを。

「まあ、考えてみれば、なにも知らないうちがいちばん幸せなんだよな。子どもって幸せなんだよ、やっぱり」

雄司はそう言って、「でも」とつづけた。「おとなになったら知らなきゃいけないこと、たくさんあるんだよな」――そうだろ、と目で訊かれたので、僕も黙ってうなずいた。

敏彦は僕たちより一年遅れて、通信制の大学に入った。福祉の勉強をしながら、車椅子でもできるアルバイトをいくつもこなして家計を助けていた。

楽しかった。幸せだった。

敏彦も、自分の青春時代をそう振り返ってくれるだろうか。

もしも、あの頃の敏彦が、あの頃の僕たちのことを知っていたら、あいつはなんと言っただろう。僕と美智子が再会して、二人で暮らしはじめて、悲しい別れ方をしてしまったことを知っていたら――あいつは美智子と人生をともに歩もう、と思ってくれただろうか。


「……ユウちゃん」

「なんだ？」

「トシのおふくろさんのこと、最近よく思いだすんだ」

ゆうべは夢にも出てきた。上機嫌に笑っていたから、あれは小学五年生の秋よりも昔の場面だったのだろう。

優しいひとだったのだ。母一人子一人のせいか、トシくん、トシくん、と敏彦のことを過保護なぐらいにかわいがっていて、朝から晩まで忙しく働いていたのに、授業参観日には必ず仕事をやりくりして出席した。自慢の息子だったのだ。敏彦のことを誰よりも深く愛していたのだ。そして、敏彦と仲良しだった僕たちのことも――「こんにちは」と挨拶すると、いつも「はい、こんにちは」と笑い返してくれていた。夢に出てきたのも、そんな頃の笑顔だった。

「おふくろさん、どんな気持ちで俺に笑ってたんだろうな。俺が倉田千太郎の孫だっていうのはずっとわかってたのに、そのこと、一度も言わなかった」

「それはそうだろ、だって親父さんのことはシュンのせいじゃないんだから」

雄司は少し怒った声で言った。

でもな、と僕は返す。

「どんな気持ちだったんだろうな、がまんしてたんだろうな、ずっと。嫌だっただろうなあ、トシが俺と友だちになったのって。言いたいこと、いつも喉元まで出かかってたんだろうな。それでも、トシのために、知らん顔して笑ってくれてたんだろうなあ……」

明け方に目を覚まし、夢の中のあのひとの笑顔を思いだして、僕は少し泣いたのだ。脳転移を告知される前だったのに、体のどこかヤバいところにガンが移ったのかもしれないと予感したのは、そのときだった。しかたないな、とあきらめて、覚悟を決めて、それでいいんだよ、とも思った。

僕がほんとうに謝らなければいけないのは、僕や倉田千太郎をひとごろしと罵《ののし》ったときではなく、僕に笑ってくれていた頃のあのひとだった。

「でも、ゆるしてくれないよな、おふくろさん」

「自分を追いつめるなって。シュンはアレなんだよ、なんていうか、責任感じすぎるんだよ」

「ミッチョのことも……」

「やめろよ、もう」

敏彦の母親が亡くなったのは、二人が結婚して間もない頃だった。敏彦の幸せを見届けて安心したように、働きづめだった人生をくも膜下出血であっさり閉じてしまった。それを僕に知らせてくれた雄司は、弔電でも打ってやれよ、と斎場の住所も教えてくれた。だが、僕は結局なにもしなかった。できるはずがなかった。こんなもの、こんなもの、と僕の手紙を破り捨てたあのひとの姿がずっと目に浮かんでいた。

楽しかった。幸せだった。

あのひとは、自分の人生をそう言ってくれるだろうか。

「いいか、シュン、もう一回言うぞ。トシはおまえと会うのを楽しみにしてる、ミッチョもおまえに会いたがってる、で、トシのおふくろさんはいちばん幸せなときに死んで、俺も葬式のときに見たけど、ほんとに安らかな死に顔だったんだ。それでいいんだよ」

雄司は僕の背中をさすりながら言った。泣いていたんだ、とそれで気づいた。

「トシもミッチョも待ってる」

「うん……」

「元気で帰ろうぜ、カシオペアの丘に」

背中をさすっていた手で、僕の頭を後ろからそっと叩く。めそめそすんなあ、男子だろ、おまえ、と笑った。

4

夜七時からのＮＨＫニュースでは、その出来事は一言も報じられなかった。九時のニュースも、僕の待っていた話を伝えないまま、最後の天気予報のコーナーになった。

「相手にしてないのよ、まともなマスコミは。誰が見たってデタラメじゃない。ガセっていうんだっけ？　だまされちゃったのよ」

恵理の言うとおりかもしれない。

「それに、いまさらそんなことニュースにしたって、誰も喜ばないし、悲しいだけだし、みんなが嫌な気分になっちゃうじゃない。金曜日の夜のニュースに出すような話じゃないでしょ」

僕も、そう思う。だが――だからこそ、いてもたってもいられないもどかしさがある。

夕方から何度も雄司に電話をかけた。ずっと留守番電話だった。遅くなってもいいから電話をくれ、とメッセージを残しておいたが、まだ連絡はない。

「いいじゃない、どうせ明日会うんだから」

「うん、でも……」

もしかしたら、雄司は一緒に行けなくなるかもしれない。僕との約束を反故《ほご》にしてでも、川原さんのそばにいないと危ない――そんな状況になることもありうる。

恵理は荷造りをしながら、「それより」と言った。「天気予報ちゃんと見といてよ、北海道のところ」

ニュースが終わる。北海道の明日の天気は晴れ。そこまではわかったが、恵理がなにより気にしていた最低気温は見逃してしまった。

十時からは、硬軟とりまぜた話題を並べた情報番組が民放で始まる。チャンネルを替えてリモコンをテーブルに戻し、恵理に買ってきてもらった夕刊紙をため息交じりに広げた。大げさな見出しや煽り文句で買わせるやり口なんだとわかってはいたが、手に取らずにはいられなかった。

〈独占入手！　少女殺害犯「獄中からの手紙」と「鬼畜サイト」〉

真由ちゃんを殺した犯人――植田雅也は、拘置所から遊び仲間に宛てて手紙を書き送っていたらしい。夕刊紙の記者が遊び仲間からその手紙を手に入れたのだという。

記事には、真由ちゃんの名前は出ていない。川原さんも典子さんのことも「被害者の両親」という表現になっていた。だが、「交際中の女性の長女をショッピングセンターのタワー式駐車場から突き落として殺害」という事件の経緯だけで、わかるひとにはわかってしまう。川原さんや典子さん本人にも、もちろん。

植田の手紙には、反省や後悔のかけらもなかった。ちんぴらが虚勢を張る姿そのままに、強がって、うそぶいて、真由ちゃんと川原さん夫婦を徹底的におとしめていた。真由ちゃんのことを、ただ殺すだけではなく強姦してから落とせばよかった、と書いていたらしい。真由ちゃんに、母親と自分との関係を教えてやってから殺した、らしい。ショックにゆがんだ真由ちゃんの顔が、いまでも目に浮かんで、興奮するらしい。あの夫婦はどうなった、と遊び仲間に訊いていた。家庭崩壊を期待してます、と手紙は締めくくられていたらしい。

記事はさらに、同じ遊び仲間の証言をもとに、犯行に及ぶ前の植田が人妻投稿サイトの常連だったことを伝えていた。

植田は、交際していた人妻の写真を何度も投稿していたらしい。全裸の写真はもとより、縄で縛られた写真や、性具を使っている写真などもあったという。その人妻が典子さんだった——とは書いていない。それが逆に、妄想めいた想像力をかきたててしまう。

〈本紙記者が検索したところ該当するサイトは見つからなかったものの、この証言が事実だとすると、植田容疑者の異常性を物語る大きなポイントになるだろう。なんの罪もない少女を惨殺しておきながら反省の色もなく被害者感情を逆撫でする植田のような男でさえ、やがてはシャバに出てくるのだ〉

記事には真由ちゃんの顔写真も出ていた。ほかのマスコミはすでに公表を控え、この夕刊紙でも画像に処理をほどこしていたが、僕にはわかる。間違いなく真由ちゃんの顔だ。

もちろん、それは川原さんや典子さんにもわかってしまうだろう。

情報番組が始まり、スタジオの司会者がパネルを使って、今夜伝えるニュースや特集を予告した。植田の手紙の話はない。やはり、スクープした夕刊紙以外のマスコミは、本気で受け取ってはいないのだろう。

「なあ、テレビでやらなかったら、明日の新聞もやらないよな」

「たぶんね。朝日とか読売とか、ふつうの新聞は無視するんじゃない?」

「だよな……」

うまくいけば川原さん夫婦はなにも知ることなくすむかもしれない。銀行を休職している川原さんや、実家に身を寄せている典子さんが、わざわざ駅まで出かけて夕刊紙を目にするとは思えない。

よし、と気持ちを切り替えた。だいじょうぶだいじょうぶ、と自分を安心させて夕刊紙を閉じた。それを待っていたように、恵理は深々とため息をついた。さっきの僕とは違う、深くても軽やかなため息だった。

「ちょっとこれ、一泊二日の旅行とは思えないよね……」

床に座り込んだ恵理の前には、ファスナーが閉まらないほどふくらんだスポーツバッグがある。

「やっぱり、こっちにしようか」

恵理はスポーツバッグに詰めた荷物を取り出して、一回り大きなスーツケースに移していった。おととしの夏、三泊四日の家族旅行でサイパンに出かけたときに買ったスーツケースだ。

「減らそうぜ、荷物」

「でも、これが限界よ」

「ダウンジャケットは要らないだろう」

「そう? でも寒いんでしょ、向こうは」

「寒いけど……俺は要らないよ、まだ十月なんだから」

「なに言ってんのよ、あなたがいちばん必要なんじゃない。入りきらなかったら、わたしのを置いてくから、あなたの上着はちゃんと持って行かないとだめよ、絶対に」

僕に風邪をひかせるわけにはいかない。肺と気管支をやられている体で風邪をひいて、こじらせて、肺炎を起こすと、あっけなく……というケースもありうる——と井上先生にも釘を刺されていた。

「じゃあ、せめてセーターはもうちょっと薄手のにしてくれよ」

タートルネックに、カウチンセーター。さっきもアンダータイツを荷物からはずすだけで、説得にさんざん苦労した。

「汗かいちゃうぞ、かえって風邪ひくよ」

「寒くなかったら着なければいいのよ。トレーナーや薄手のカーディガンも入れてあるんだから。わかる? 寒かったら着ればいいの。でも、持ってきてなかったら、着られないでしょ? 着られなかったら困るでしょ? だったら持っていくしかないでしょ?」

そういうことっ、と笑う。僕も苦笑するしかない。恵理の心配性にあきれるのが半分、その心配性が、昨日までとは違って明るく出てくれていることにほっとするのが半分の、くすぐったい苦笑いになった。

「あなたはもういいわよ、先に寝ててよ。明日早いんだから、しっかり寝て、体力温存しないと」

明日の朝は五時前に起きて、六時過ぎには予約しておいたタクシーが迎えに来る。飛行機は羽田を八時少し前に発ち、九時過ぎに旭川に着く。そこから雄司の運転するレンタカーで、休憩なしで北都に向かっても、カシオペアの丘に着くのはお昼前になるだろう。確かに長旅だ。昨日今日と体調は良かったが、どこまで体がもつのか自信はない。

「途中でちょっとでも具合が悪くなったら、すぐに中止だからね、絶対に無理しないでよ。で、向こうに着いて具合が悪くなったら、二泊でも三泊でもすればいいんだから、哲生の学校のことか気にして黙ってるのだけは、絶対に、ぜーったいに、やめてよ」

荷造りにとりかかってからの小一時間で、何度同じ台詞《せりふ》を繰り返しただろう。「わかってる、だいじょうぶだから、ちゃんとわかってるから」という僕の答えも、ずっと同じだ。

「ね、ほんとに寝ちゃえば?」

「だって、まだ十時だぜ」

「哲生だって寝てるじゃない。横になって目をつぶってれば眠くなるって」

明るく言う。元気に言う。「ガン」という言葉を口にしないことは変わらないが、いままでのように避けているのではなく、口にするのも忌々しい言葉だからつかわない——はっきりとした意志を感じる。

「なんか、今日は気合入ってるな」

冗談っぽく訊いても許されるような余裕さえ、恵理にはあった。

「わたし、決めたの」

「なにが?」

「明日とあさっての旅行で生まれ変わるから」

「どういうこと?」

「東京に帰ってからは、世界一の看護師さんになる」

「……はあ?」

「開き直ったわけじゃないんだよね。やっぱり脳に転移したのはショックだし、悲しいし、あなたがいちばん悲しいんだろうなって思うのも悲しいし……」

恵理は荷物を詰める手を止めて、ひと息ついた顔で「でも」と言った。

「いまのほうが、先週までより気持ちは楽かもしれない」

「そうか?」

「だって、これでもう、がんばるしかないって決まったんだから。病気がこう来るんだったら、こっちだって負けてられないでしょ」

治すことは、もう考えない。一日でも長く僕を生きさせなければ、とも思わない。

「悪いけど、わたしにはなにもできないもん、そういうことは」

「うん……」

「できないことを必死にやろうとして、やっぱりできなくて、それで落ち込むのって、ばからしいと思わない？」

いままではそうだった。新たな転移が見つかるたびに、僕よりもむしろ恵理のほうがショックを受けて、ふさぎ込んでしまっていた。

「でも、思ったの。ガンっていう病気は、ひとに苦しい思いをさせて死なせちゃう病気でしょ。肉体的にも、精神的にも。だったら、わたしは苦しくないようにしてあげたい。あなたが、あと何ヵ月か、何年か、何十年生きるか知らないけど……」

そんなに長くは無理だって、と苦笑したが、恵理は真顔で「それくらいの希望は持たせてよ」とぴしゃりと言って、つづけた。

「なにをしてあげれば、あなたがいちばん苦しくなくて、安らかな気持ちで人生を終わりにできるか、それだけ考えてあげる」

だから——と、恵理は言った。

「車の中で横になれるように、これも持って行きます。文句言わないでよ」

サイズの大きなフリース地のブランケットも、スーツケースに入れた。

サイレントモードにしておいた携帯電話が身震いしたのは、日付が変わった頃だった。

枕元の電話を取り、雄司からだと確かめて、隣のベッドで寝ている恵理を起こさないようリビングに出た。雄司にも話の見当はついていたようで、前置き抜きに「シュンも読んだのか」と言われた。「ひどい記事だっただろ、とんでもない話だよな」

「書いてあったこと、ほんとうなのか?」

「さあ……わかんない、俺にも。でも、事実かどうかなんて、もう、どうでもいいんだ。問題は、典子さんのことがまたマスコミに出て、それを川原さんが知ったってことだけなんだ。それがすべてなんだよ」

「……読んだのか、川原さんも」

「直接は読んでない。でも、取材が来た。こんな記事が出てるんですけどどう思いますか、って訊かれた」

「それで……」

「いま、俺の横で寝てる。ぶっ倒れるようにして寝てるよ」

どこにいるんだ、いま——と訊こうとしたら、その前に雄司が「頼みがあるんだ」と言った。

「明日、川原さんも一緒に北都に連れて行っていいか? 飛行機のチケットはネットで取れたし、車もワゴンだから座れる。シュンさえよければ、連れて行きたいっていうか……行きたがってるんだ、川原さん」

カシオペアの丘に——。

初めて、自分から「行きたい」と言った。

「川原さん、そこで死ぬって」

雄司は軽く言って、「家族がいちばん幸せだった場所で死にたいんだってさ」ともっと軽くつづけた。

僕が笑い返さなかったので、雄司もすぐに口調を元に戻して、今日一日のいきさつを順に話しはじめた。

植田の記事が出たことを、雄司は午後の遅い時間に知った。すぐに夜の仕事をすべてキャンセルして、車をとばして川原さんの自宅へ向かった。

「よけいな取材が来る前に、車に乗せて、どこかにかくまうつもりだったんだ。でも、遅かった。タッチの差で間に合わなかった」

取材記者がひきあげたのと入れ替わるような格好になった。鍵の掛かっていない玄関のドアを開け、家の中に入ると、川原さんはリビングの床に倒れていた。体を横倒しにして、背中を丸め、膝を抱きかかえて——「泣いてたのか」と僕が訊くと、「だったら、まだましなんだけどな」と雄司は寂しそうに笑った。

うつろな目をしていた。雄司が声をかけてもなんの反応もなかった。

「元に戻ったんだ。俺が最初に会った頃と同じだったし……立ち直りかけてたぶん、もっと状態は悪かったな」

外に連れ出すのは難しい。そう判断した雄司は、まず玄関に鍵を掛けた。家の電話を留守番電話にして、すでに何件も不在着信が入っていた携帯電話は電源を切った。

次に、風呂にお湯を張って、放心状態がつづく川原さんを背負うように浴室まで連れて行った。風呂に入ってくれ、とにかく熱いお湯に浸かってくれ、と繰り返すと、川原さんはうつろな目をしたまま黙って服を脱ぎはじめた。

川原さんが風呂に入っている間、雄司は部屋の掃除をした。

「風呂と掃除は、最初に会ったときと同じなんだ。あのときはリビングもキッチンもゴミ溜めみたいだったけど、それに比べれば全然ましだったな」

冷蔵庫の中に総菜のパックがあった。二日に分けて食べるつもりだったのだろう、食べかけのパックはきちんとラップされていた。

「それを見たら、思わず泣きそうになっちゃったよ」

一人暮らしのわびしさを思い知らされて、ではなかった。残りは明日食べようと思ってラップをした、そのときの川原さんの心を思うと涙が出るほどうれしかった、という。

「どんな形でもいいんだよ。カッコなんて悪くていいんだ。ただ、とにかく、川原さんが明日のことを考えてる、川原さんの心の中に『明日』がある……それだけで俺はうれしかったし、だから、あの記事にすごく腹が立ったんだ」

風呂からあがった川原さんは、まだ悄然《しょうぜん》とはしていたが、だいぶ生気を取り戻していた。

「シュンも覚えといたほうがいいぞ。キツいときには、体を温めることと、目に見える風景をシンプルにすること、この二つだ。風呂がなかったら熱いお茶を飲むのでも、酒でも、なんでもいい。家の中にいれば部屋を片づけて、外にいるんだったら、だだっ広いものを見るんだ。空でも海でも、展望台の夜景でも、なんだったら砂漠でもいいから」

でもな――と、雄司はつづけた。

「体や心が、しゃんとするってことは、悲しみとか苦しみもくっきりしてくるってことだろ？ 麻酔が切れるようなものなんだから」

「ああ……」

「死にたいって言ったよ。もう生きていくのがつらくなった、って。自分が死ねば、たぶん典子も自殺するだろう、って。そうしたら、天国で真由と三人で会えるから、って」

そのほうがずっと幸せだ、と川原さんは泣きながら言った。違いますか、違いますか、と泣きじゃくりながら雄司に何度も訊いた。

雄司はその問いに答えるかわりに、明日から僕と北都に行くことを告げた。どうせ自殺するのならカシオペアの丘で死んだほうが真由ちゃんも喜ぶんじゃないですか、と言った。

「……なんで」

「だって、スジとしてはカシオペアの丘で死ぬのがいちばんだろ」

「なんだよ、それ」

「あとな、川原さんに言っといたから」

死んだほうが幸せかどうかは、シュンが教えてくれますよ——。

「またきれいごとしか言わないかもしれませんけど、って言っといたから」

へへっと雄司は笑って、「よろしくな」と言った。


電話を切ったあと、哲生の部屋に入った。掛け布団をベッドの下に蹴り落とし、はだけたパジャマの裾からおなかを出して眠る哲生に苦笑して、パジャマと布団を整えてやった。

カシオペアの丘で生まれ変わると恵理は言って、カシオペアの丘で死にたいと川原さんは言った。年老いた倉田千太郎はカシオペアの丘を見下ろす観音像を死に場所に選び、美智子と敏彦の夢だったカシオペアの丘の遊園地は、この週末を最後に短すぎる歴史に終止符を打つ。そして、僕は、死んでしまう前に一度だけ——カシオペアの丘に帰っていく。

なんなんだろうなあ、とベッドの横にしゃがみ込んで、哲生の寝顔を見つめた。

生きるとか死ぬとか、おとなはめんどうなことばっかり考えるよなあ、と笑った。

おまえだって——。

時には、自分が死んでしまうことを想像するのかもしれない。子どもの頃の僕がそうだったように、パパやママが死んじゃったらどうしようと、悲しい想像をすることがあるのかもしれない。

哲生の手をそっと取って、僕の右胸にあてた。放射線治療は打ち切られたが、×印はまだ残っている。

ファイト、と小さく口を動かした。

第十章　再会

1

ゆうべまでは、「ひさしぶり」と笑って俊介を迎えるつもりだった。カシオペアの丘の入場口で敏彦と一緒に待ちかまえて、くす玉とクラッカーというわけにはいかなくても、とにかく明るく、とにかく笑って再会しよう、と決めていた。

でも、朝になって考えが変わった。朝食のあと、外に出て見上げた空は、きれいに晴れ上がっていた。目がちかちかするほど鮮やかな青空だった。てっぺんが白く染まった遠くの山々の稜線も、まるで空とは別に撮った写真を貼り付けたみたいにくっきりしていた。雲はほとんどない。風もない。澄みわたった空気を吸い込むと枯葉のにおいが胸いっぱいに満ちた。

よかったね、とつぶやいた。俊介のために。ほんとうによかったね、と空を見上げて微笑んだ。生まれ故郷に帰ってくる俊介を、空の神さまも歓迎している。よく帰ってきたな、と言ってくれている。

「おおーっ、よく晴れたなあ」

家の外に出てきた敏彦も、驚いて声をあげた。「シュンに最高のプレゼントをしてくれたよなあ」――わたしが思っていることをかわりに言ってくれた。

「シュンって晴れ男だったたっけかなあ」

「どうだったろうね……」

小さな嘘をついた。東京にいた頃の俊介は、「俺のほうから誘うと絶対に天気悪いんだよなあ」としょっちゅうぼやいていた。

雨の中を二人で傘を差して歩いた記憶が、いくつかよみがえった。東京の雨の日は、ひとの傘をよけながら歩くのが大変だった。北都で暮らしていると、そんなことさえ、遠く懐かしい思い出になってしまう。

あの街はどうしてあんなにひとが多く、あんなに歩道が狭かったのだろう。そして、道が狭いのなら前後に分かれて歩けばいいのに、どうしてわたしたちは並んで歩きたがったのだろう――ときには、一本の傘の下で、腕を組んだり肩を抱かれたりして。

「奥さんのほうかもね、晴れ女」

空を見上げたまま言うと、敏彦は「シュンはこういうところのツキはなさそうな奴だもんな」と笑った。

「そうそう、絶対にそうだよ。奥さんのおかげで晴れたんだよ」

俊介は素敵な奥さんに巡り合えて、幸せな日々を過ごしていた。俊介がひとりぼっちで帰ってくるのではないから、神さまも空をこんなに美しい青に染めてくれた。

わたしはそう信じている。信じているから、急に怖くなった。じっと見つめる空は、ほんとうにきれいで、吸い込まれそうなほど広くて、高くて、それがむしょうに怖かった。

敏彦は車椅子をさらに外に出して、カメラを空に向けてかまえた。

「こんなに晴れてる空、一年に何度もないもんな」

照れくさそうに、言い訳するみたいにつぶやいて、シャッターを切っていく。新品のデジタルカメラだ。ゆうべ、敏彦が旭川のリハビリセンターに出かけた帰りに買ってきた。一千万画素の一眼レフ、レンズとボディのセットで十五万円――わが家の家計を考えると贅沢すぎる買い物だったけど、写真は敏彦の唯一の趣味で、もしも「ライフワーク」という言葉をつかってかまわないのなら、敏彦がライフワークにしているのは、カシオペアの丘の四季だった。

へそくりをはたいて新しいカメラを買ったあとで、敏彦は「どうせだったら、もっと早く買い換えてればよかったな」と寂しそうに言った。「春や夏のカシオペアの丘も、これで撮ってやればよかった」

来年もあるじゃない――とは言えない。

「遺影を撮るために買ったようなものだな」

ぽつりとつぶやいた敏彦は、一呼吸おくと、あわてて「カシオペアの丘の話だぞ、勘違いするなよ」と言った。

わかってる。わたしは苦笑して、「でも」と返した。「シュンやユウちゃんのおかげでいいカメラで撮ってもらえて、遊園地もうれしいんじゃない？」

「うん……こういうきっかけがないと、なかなか買い換えられないんだよな、カメラって」

「間に合ったからよかったじゃない」

「だよな、間に合ったんだよな」

また一呼吸おいて、二人同時に「カシオペアの丘の話」と言い添えた。顔を見合わせて、ぷっと噴き出してしまうほど、ほんとうにきれいに声がそろった。

わたしたちは幸せだ。敏彦もわたしも、これ以上ないほどのパートナーに巡り合えた。信じてほしい。わたしが俊介の幸せを信じるように、俊介にも信じてほしい。友だちなら、それくらいできるはずだ。

空の撮影に区切りがつくのを待って、敏彦に言った。

「やっぱり、ふつうに仕事してようか。シュンとユウちゃんには勝手に中に入ってもらえばいいじゃない。適当なタイミングで声をかけてもいいし、向こうが事務所に寄るかもしれないし」

「そうか?」

「最初からわたしたちと一緒だったら、向こうも気をつかうでしょ。カシオペアの丘に入ってきて、遊園地をパッと見た瞬間ぐらいは、素直な顔にさせてあげたいし」

がらんとした小さな遊園地に失望するだろうか。それとも、びっくりして、喜んでくれるだろうか。そのときの表情を見たい、と思った。怖いほどきれいな青空の下で奥さんや息子さんと一緒にいるときの——再会する前の俊介に会いたい。

俊介がカシオペアの丘に着くお昼頃には、陽が高くのぼっているだろう。まぶしさに目を細めたときの俊介の顔は、小さな子どもがべそをかいているように見える。そう言ってからかったことを、あのひとはいまも覚えているだろうか。

「ミッチョ」

珍しく子どもの頃のあだ名で呼ばれて、「なに?」と振り向くと、写真を撮られた。

カメラを下ろした敏彦は、「再会三時間前の顔、押さえとこう」と笑った。

急に胸がどきどきして「ちょっとモニター見せてよ、ヘンな顔になってない?」と頼んだけど、敏彦は「だいじょうぶだいじょうぶ」と笑うだけで、撮った画像をモニターで見せてはくれなかった。


カシオペアの丘に出勤する敏彦と一緒に家を出て、国道に出たところで左右に分かれ、わたしの車はJRの北都駅へ向かった。

駅舎の外には、保冷ボックスを二つ、肩から提げたミウさんが立っていた。

「早起きして二条市場に寄って、いろいろ買っちゃいました」

よく見ると、ミウさんの後ろにはさらに一つ、もっと大きな保冷ボックスもあった。

「これ、ぜんぶ一人で持ってきたの?　大変だったんじゃない?」

「氷入りだから、重かったです、ほんと」

ほんとうに重い。ワンボックスカーの荷台に積み込むだけで肘や肩が痛くなった。

「こんなときぐらい車で来ればよかったのに。どうせ泊まるんだし」

「言ったじゃないですか、わたし、運転だめなんですよ」

「だって免許持ってるんでしょ?」

ミウさんは「あんなのDVD借りるときの身分証明書にしか使ってませんから」と笑って、

「それより、これ最高のラム肉ですからね、ちょっともう、ハンパじゃないですよ」と得意そうに言った。

「そんなに違うの？」

「一口食べればわかります」

タウン誌のつてで、ジンギスカンの名店のお肉とタレを特別に分けてもらったのだという。二条市場で買いそろえた海産物や野菜も、ふつうなら東京の築地市場に回って高級なお店に卸されるものらしい。

「せっかく同窓会に呼んでもらったんですから、買い出しぐらいはがんばらせてほしくて」

わたしではない。雄司が誘った。わたしには事後報告だった。あのなミッチョ、ワケありの飲み会のときは内輪だけで集まるんじゃなくて、一人か二人関係ない奴がいたほうがいいんだよ——昔から、こういうことにはあきれるほどの気配りをするひとだった。

でも、ミウさんはもう、カシオペアの丘とまったく無関係ではない。いくつものことを知っていて、すべてを知っているわけではなくて、わたしたちよりずっと若い。

わたしなら呼ばない。ミウさんの若さの前に、わたしたちの間に流れた時間をさらすのが怖い。「どうする？」と雄司が前もって訊いてくれていたなら、「やめとこうよ」と答えたはずだ。

車に乗り込むと、ミウさんは言った。

「工事、もうすぐ終わるみたいですよ」

倉田千太郎の終《つい》の棲家《すみか》——。

「外構や仕上げにはまだ時間がかかるみたいですけど、寝泊まりできるようになった時点で、すぐに引っ越してくる、って」

「じゃあ……来週ぐらい？」

「だと思いますよ」

市役所で歓迎式典とかするんですか、と笑いながら訊かれた。わたしは黙って車を発進させた。ミウさんもすぐに笑いの消えた顔になって、「倉田千太郎が来るのって、やっぱり嫌ですか？」と訊いてきた。

「べつに、どうでもいいけど」

「市長さんは喜んでるみたいですよ、これで北都にも重石《おもし》ができたとかなんとか。まあ、二月の選挙のことだと思うんですけど」

「取材、まだやってるの？」

「総務部長さん、セクハラぎりぎりなんですけど、そこをうまくかわすと、けっこういろんなことしゃべってくれるんですよ。ああいうひとがフトコロ刀だと、ちょっと『倉田』の社長さんもヤバいんじゃないですか」

屈託なく笑う。わたしも半分あきれて笑い返すと、そのタイミングを狙っていたように、「シュンさん、今日、北都観音に寄らないんですか？」と話がつづいた。

若さは無邪気にひとの心に踏み込んでくる。

わたしは路肩に車を停める。ミウさんを振り向いて、強い口調で言った。

「悪いけど、わたしたちのことにあまり立ち入らないでくれる？　あなたは関係ないんだから」

ミウさんはじっとわたしを見つめ返して、「わかってます」と思いのほか素直にうなずいた。

「もうよけいなこと言わないし、訊きません」

「……お願い。ひさしぶりに会うんだから、みんな」

もう一度うなずいたのを確かめて、また車を発進させた。街なかを抜けて国道に出ると、行く手に北都観音の横顔が見えてきた。カーブを曲がるたびに観音像は大きくなる。最初はそれなりに風景に溶け込んでいた観音像が、しだいにまわりの山や丘を威圧するように目に迫りはじめた頃、ミウさんはぽつりと言った。

「倉田千太郎がいちばんゆるされたい相手って、誰なんでしょうね」

「……そんなこと思ってないよ、あのひとは」

「思ってますよ。だから北都に帰ってくるんじゃないですか」

考えすぎだって、と笑っていなそうとしたら、ミウさんは、あ、そうか、とつぶやいて、ゆっくりとした声でつづけた。

「あのひとは、いままで流れた時間そのものにゆるされたいのかもしれませんよね」

わたしは黙って車を走らせる。話に付き合うつもりはなかったけど、もしもほんとうに倉田千太郎がそう思っているんだとしたら、と心の中でつぶやいた。

きっと、シュンと同じだよ――。

2

わたしはウサギになった。

「汗かいちゃいませんか?　いいんですか?」

背中に回ったミウさんは、何度も念を押して着ぐるみのジッパーを上げた。

「いいのいいの、おめかしして会わなきゃいけないような相手じゃないから」

バンダナを頭巾にして髪を押さえ、首にはタオルを巻いた。着ぐるみを脱げば上下スウェットの、校外学習で甜菜《てんさい》掘りをしたときと同じいでたちだ。

「それに、ちょっとでもにぎやかなほうがいいじゃない、週末の遊園地なんだから」

今シーズン最後の——そして永遠に最後になるかもしれない週末なのに、お客さんの入りはやっぱり悪かった。閑散とした駐車場に車を停めたときには、ため息も漏れた。

なんとかしたい。ウサギを見て息子さんがよろこぶかどうかはわからない。学校の教え子の顔を思い浮かべて、小学四年生の男子だと無理かな、とも思う。でも、少しでも遊園地らしい雰囲気で迎えたい。息子さんよりも、ほんとうは俊介をびっくりさせたい。

ウサギの頭をかぶってみると、ミウさんは「うわあ、かわいいじゃないですか、似合いますよ、美智子さん」と拍手してくれた。こういう無邪気さは、ありがたい。

頭を脱いで、首に巻いたタオルの位置を調整しながら、「ミウさんも着る？」と誘ってみた。

「まだほかにも着ぐるみはあるから」

「いいんですか？」

声をはずませ、小走りになって事務所の裏にある物置に向かう。ほんとうに若い。とにかく若い。それは——やっぱりいいことなんだよ、と自分に言い聞かせた。

苦笑交じりに「着ぐるみ二つなんてひさしぶりじゃない？」と敏彦に声をかけた。でも、敏彦はわたしたちのやり取りが聞こえなかったように、重い表情でじっと考え込んでいた。

「どうしたの?」

「川原さんのこと」

わたしもすぐに真顔に戻った。旭川空港から雄司が電話をかけてきたのは二時間ほど前だった。そのとき初めて、川原さんも一緒なんだと聞かされた。あのさ、悪いんだけどさ、あのひと自殺する気で来てるんで、フォロー頼むわ——そういうことは、せめて羽田を発つ時点で教えてほしい。

夕刊紙の記事は敏彦がネットで探しだした。読み進めていくうちに自然と顔がゆがむ、ほんとうにひどい記事だった。ふだんはひとに同情することが嫌いな敏彦でさえ、「これなら死にたくもなるよなあ……」とため息をついていた。

「ウサギって、あの日と同じだよな」

「そう。これで一緒に写真撮ったんだもん、真由ちゃんと」

抱っこをした。体の重みや感触はもう覚えていない。真由ちゃんのうれしそうな笑顔も、事件のあとテレビでその写真が映し出されなければ忘れたままだっただろう。でも、確かにあの日、真由ちゃんはわたしの胸に抱かれて、いまはもう、この世のどこにもいない。

「だいじょうぶなのかな。川原さんが懐かしがってくれるか逆効果になるのか、わかんないぞ」

「ウサギさんがいないと、かえって悲しくなるような気がするけど」

あの日と同じほうがいい、とわたしは思う。だから、リスでもライオンでも虎でもなくウサギの着ぐるみを選んだ。敏彦は逆に、あの日を思いださせるものはないほうがいいんじゃないか、と言う。

「でも、そんなこと言ったら、カシオペアの丘に来る意味ないんじゃないの？」

「それはそうだけどな」

「幸せだった頃の思い出にひたりたいって言ってるんだから、あの日と同じにしてあげたほうがいいんじゃない？」

「東京ではそう言ってても、実際に目にすると違うような気もするんだけどなあ……どうなんだろうなあ……」

敏彦には珍しく、迷ったまま首をひねる。結局「とりあえずウサギになって、川原さんの反応しだいですぐに着替えるってことでいいんじゃない？」とわたしが言うと、そうだな、と受け容れた。すべて納得した顔ではなかったけど、「やっぱりだめだよなあ、こういうところ」と負けを認めたように力なく笑う。

「親の気持ちって、どうしてもわからない」

「わたしだってそうだよ」

「美智子は先生なんだから、半分は親みたいなものだろ。でも、俺は違うんだよ。子どもを思う親の気持ちとか、子どもを亡くした親の気持ちとか、テレビやマンガの登場人物みたいにしか想像できないんだよな」

「しょうがないよ、それは」

「あと……子どもをのこして死ななきゃいけない親の気持ちとかも」

わたしは黙ってうなずいた。確かに、俊介のことも川原さんのことも、わたしたちは自分の身に置き換えては受け止められない。

でも……と言いかけたら、敏彦は「それで遊園地の園長やってるってのが、そもそも間違ってたのかもな」とつづけた。

「……そんなことないって」

「まあいいや、悪い悪い、ヘンなこと言って」

話は中途半端に途切れてしまった。「ちょっと俺も緊張してるのかな」と言って、それきり言葉をつづけないから、また微妙に重い間が空いてしまう。

わたしはミトンをはめた手を壁の帽子掛けに伸ばした。園長の帽子を取って、どうした、ときょとんとする敏彦の頭にかぶせた。

「園長さん、元気出して」

「……元気だよ、俺は。なに言ってんだ」

敏彦は苦笑して、あみだになった帽子をかぶり直す。

「ひさしぶりじゃない？　あなたと考え方が違ったのって」

そうだな、と帽子のつばを細かく動かして、かぶる角度や左右のバランスを調整する。

「男と女の違いだったのかもね」

「っていうより、アレじゃないか、昔のこととどう向き合うかっていう姿勢の違いなんじゃないかなって」

「そう？　どっちがどうなの？」

「美智子のほうが強いんだよ、きっと」

わたしにはよくわからなかったけど、敏彦はその一言でようやくすっきりした顔になって、帽子のつばに真ん中からキュッとカーブをつけた。

子どもの頃と変わらない。癖というか好みというか、子どもなりのおしゃれだったのか、小学生の頃の敏彦はいつもジャイアンツの野球帽のつばにカーブをつけていた。園長の帽子のつばは野球帽よりずっと小さく、エナメルなので、そんなには曲がらない。でも、帽子をかぶるたびにそれを繰り返していたせいで、いまでは最初から「へ」の字のような形《かた》がついている。

五年間というのは、それだけの年月なんだと思う。その五年間を、敏彦は園長としてカシオペアの丘のことばかり考えてがんばってきた。市議会や市役所のひとたちにはわかってもらえなくても、わたしはずっと、誰よりもそばで見てきた。負けず嫌いの敏彦の悔し涙やため息や愚痴や弱音を知っているのは、わたししかいない。

「元気出して、園長さん」

笑って声をかけると、敏彦は「元気だって言ってるだろ、しつこいよ」とムスッとした顔になった。それでいい。負けず嫌いで、プライドが高くて、同情することは嫌いだけど同情されることはもっと嫌いな敏彦でいてほしい。たとえカシオペアの丘が閉園してしまったとしても、これからもずっと。

「ねえ……さっきの話だけど、親の気持ちを想像するのは難しくても、夫婦だったらＯＫじゃない?」

「って?」

「奥さんに不倫されて、そのとばっちりで一人娘まで殺された夫はどうするか。あと、奥さんをのこして死ななきゃいけない夫はどうするか……」

敏彦は黙ってわたしを見つめ、そうだな、と小さくうなずいて、でも、「考えたくないよ、そんなの」と言って帽子のつばを下げた。

物置から戻ってきたミウさんは、リスになっていた。

「ね、美智子さん、ウサギとリスだといいコンビだと思いません？」

「思う思う」

背中のジッパーを上げて、「似合うよ」と笑ってあげた。

「それに、この格好だったら、会っても向こうは正体わからないわけでしょ？　『素』の顔が見えて面白いじゃないですか」

若さは無邪気に、えぐるように、正しさを衝《つ》いてくる。

「そうだね」と笑い返すことはできた。でも、うまくは笑えなかった。

「あと、こんなのも物置にあったんで、持ってきたんですけど」

ヘリウムガスのボンベとゴム風船の箱――「在庫一掃ってことで、もっと盛り上げちゃいましょうよ」と言って、そこまでしなくていいって、と止める間もなく風船をふくらませはじめた。

どうする？　平気？　と敏彦を振り向いたら、ミウさんが短い悲鳴をあげた。バルブから口がはずれた赤い風船が、ガスを噴き出しながら天井に沿って踊るように飛び回る。

「すみませーん、けっこう難しいんですね、ガスを入れるのって」

やがて、風船はしぼんで、ぽとんと床に落ちた。わたしはそれを拾い上げて、ミウさんに「ガスじゃなくて、ふつうの空気にしよう」と言った。

「えーっ、でも、ふわふわ浮いてたほうが感じ出ませんか?」

「手を放したらすぐに飛んでいっちゃうと、かわいそうじゃない」

青い空に色とりどりの風船が吸い込まれていく光景を想像すると、急に悲しくなった。やっぱり今日の空は、広すぎて、高すぎて、青すぎる。

「空気だとつまんないですよ。いまどき空気の風船なんて誰もよろこばないいんじゃないですか?」

ミウさんの言うことは間違ってはいない。でも、わたしは首を横に振る。

「しっかり持ってればだいじょうぶですよ。糸の先っちょに厚紙も付いてるんだし、そこを握ってれば平気なんじゃないですか?」

若さの自信がうらやましい。

「なくしちゃったら、また新しいのをあげるってことにするとか」

そういうことをさらりと言える無邪気な残酷さが、少し悔しい。

「風船やガスだって予算のうちなんだから」

「だから予算は有効につかったほうがいいんじゃないんですか? 今日つかわないで、いつつかうんですか?」

お金の話を持ち出した時点で、わたしは負けていたのだろう。

「ねえ、トシさん、そうですよね?」

敏彦は——ミウさんの言いぶんを認めた。

「物置で冬を越したら、ゴムが固くなって風船はもう使いものにならないし、ガスも来年まで残しておいてもしょうがないからな」

わたしを見て、いいんだよ、それで、と笑う。わたしは黙ってウサギの頭をかぶる。耳のまわりが閉ざされて、音とも気配ともつかない低い音が響く。肩から提げたポシェットにトランシーバーを入れると、「来たら教えろよ、俺もすぐに出て行くから」と敏彦に言われた。わかってる。はずれて落っこちないように、頭に手を添えてうなずいた。

事務所のドアを開ける。小さくくりぬかれたウサギの目で見上げる空は、急に狭くなってしまった。そのかわり、高さと青さが増したようにも見えた。


メリーゴーラウンドの前に立った。ここから入場口が見渡せるかどうか確かめていたら、親子連れが通りかかった。

「ほら、ウサギさんいるよ」

お母さんに教えられて振り向いた女の子は、「ウサギさーん」と声をかけてきた。一年前の真由ちゃんと同じくらいの年格好だった。胸の前で両手を振って応えると、女の子はお母さんに「ねえねえ、ウサギさんと写真撮っていい?」とねだった。

「すみません、いいですか?」

もちろん。駆け寄ってくる女の子を両手で迎えて、抱き上げた。去年もそうだった。わたしに抱かれた真由ちゃんが、うわあっ、と歓声をあげたように、この子も目を丸く見開いて笑った。真由ちゃんがウサギの鼻やほっぺを興味しんしんで撫でたりつついたりしたように、この子も小さな手で顔をさわる。

「はい、いきまーす、チーズッ」

お母さんが携帯電話で写真を撮ったあとも、わたしはしばらく女の子を抱っこしたまま下ろさなかった。もっと強く、忘れないほど強く抱っこしてあげればよかった、と真由ちゃんのことを思った。

女の子と手を振り合って別れたあと、今度は川原さんのことを思った。あたりまえの話だけど、川原さんにはわたしよりずっとたくさんの悔いが残っているだろう。でも、それを言うなら典子さんにだって、ないはずがない。さっき夕刊紙の記事をネットで見つけたとき、ほんとうは川原さんよりも典子さんの悲しさや苦しさのほうが先に胸に迫った。二人のうちどちらか一人を選べるのなら、典子さんにカシオペアの丘に来てほしかった、とも思う。

川原さんは、もう典子さんをゆるさないのだろうか。自殺を考えるぐらいだから、きっと無理なんだろうな。敏彦に訊いたら、あたりまえだろ、と叱られそうな気がする。

真由ちゃんは、どうなのだろう。お母さんのことを植田に聞かされて――最後になにを思って、息絶えたのだろう。

いまは――?

お母さんのことを、無理だと思うけど、ゆるしてあげてほしい。

なんだか倉田千太郎のことを話すミウさんみたいだ。ふと気づいて、ため息をつくと、ほとんど密閉されたウサギの頭の中は急に湿っぽくなった。

メリーゴーラウンドのペガサスから、男の子が歓声をあげて手を振ってくる。アームで空中に浮かんだテントウムシから、お父さんに抱っこされた女の子が「ウサギさーん」と声をかけてくる。男の子に手を振り返し、女の子にうやうやしいお辞儀で応えながら、思う。

ゆるしたい相手を決してゆるせずに生きていくひとと、ゆるされたい相手に決してゆるしてもらえずに生きていくひとは、どちらが悲しいのだろう。

狭い視界の先に、北都観音が見える。あいかわらず晴れわたった空を背景に、白い観音像はおだやかな微笑みをたたえて、カシオペアの丘を見下ろしている。

祈りを捧げたわけではない。なにかを語りかけていたのとも違う。ただ、わたしは北都観音をじっと見つめつづけた。こんなに長く観音像を見ていたのは、もしかしたら生まれて初めてだったかもしれない。

肩を後ろから叩かれて、われに返った。リスが、なにしてるんですかぁ？　と訊くみたいに首をかしげた。ふくらませた風船が両手に三つずつ。ちゃんと持っててよ、子どもにプレゼントする前に飛ばしちゃったらサイテーだからね、と言ったけど、声が小さすぎてリスには届かなかった。

右手を差し出して、「はい、風船、半分どうぞ」と声を張り上げたリスは、「うわっ、ガンガン耳に響いちゃう」と顔を振る。

わたしは両手を腰の後ろに回して、要らない、と伝えた。

「いいんですか？」

いいから、とうなずいた。風船が手から離れて飛んでいくのが怖い。いままでそんなふうに感じたことは一度もなかったのに、むしょうに怖い。

ま、いいや、と手を引っ込めたリスは、すぐにまた右手を、今度は入場口に向ける。

「来ましたよ、来ました」

おとな四人と男の子一人のグループが、ゲートをくぐって入ってくるところだった。

先頭は、雄司。雄司に、ほら、こっちこっち、と手招かれてつづくのは、川原さんだった。俊介の一家が入ってくる。最初に息子さん、つづいて奥さん、そして俊介が、いま、カシオペアの丘に足を踏み入れた。

3

あなたが近づいてくる。先頭を歩く雄司がガイドみたいに遊具を指差して話しかけると、あなたは家族と一緒に、雄司の指を追って右を見たり左を見たりする。

まだ、気づいていない。ウサギにも——もちろん、わたしのことにも。

息子さんがダッシュして雄司を追い抜いて、また後ろに駆け戻る。元気な男の子だ。勉強よりもスポーツのほうが得意なんだろうな。目元が、小学生の頃のあなたに似ている。

奥さんは、とりたてて美人という感じではなかった。でも、にこにこ笑う丸顔はいかにも気分がよさそうで、こういうひとが近所や同僚にいたら友だちになりたいな、とも思う。

そして、あなたは——。

変わった。

もっとうまい言い方はないのか、とあなたは少し怒るかもしれない。でも、じゃあ、どう呼べばいいのだろう。二十二歳から三十九歳まで——「大きくなった」とは言えないし、「年老いた」

とも言えない。おとなになった。おじさんになった。くたびれた。シブくなった。どれもちょっとだけ正しくて、ちょっとだけずれている。

十八年ぶりに会ったあなたは、十八年前とは変わった。あたりまえだ。雰囲気が落ち着いて、髪が短くなって、笑うと目尻に皺も寄る。優しい笑顔になった、と思う。特に、奥さんや息子さんに話しかけられて応えるときの笑顔がいい。ひと見知りの性格は、きっと直っていないだろう。そのぶん、一度心を開いた相手にはやわらいだ笑顔を見せる。そこは昔と変わらない。変わったのは、笑顔を向ける相手だけだ。でも、それはすごく大きなことだけど。

丘を見渡すあなたのまなざしは、懐かしそうだった。閑散とした遊園地に息子さんは素直に拍子抜けした顔をしていたけど、あなたは感慨深そうにゆっくりと歩いて、奥さんになにか話しかけて、大きくうなずいた。

タートルネックのセーターにダウンジャケットは、いくら北海道でも、まだこの季節では大げさないでたちだった。でも、奥さんの提げたトートバッグから丸めて筒にしたブランケットが見えたとき、ああそうか、と納得した。そうだよね、シュン、病気なんだよね、と悲しくなった。痩せたのかどうかはわからない。比べる相手の昔のあなたは、遠すぎる。病気の症状が見た目に出ているのかどうかも、わからないままでいい、と決めた。

雄司が振り向いて、あなたになにか言う。あなたが、いいのか？　という顔になってうなずくと、雄司は前に向き直り、川原さんの肩を抱いて――酔っぱらいのおじさん同士がはしご酒をするように、あなたの一家と別れてスナックコーナーに向かった。

邪魔者なしで、ゆっくり思い出にひたれよ。雄司の言葉が、声や表情と一緒に浮かぶ。行こうぜ川原さん、俺はあんたに付き合うから。雄司ならきっと、そんなふうに言う。遊園地に入ってきたときから遠目にも元気がなかった川原さんも、雄司の強引さやずうずうしさにかえって救われたみたいに、雄司が肩から手をはずしたあとは、さっきまでよりほんの少し、しっかりした足取りで歩いていった。

雄司は円テーブルに川原さんを座らせ、売店で紙のジョッキに入ったビールを二杯買ってきた。ほらほらほら、飲んで飲んで、グーッとやろう、と川原さんにジョッキを持たせて、強引に乾杯をすると、川原さんも笑ってジョッキを口に運んだ。

雄司が東京に残っていてくれてよかった。川原さんのためにも、真由ちゃんのためにも、そしてもちろん、あなたのためにも、ほんとうによかった。雄司なら、典子さんのことも助けてあげられるかもしれない。助けてあげてほしい、と思う。わたしはやっぱり、典子さんが川原さんと真由ちゃんにゆるされてほしいから。

あなたは、息子さんに手をひっぱられて、ウェーブスインガーの乗り場に向かう。長いチェーンで吊された一人乗りのブランコが遠心力で大きな円を描いてぐるぐる回る、男の子の大好きな遊具だ。あなたにはキツいんじゃないかな、と見ていたら、奥さんが声をかけて、息子さんは一人でダッシュして乗り場に向かった。

息子さんの前では明るい笑顔だった奥さんは、あなたと二人になると、心配そうに顔を覗き込んで、折れていたダウンジャケットの襟を立てた。

だいじょうぶだよ。あなたの声が、確かに聞こえた。心配しなくていいよ。あなたの笑顔が、すぐそこにいるような温もりとともに伝わった。

そのとき、あなたが過ごしてきた日々をあらわす言葉が、やっと見つかった。

あなたは夫になって、父親になった。

それがあなたの十八年間だった。

ブランコが回りはじめる。息子さんが目の前を通るたびに、あなたと奥さんは笑って手を振る。何周かしたあと、奥さんがトートバッグからマフラーを出してあなたの首にふわっと巻き付けた。

あなたはずっと幸せだったんだと、思う。

4

リスがとことこと近づいてきて、大きな頭をぶつけ合うような距離で「いいんですか？」と声を張り上げて訊いた。「トシさんに連絡しないと」

「だいじょうぶ、あわてなくていいって」

こっちも大きな声で返す。

「でも、トシさんも待ってるんじゃないんですか？」

「まだ時間はたっぷりあるんだから、もうちょっと家族水入らずにしてあげようよ」

「そうですか？」

「だって、すごく楽しそうじゃない」

「ですよねえ……」

「邪魔したら悪いよ」

自分の声が頭に響く。痛みのないハンマーで叩かれるようなガンガンとした音が、不思議と心地よかった。

俊介はなかなかメリーゴーラウンドまで来てくれない。ウェーブスインガーのあとは、家族そろってコーヒーカップに乗って、奥さんと息子さんが飛行機に乗って、テントウムシには俊介と息子さんが乗って……空中からVサインを送る二人を、奥さんは何枚も何枚も写真に撮っていた。早く来てほしいような、もっとこうして遠くから見ていたいような、いらだちとためらいの入り交じった思いでいると、リスの手が不意に目の前に突き出されて、俊介の姿は視界から消えた。

「ねえ、美智子さん」

「……なに?」

「ウサギの顔があってよかったですね」

動かないはずのリスの顔が、急にいたずらっぽくなった。

「なんとなくわかりますよ、いま、美智子さんがどんな顔してるか」

「なに、それ」

「初恋のひとだったんでしょ、シュンさんが」

おなかを抱えて笑うジェスチャーをして、かわした。ミウさんは、ほんとうにたいせつなことはなにも知らない。教えるつもりもない。若さの鋭さと、とんちんかんな鈍さと、思ったことをすぐに口にする遠慮のなさと、無防備なほどの明るさが……やっぱり、いまは少しうとましい。

「ミウさんって、いくつだっけ」

「二十六です」

「いいね、若いって」

「あ、なんですかそれ、すごく皮肉っぽくないですか?」

リスに肩を軽くぶたれて、「ほめてるんだってば」とウサギはステップを踏んで逃げる。

「ほめてませんよ、そんなの」

「いいから、風船、気をつけてよ」

さらにステップを踏む。ウサギが跳ねるように、ぴょん、ぴょん、と後ろに逃げる。たぶん、わたしは俊介に再会して、ちょっとはしゃいでしまったのだろう。だいじょうぶ、笑って会える、と思ってうれしかったのだろう。そして、たぶん——その動きが川原さんの目の端をかすめて、それでウサギがいることに気づいたのだろう。

スナックコーナーにいた川原さんは、椅子から立ち上がり、こっちに向かって歩きだした。雄司もあわてて席を立ち、川原さんに追いついて、なにか説き伏せるように話しかけた。でも、川原さんの足は止まらない。ふらついていた。ビールの酔いのせいではないとわかるから、わたしはポシェットからトランシーバーを取り出した。

川原さんはまっすぐにウサギを見つめる。

「……覚えてますか、私のこと」

震える声で訊く。雄司が「あのさ、川原さん、違うって、着ぐるみは同じだけど、中に入ってるのはバイトだから、ね」と割って入っても、川原さんのまなざしはぴくりとも動かない。

怖い目つきではなかった。精神のバランスを失っているとも思わない。ただ、その目はひどく乾いていた。砂をこするような音が聞こえてきそうなほど、湿り気がまったく感じられない。涙が涸《か》れた、というのは、こういうことなのだろうか。それとも、悲しみが涙を流す段階を一気に超えてしまって、心のどこかに涙を溜め込んだまま、こんなにも乾いたまなざしになってしまったのだろうか。

「去年の夏、遊びに来たんですよ、ここに。覚えてますか?」

うなずくべきなのか、そうしてはならないのか、わからない。ウサギになったのは、敏彦の言うとおり間違っていたのかもしれない。

「写真、撮ってもらったんです。ほら、あそこの……車に乗って」

キッズドライブだった。川原さんと典子さんと真由ちゃんが三人そろって、T型フォードに乗った。運転したのは真由ちゃんで、助手席には典子さんが座って、後ろのシートに座った川原さんは二人の間から顔を出して、三人とも笑っていた。覚えている。ほんとうに楽しそうに、幸せそうに、笑っていたのだ。

「トンネルですよ……ほら、あそこ、出たところ……覚えてませんか? 写真撮ってくれたじゃないですか……女の子ですよ、まだね、小学校に上がる前の……覚えてませんか? ねえ、写真撮ってくれたんですよ、ウサギさんが。娘をね、抱っこもしてくれたんですよ……覚えてませんか?」

声は震えて、揺れている。でも、目に涙は浮かばない。泣いてほしかった。川原さんのために、涙を流させてあげたかった。こんなに乾いた目に映る風景は、きっと、色も厚みもなくなっているのだろう。

「覚えてないんですか？　抱っこしてくれたじゃないですか、写真撮ってくれて、園長さんの帽子も貸してくれたじゃないですか……」

泣けないまま感情が激してくる。涙のない泣き顔には、悲しさはない。ここにあるのは、苦しみだけだった。苦しんでいる。悲しむこともできずに苦しんでいる。

「ほら、もういいじゃない、川原さん、やめよう、ね、去年だろ？　今年のウサギさんは別のウサギさんなんだよ、覚えてないんじゃなくて、ぜんぜん知らないんだよ」

雄司は川原さんの肩を抱いて、必死になだめる。雄司のほうが涙声になっている。

「ね、いいじゃない、川原さんが覚えてやってればいいんだよ、ね、俺も覚える、忘れない、川原さん優しいパパでさ、典子さんも優しくてさ、真由ちゃん幸せだったよ、ね、俺が覚える、真由ちゃんのこと、俺が一生覚えてるから……ウサギさんは違うんだよ、去年のウサギさんとは違うんだよ……」

川原さんの肩をゆっくりとした拍子をつけて叩きながら、真っ赤に潤んだ目をこっちに向ける。

「ごめんな、悪い、いろいろ事情があるんだ。で、仕事の邪魔して悪いんだけど、ちょっとしばらく遠くに行っててくれないかなあ、園長には俺が言っとくから。だいじょうぶだいじょうぶ、俺、園長の友だちだから、ほんと……」

ウサギは、首を横に振った。

「頼むよ……わけはあとで話すから」

さっさと行ってくれ、と手振りで訴える。

でも、ウサギはもう一度、川原さんを見つめて、首を横に振る。

事務所から敏彦が車椅子で出てきた。こっちです、早く早く、とリスが敏彦を手招く。ちょうど乗り物から降りたところだった俊介たちも、怪訝そうにこっちを見ていた。

川原さんは雄司の手をふりほどいて、ウサギに迫った。

「覚えてるんですよね、そうですよね、女の子ですよ、娘ですよ、眼鏡をかけてて、ね、覚えてるでしょ？」

ウサギは大きくうなずいた。

「やめろよバカ、いいかげんなことするな」

にらみつける雄司に、違うの、と言った。雄司には聞こえなかった。

ウサギの頭を脱いだ。頬に外の風が触れた。視界が広がり、明るくなって、メリーゴーラウンドの『春』のメロディーがくっきりと聞こえてきて、こらえていたものがそれでプツンと切れた。

わたしは涙ぐんで川原さんを見つめる。

「覚えてます……真由ちゃんのこと」

唖然とする雄司に、ごめんね、とせいいっぱいの微笑みで一声かけて、川原さんに言った。

「去年のウサギです」

ごぶさたしています、とお辞儀をすると、こみ上げてくるもので胸が急に重くなって、立っていられなくなって、その場にへたり込んで泣きだしてしまった。

おろおろとするリスの手から、風船がするりと離れた。右手の三つ、左手の三つ、ぜんぶ。ピンクや緑や黄色の風船は、滑るように宙に上っていく。リスはあわてて紐の端の厚紙をつかもうとした。でも、その手をすり抜けて、風船はどんどん宙に上っていく。

青い空に、風船が吸い込まれていく。事務所で思い浮かべていたとおり、それはとても色鮮やかな光景で、だから悲しくてしかたなかった。

「あーあ、もったいなーい」

男の子の声がする。もう近くに来ている。わたしは地面にへたり込んだまま、野球のボールほどの大きさになってしまった風船をじっと見つめる。泣き顔で再会することになる。笑うはずだったのに。笑って会えると思っていたのに。

風船は風に流されて北都観音の方角に飛んでいく。ゴルフボールになって、ビー玉になって、色が見分けられなくなって、やがて、涙ににじんだ空の青に溶けた。

わたしはゆっくりと顔を下ろす。

俊介と目が合った。

泣きじゃくっているわたしに困惑しながら、俊介は、にっこりと笑った。

「ひさしぶり」

わたしが言うはずだった言葉で、再会の挨拶をした。

本書は、二〇〇二年七月から二〇〇四年一月にわたり、山陽新聞、信濃毎日新聞、京都新聞、愛媛新聞ほか全十二紙に掲載された「カシオペアの丘で」を全面的に改稿した作品です。

重松清

（しげまつ・きよし）

一九六三年岡山県生まれ。

早稲田大学教育学部卒業。

出版社勤務を経て執筆活動にはいる。

一九九九年『エイジ』で山本周五郎賞、

二〇〇一年『ビタミンF』で直木賞を受賞。

小説作品に『流星ワゴン』、『定年ゴジラ』、

『ナイフ』、『きよしこ』、『疾走』、『その日のまえに』、

『小学五年生』他多数がある。

小説執筆のかたわらライターとしても活躍し、

ルポルタージュやインタビュー等を手がけている。

カシオペアの丘《おか》で 上

第1刷発行　2007年5月31日

著者　重松《しげまつ》清《きよし》

発行者　野間佐和子

発行所　株式会社　講談社

〒112・8001

東京都文京区音羽2・12・21

電話　出版部　03・5395・3505

販売部　03・5395・3622

業務部　03・5395・3615

印刷所　大日本印刷株式会社

製本所　黒柳製本株式会社

定価はカバーに表示してあります。

ISBN978-4-06-214002-7 N.D.C.913 354p 20 cm